世界新变局

大视野下的全球热点问题

宫力 秦治来 等◎著

当代世界出版社
·北京·

图书在版编目(CIP)数据

世界新变局:大视野下的全球热点问题 / 宫力等著.
— 北京 :当代世界出版社,2012.4

ISBN 978-7-5090-0821-8

Ⅰ.①世… Ⅱ.①宫… Ⅲ.①国际形势—文集
Ⅳ.①D5—53

中国版本图书馆 CIP 数据核字(2012)第 048295 号

书　　名: 世界新变局——大视野下的全球热点问题
作　　者: 宫　力　秦治来 等
责任编辑: 李国振　贾丽红
出版发行: 当代世界出版社
地　　址: 北京市复兴路 4 号(100860)
网　　址: http://www.worldpress.org.cn
编务电话: (010) 83907332
发行电话: (010) 83908409
(010) 83908377
(010) 83908408
(010) 83908410(传真)
(010) 83908423(邮购)
经　　销: 新华书店
印　　刷: 北京通州佳明伟业印务有限公司
开　　本: 787 毫米×1092 毫米　1/16
印　　张: 18.25
字　　数: 260 千字
版　　次: 2012 年 4 月第 1 版
印　　次: 2012 年 4 月第 1 次
书　　号: ISBN 978-7-5090-0821-8
定　　价: 38.00 元

目 录 Contents

导 言
世界格局的变动与中国的和平发展

◎宫 力

随着经济全球化的迅猛发展和后金融危机影响的逐步显现，当今世界局势正在发生深刻、复杂的变化。各大国都在根据新的情况，制订新的战略和策略，力图在新的力量对比和国际格局调整的基础上，占据一个有利的位置。在这种背景下，中国要抓住机遇，高举和平、发展、合作的旗帜，始终不渝地走和平发展道路，创造一个良好的国际环境，争取在21世纪的世界舞台上有所作为。

一、世界格局的含义与历史演进

世界格局是指世界主要战略力量（大国或大国为核心的集团）的实力结构和战略关系，是较长时期世界主要战略力量相对稳定的态势。

国际政治学界通常以“极”为单位称谓世界格局，如两极、多极格局等。所谓“极”是指世界格局中的主要战略力量。“极”的实力由多种要素构成，体现的是综合实力和影响力。其中经济是基础，军事力量是衡量“极”的重要标准。

世界格局伴随近代国际关系开始出现。1648年《威斯特伐利亚和约》结束了欧洲长达三十年的战争，形成了欧洲列强的均势结构，在此之后，世界格局经历了四次重大转变。

第一次是1815年拿破仑战争后的维也纳格局，这是一个欧洲多极格局。英、俄、普鲁士、奥地利这些主要战胜国重新划分了势力范围，形成了“欧洲协调”的局面。

第二次是1922年第一次世界大战后的凡尔赛—华盛顿体系，这一体系改变了原有的格局。由于德国战败，奥匈帝国解体，英、法虽是战胜国但受到较大削弱，美国、日本崛起成为强国。

第三次是1945年第二次世界大战结束后的两极格局。德国、日本、意大利战败，英、法虽是战胜国但遭受重创，美国和苏联以雅尔塔协定为基础划分了势力范围。尔后，美国和苏联集团形成长期冷战对峙局面。

第四次是冷战结束后，多极化趋势在曲折中发展，形成“一超多强”的战略态势，世界格局出现重大转折。

二、当代世界格局的基本特点

当今世界格局的主要战略态势是：世界多极化趋势不可逆转，求和平、谋发展、促合作成为不可抗拒的时代的主流，国际环境保持总体稳定，但影响和平与发展的不稳定不确定因素也在增多。

新世纪之初，美国曾试图构建一个以美国为主导的单极世界，但由于“9·11”事件、伊拉克战争、阿富汗战争和金融危机的连续打击，美国的硬实力受到很大消耗，软实力也受损。美国的单极世界的目标，受到诸多因素的制约，已不可能实现。多极化的趋势是阻挡不住的。当今世界上的几大力量（“多强”）都主张多极化，在美国内部，也有越来越多的战略家逐渐意识到单极世界的目标很难实现。广大发展中国家也反对单极世界，支持推动世界多极化的趋势。世界上绝大多数国家都不赞成由一个超级大国垄断国际事务，这是大势所趋。

目前，“一超多强”的力量对比已向“多强一超”的布局倾斜，这一国际政治的新的现实表明，世界多极化的趋向有了进一步的发展。可以看见的是“多强”在处理国际事务的地位和作用已呈大幅上升之势。中国的综合国力继续上升，以实力为后盾的中国外交空前活跃，在国际上的影响力与日俱增；欧盟一体化的进程加速，更加强调独立地处理欧洲事务；俄罗斯出现回升的趋势，在外交上对美趋向强硬；而美国受到反恐战争和伊斯兰反美浪潮的牵制，其独霸世界的企图难以实现。

三、国际金融危机对世界格局影响

由美国次贷危机引起的世界金融危机和经济危机对全球经济造成了难以估量的损失，其深刻影响仍在显现，不能不对当今的国际战略力量对比和世界格局的走向产生影响。美国历史学家保罗·肯尼迪曾说："在国际关系史上，一场跨越国界的大动荡常常会动摇旧世界的根基。"而战略学家的责任，就是要在"随后的混乱和喧嚣中"，通过冷静和客观的分析，透过纷繁的表象和迷雾，来"认清已被改变的战略版图"，并由此确立自己的战略和策略。

在这场金融风暴中，美国、欧洲、日本相继遭受重创，2009 年进入负增长的困难时期，实力地位受到一定程度的削弱。据世界银行估计，2009 年，发达国家经济体大约负增长 4%。中国经济受到冲击，但毕竟没有处在震源的位置，仍实现增长 9.1%以上的速度，并率先走出低谷。2009 年，中国国内生产总值达到 4.9 万亿美元，经济增长率 9.1%。2010 年，中国国内生产总值 5.8 万亿美元，位居世界第二位，经济增长率高达 10.3%；进出口总额 29728 亿美元，同比增长 34.7%；[①] 外汇储备 2.9 万亿美元，居世界第一位；实际使用外资 1057.35 亿美元，同比增长 17.44%；[②] 人均国民总收入突破 4400 美元。2011 年中国经济总量达到 47.15 万亿人民币，[③] 约合 7 万亿美元；外汇储备达到 3.18 万亿美元。印度 2010 年经济增长率 8%；2011 年经济总量达到 1.84 万亿美元，进入世界经济前十名。巴西

① 马建堂：《2010 年国民经济运行态势总体良好》（2011 年 1 月 20 日），国家统计局网站 http：//www.stats.gov.cn.

② 商务部报告：《2010 年 1—12 月全国吸收外商直接投资情况》（2011 年 1 月 18 日），商务部网站 http：//www.mofcom.gov.cn.

③ 国家统计局：《2011 年中国国民经济和社会发展统计公报》（2012 年 2 月 22 日），商务部网站 http：//www.mofcom.gov.cn.

2010 年经济增长率 7.5%，2011 年经济总量达到 2.51 万亿美元，位居世界第六位。与此形成鲜明对照，2010 年和 2011 年发达国家经济体经济复苏的势头仍然疲软。

金融危机使全球经济发生了深刻变化，主要战略力量对比也在发生变化，由此必然影响到世界格局。从 G7 到 G8，再到 G8+5，一直到 G20 在应对金融危机中发挥越来越重要的作用。这一过程再好不过地体现了世界经济格局和世界经济秩序在过去几十年中变化的轨迹和发展的趋向。曾几何时，以美国为核心的 G7，一直主导着全球经济和金融事务。但在金融危机爆发之后，这个集团的局限性和新兴大国参与世界经济的政策协调和金融合作的重要性已为越来越多的政治家所认识。巴西财政部长曼特加在伦敦 G20 峰会前表示，G7 已不再是世界经济问题的主导者，G20 的有效性和机构体制需要得到进一步加强。法国总统萨科齐在多哈举行的联合国会议上也意识到："如今，没有中国、巴西等新兴国家，你解决不了全球经济危机，因此 G8 已经过时了。"

与此同时，世界经济格局的变迁也在呼唤新兴国家发挥更大的作用，取得更多的话语权和投票权。但这不会一蹴而就，而将是一个渐进的过程。在 G20 峰会上，新兴大国和发展中国家已经发出了自己的声音，开始谋求发展中国家在国际货币金融体系中的更多地位，提出了提升发展中国家在金融体系中的知情权、话语权和投票权的正当要求。当然，希望以美元为主导的国际金融体系立刻就发生根本改变是不现实的，但是，可以看见的是，以美国为核心的 G7 主宰世界经济事务已经难以为继，变革时代已经来临，发达国家为了度过难关，也在不断调整和适应新的情况，开始接受和正视新兴大国正在崛起这一巨大的现实，这是一种趋势性的变化。

谈到国际战略力量的消长和金融危机对世界格局的影响，不能不提到美国的实力地位和美国霸权的变化。美国在冷战结束后，它的经济在世界中的比重从 20 世纪 90 年代初的 25%左右一度上升至 21 世纪初的 32%左右，达到了一个高点。所以，小布什在第一任期内的单边主义不是偶然的，是以实力的增长为后盾的。但是物极必反，2001 年和 2003 年美国分别发动阿富汗战争和伊拉克战争，仍不能摆脱困境。由于美国过度伸展力量，其硬实力受到严重消耗，进入战略透支期。其软实力也因其发动伊拉克战争的合法性遭到质疑，而受到削弱，其作为“世界警察”的道德基础和道义威信一落千丈。再加上这次金融危机的打击，美国不仅在经济上遭到重创，而且由于其缺乏监管的金融体制导致了全球性经济灾难，把世界各国都变成了牺牲者，因此不可避免地受到世界各国的指责和诟病，其软实力进一步下降。

美国经济在世界经济中的比重已从21世纪初的32%左右逐渐回落至2010年的22%左右。金融危机已经使美国经济受到重创，复苏将经历漫长的过程。可以预见的是，在后金融危机时期，美国经济在世界经济中的比重还会继续下滑，而不是上升。这表明，美国维持霸权的经济能力受到严重削弱。随之而来的是美国操控国际局势的能力也在下降。

虽然在金融危机过后，美国仍将是世界上最大的经济体，仍将有着超群的军事实力，仍将是世界上最为强大的国家，其政治、社会和文化仍然对一些国家有一定的吸引力，但是，这不能改变美国在世界战略格局中的优势地位已呈相对下降之势的客观事实，而且这一趋势由于近些年中、印等新兴大国经济的强势增长而变得更加清晰可辨。

在21世纪初，战略学界还在讨论美国单极世界的目标是否能够得逞的问题。几年过后，就连美国自己也再不认为那是一个能够可以实现的目标。美国的实力地位和对国际事务的操控能力已很难再回到2000年的高点。

在经历了阿富汗战争、伊拉克战争和金融危机之后，美国已不再是原来那个说一不二的美国。美国奥巴马政府放低身段，开始向多边主义靠拢，不仅仅是个人风格的问题，深层次的原因是美国已很难再一手遮天。英国外交大臣米利班德将G20伦敦峰会的意义表述为：“单极时代已经结束。我们将会得到重要机会，使我们能够开始在同一个平面上讨论和分析具有重要意义的国际问题。多极时代将会开启。20国集团领导人会谈真正的政治意义就在于此。”客观地说，这并非是夸张之辞。2009年9月在美国、2010年6月在加拿大召开的G20峰会再次强化了20国集团的作用。

当今世界处在一个大发展、大变化、大调整的时期。金融危机不仅冲击现存的世界格局，而且前所未有地激起了发展中国家要求变革国际秩序的愿望与决心。这对中国这样一个后起的大国而言，也蕴含着巨大的机遇。现在很多国家不仅希望倾听中国的声音，而且期待中国在国际秩序的变革中发挥更大的作用。因此，中国应当首先把自己的事办好，在保持国内稳定和持续发展的基础上，也要积极参与建立在共同利益基础之上的应对金融危机的国际合作和协调行动，并以此为契机推动国际秩序朝着公正合理的方向来发展。

四、世界格局中的国际秩序和大国关系

国际秩序是国际关系行为规则和相应的保障机制。国际秩序与世界格局相互联系、相互影响，其中起决定作用的是各国间综合国力和各自的国家利益。世界格局中的国际秩序通常是国际社会中各种战略力量博弈的产物。

1648年《威斯特伐利亚和约》之后，形成了由西方列强为主导的国际秩序，在欧洲范围内确立了国家主权、和平解决国际争端等国际法原则；此后近300年国际关系的主体是西方列强，国际机制不完备，国际关系主要靠“实力均衡”来维持，这是强权政治的年代。

第二次世界大战结束后，以《联合国宪章》为基础建立起以联合国为中心的国际秩序。鉴于人类发生两次世界大战的教训，《联合国宪章》第一次规定禁止各国在国际关系中进行武力威胁或使用武力，从而在法律上确定了发动战争的非法性。这是一个历史性的进步。在各成员国主权平等的原则基础上，《联合国宪章》还规定了美、苏、英、中、法等联合国安理会五个常任理事国“一致决策”的原则，实际上是确立了大国之间的制约平衡机制，同时保证联合国的权威性和高效率。联合国在维护世界和平与安全方面发挥了重要作用。

冷战结束后，虽然有科索沃战争和伊拉克战争的冲击，但当代国际秩

序的基础和框架并没有大的改变，特别是维系当代国际秩序的主要机制——联合国的核心地位和作用仍然是不可替代的，《联合国宪章》确认的联合国安理会五个常任理事国仍然是主导当代国际关系的主要力量。

当代国际秩序仍然是以西方为主导的，确有许多不公正不合理的地方，但中国在现有的国际政治经济秩序中的地位已呈逐步上升之势。在此情况下，中国不应挑战现有的国际政治经济秩序，而应以负责任的大国身份参与国际政治经济秩序的建设与变革，以渐进的方式、和平的方式、民主的方式改革现有国际政治经济秩序中的不合理的方面。

胡锦涛在党的十七大报告中指出，中国将“发挥建设性作用，推动国际秩序朝着更加公正合理的方向发展”。[①] 这一新提法表明中国与日俱进，根据新的形势，在国际秩序方面有了新的建设性的战略思路，即以此确立中国在国际社会中作为一个负责任的大国的和平形象，建设性而不是造反者的形象。这是十七大在国际秩序方面向国际社会传递的新信息。

今后，在国际政治秩序方面，中国将提倡尊重世界文明的多样性，积极推动国际关系民主化，提倡多边主义，提倡以互信、互利、平等和协作为核心的新安全观，通过对话解决国际争端。在国际经济秩序方面，中国将提倡共同繁荣、共同发展，缩小南北差距，促进全球经济、社会的均衡和可持续发展，通过 WTO 的规则解决经济贸易争端。以此推动 21 世纪的国际秩序朝着更加公正合理的方向发展。

中国外交中有“大国是关键”的提法，表明了大国因素在世界格局和国际秩序中的重要性。冷战结束后，世界上大国之间的关系已发生重大的变化。目前，大国关系的特点是互相借重与互相竞争并存，各大国更注重综合国力的竞争。

当前，重视发展战略已成为世界各大国的主要政策取向。国际形势出现许多新的特点，非传统安全因素持续上升，促使大国间的合作意愿进一

① 胡锦涛：《高举中国特色社会主义伟大旗帜 为夺取全面建设小康社会新胜利而奋斗——在中国共产党第十七次全国代表大会上的报告》（2007 年 10 月 15 日），载《中国共产党第十七次全国代表大会文件汇编》，人民出版社 2007 年版，第 47 页。

步增强。世界局势从总体上看仍然趋向缓和，世界上维护和平的力量仍在增长。世界和平以及中国的安全环境要比冷战时期好得多。

中国作为后起的大国要和平发展必须妥善处理大国关系，以减少阻力，创造有利的国际环境。从近期看，大国之间协作多于磨擦。中美关系进一步发展，但美国与中、俄之间原有的深层次矛盾并未从根本上解决，美国对中、俄的发展潜力仍有戒心，仍有防范和牵制的一面。中俄战略协作伙伴关系的发展，以及中国与欧盟、俄罗斯与欧盟的关系的发展势头，有利于国际战略力量的平衡。

在这种背景下，中国首先要发展自己，并致力于建立以不结盟、不对抗、不针对第三方为主要特征的新型大国关系。今后，中国要进一步推动大国关系发展，以增加中国外交的回旋余地。

五、中国和平发展道路的战略取向

“始终不渝走和平发展道路”是中国根据时代发展潮流和自身根本利益作出的战略抉择。和平发展的新道路，新就新在它在人类历史上第一次超越后起大国传统的崛起之路，不是通过军事扩张、掠夺资源、争霸或称霸，而是通过和平的方式，渐进的方式，主要依靠自己的力量，发展内需，挖掘潜力，改革创新，落实科学的发展观，走有中国特色的富民强国之路，积极参与国际经济技术合作与竞争，在与经济全球化相联系的历史进程中，在改革开放的大背景下，独立自主地建设有中国特色的社会主义，促进国际社会互利共赢和共同发展，争取在21世纪中叶实现中国和平发展的战略总目标。正因如此，中国对内寻求和谐，对外寻求和平。中国需要争取和平的国际环境来发展自己，又会以自身的发展来维护世界和平，促进共同发展。

目前世界人民面临着共同的发展机遇，同时也面临着共同的各种挑战。当今的世界已经发生深刻的变化，和平与发展已成为时代的潮流，人类社会出现了光明的前景，国际大环境有利于世界人民分享发展机遇，推动建设和谐世界。世界局势从总体上看趋向缓和，世界上维护和平的力量持续增长，制约战争的因素不仅仍然存在，而且还将继续增长。同时，经济全球化使各国之间的相互依存和互有所求不断加深，使中国与世界其他国家的利益紧密相连，共同利益日益增多，从而使各方通过双赢、多赢方式实现共同发展成为可能。全球化的经济需要全球性的合作。另一方面，许多全球性问题，诸如生态环境恶化、能源短缺、流行性疾病传播、核扩散、国际恐怖主义等问题也对人类构成新的挑战，需要世界各国加强合作，共同面对。

党的十七大报告指出，“共同分享发展机遇，共同应对各种挑战，推进人类和平与发展的崇高事业，事关各国人民的根本利益，也是各国人民的共同心愿。我们主张，各国人民携手努力，推动建设持久和平、共同繁荣的和谐世界。为此，应该遵循联合国宪章宗旨和原则，恪守国际法和公认的国际关系准则，在国际关系中弘扬民主、和睦、协作、共赢精神。政治上相互尊重、平等协商，共同推进国际关系民主化；经济上相互合作、优势互补，共同推动经济全球化朝着均衡、普惠、共赢方向发展；文化上相互借鉴、求同存异，尊重世界多样性，共同促进人类文明繁荣进步；安全上相互信任、加强合作，坚持用和平方式而不是战争手段解决国际争端，共同维护世界和平稳定；环保上相互帮助、协力推进，共同呵护人类赖以生存的地球家园”。

在“始终不渝走和平发展道路”和“推动建设持久和平、共同繁荣的和谐世界”的理念下，中国外交政策的宗旨，是维护世界和平，促进共同发展。中国的外交工作的目标是要积极争取一个较长时期的和平环境，以推进中国的现代化建设，并与各国共同致力于建设一个持久和平、共同繁荣的和谐世界。

走和平发展道路和推动建设和谐世界，就要继续扩大对外开放，这是中国的基本国策。近几年来，在阐述开放战略之时，中国特别强调“互利共赢”四个字。这是因为，以加入世界贸易组织为标志，中国对外开放已发展到一个新的阶段，开始在更大范围、更广领域、更高层次上参与国际经济合作和竞争。与此同时，一些国家对中国高速发展会不会损害别人的利益、妨碍别人的发展也深表关切。对此，胡锦涛在十七大报告中指出："中国将始终不渝奉行互利共赢的开放战略。"其中"互利共赢"四个字反映了中国对外开放的新理念和新思维。这就是不仅顾及本国的利益，同时兼顾别人的利益，在开放中与世界各国共同发展，共同繁荣。胡锦涛指出："我们支持完善国际贸易和金融体制，推进贸易和投资自由化便利化，通过磋商协作妥善处理经贸摩擦。中国决不做损人利己、以邻为壑的事情。"这是中国对国际社会的庄严保证。

六、中国和平发展的外交总体布局

党的十七大报告指出："中国坚持在和平共处五项原则的基础上同所有国家发展友好合作。"这体现了中国全方位外交的总体战略思路。

在与发达国家的关系方面，党的十七大报告强调要"继续同发达国家加强战略对话"，增进互信，深化合作，妥善处理分歧。国际形势出现许多新的特点，非传统安全因素持续上升，促使大国间的合作意愿进一步增强。中国和平发展首先要壮大自己，同时需要加强同发达国家加强战略对话。在"加强战略对话"的基础上，中国将着眼于世界大局，从长远的战略观点出发，不过分计较社会制度和意识形态的差别，争取在和平共处五项原则的基础上，与发达国家扩大共同利益的汇合点，同时妥善解决彼此之间的分歧，进一步推动与发达国家关系的良性互动。

在周边关系方面，党的十七大报告强调要"继续加强同周边国家的睦邻友好和务实合作"。目前，中国与周边国家之间的关系处在建国以来最好的时期之一。为了实现和平发展，中国努力实行"睦邻友好和务实合作"的周边战略，即以中国的和平发展为前提，以经济合作为主题，兼顾政治、军事、文化、环境等多种务实合作，营造安全可靠、经济繁荣、长期稳定的周边和平环境。为此，中国将积极发展参与区域经济合作，采取积极有效的具体措施加速实现东亚自由贸易区的战略设想。这是实现睦邻友好和务实合作的有效途径。

在与发展中国家关系方面，党的十七大报告强调要"继续加强同广大发展中国家的团结合作”。发展中国家历来是中国在国际事务中可以依靠的力量。在中国和平发展、推动建设和谐世界的进程中，加强同发展中国家的团结和合作仍然是中国外交的基本立足点。要充分发挥中国同发展中国家在国际重大问题上互相支持的政治优势，在国际斗争中争取多数，增加中国的回旋余地。今后，中国将进一步在国际事务中注重与发展中国家磋商协调，维护他们的正当权益。在解决地区性的冲突与矛盾中，采取积极、稳妥、推动和平解决的方针。在经济贸易方面，应继续向一些发展中国家提供力所能及的援助，并按照互利互惠、共同发展、形式多样、讲求实效的原则探索新的合作途径。中国在重大场合要为发展中国家说话，要使发展中国家从中国和平发展中、从与中国的合作和相互支持中得到好处。

在多边外交方面，党的十七大报告强调要“继续积极参与多边事务，承担相应国际义务，发挥建设性作用”。这是因为，近年来多边外交日趋活跃已成为国际社会的一个重要现象。这是人类进步的表现。主权国家通过国际会议和国际组织在广泛的领域展开国际合作，有利于促进世界和平与共同发展，有利于促进国际关系民主化。因此，中国在和平发展的进程中要发展发挥负责任的大国作用，必须十分重视开展多边外交活动。

今后，中国将以联合国为主要舞台，以亚太，特别是东亚地区为重点，积极参与多边外交活动，在联合国大会、G20 峰会、亚欧会议、亚太经合组织、中国—东盟首脑非正式会晤、东亚领导人会晤等多边外交场合和国际及区域性组织中发挥重要作用，争取在国际事务中有所作为，逐步扩大中国的影响，有力地维护中国的主权和正当权益，并为解决人类共同面临的重大问题做出应有的贡献。

第一章
朝核问题困境与东北亚安全变局

1

◎ 秦治来

朝鲜半岛具有十分重要的战略地缘意义，历来是大国利益交织和力量交汇的地区。冷战结束以来，朝核问题逐渐成为东北亚安全因素中最为突出的不稳定因素。围绕朝鲜核武器问题，东北亚地区安全多次成为国际热门话题。维护东北亚地区的和平稳定，是这一地区各国人民共同的心声，符合有关各方的共同利益。

一、风波不断的朝核问题

朝鲜半岛核问题由来已久。朝核问题的实质是朝鲜发展核武器而影响周边地区安全的问题，而导火索则是朝鲜的核计划。在一定意义上，朝核问题是朝鲜半岛问题的核心。鉴于朝鲜半岛一直存在军事对峙，朝核问题在某种程度上与冷战对抗存在密切关系。两次朝核危机使核问题成为朝鲜半岛问题的焦点，引起国际社会对朝鲜半岛无核化的普遍关注。

（一）朝鲜核技术

朝鲜对核能与核技术的研究和开发工作始于冷战时期。长期以来，核计划一直是朝鲜国家战略目标的重要内容之一。根据国际原子能机构的资料，朝鲜进行核技术研究始于 20 世纪 50 年代末。宁边是朝鲜核工业重地和主要核研究中心，位于平壤以北约 130 公里处。20 世纪 60 年代初期，朝鲜在前苏联的帮助下建立“宁边原子能研究所”，开始培训大批核技术人才。同时，朝鲜从前苏联引进第一座800千瓦核反应堆，推动朝鲜核技术研究初具规模。1979年，朝鲜开始在宁边建设一个5兆瓦特的反应堆，于1986年开始投入使用。这座5兆瓦核反应堆属于石墨反应堆，其废燃料棒可用于提取制造核武器的原料——钚。到20世纪80年代，朝鲜已建成6个核研究中心、2座研究堆、6座铀矿、3座二氧化铀转化厂。

冷战期间，围绕朝鲜核技术的争执开始显现。1974年，朝鲜加入国际原子能机构（IAEA）。1985年，朝鲜加入《不扩散核武器条约》（NPT）。按照该条约规定，成员国必须接受国际原子能机构对其核设施的检查，但当5兆瓦反应堆建成后，朝鲜公开拒绝接受国际原子能机构核查。朝鲜不满国际社会关于“朝鲜在发展核武器”的猜测，严厉驳斥“借发电涉核”等相关言论。自20世纪70年代起，美国一直关注朝鲜核项目的进展。1988年下半年，美国第一次指责朝鲜有意发展核武器，扬言要对朝鲜的核设施实行检查。一石激起千层浪！美国此举立刻引起朝鲜的强烈反弹，进而引发国际社会的广泛关注。

（二）第一次朝核危机

20世纪90年代初，朝鲜半岛出现缓和局势。1991年12月，朝鲜同韩国在板门店草签了《关于朝鲜半岛无核化共同宣言》。1992年1月，朝鲜与国际原子能机构签订《保障监督协定》，接受国际原子能机构的监督。1992年5月至1993年2月，朝鲜接受国际原子能机构6次不定期核检查。

短暂缓和之后，朝鲜半岛很快面临核问题的考验。1992年下半年，国际原子能机构与朝鲜就视察问题（检查的对象和结果意见）发生摩擦。1993年2月，国际原子能机构理事会决定对朝鲜核设施进行强制性“特别检查”。同时，美韩恢复举行1992年暂停的“协作精神”联合军事演习。美国认为国际原子能机构的核查只具有象征意义，扬言要对朝鲜的核设施实行常态化核监控。同年3月12日，朝鲜以国家安全为由，宣布退出《不扩散核武器条约》，成为第一个退出该条约的国家，半岛局势顿时紧张。

经过与美国的多轮谈判，朝鲜于1993年6月11日宣布暂缓退约。

1994年2月下旬，朝鲜同国际原子能机构和美国达成妥协：朝同意其7个核设施接受检查、美韩同意停止1994年度的联合军事演习、美同意与朝举行第三次高级会谈。1994年5月30日，联合国安理会通过制裁朝鲜的决议，引起朝鲜的强烈反应。1994年6月，朝鲜退出国际原子能机构，表示不再接受核检查。朝鲜宣布不开发核武器，同时强烈谴责美国在韩国部署核武器威胁自身安全。这样一来，半岛局势紧张起来，第一次朝鲜核危机正式爆发。

面对僵局，国际社会付诸若干努力寻求协商解决。1994年10月，美国前总统卡特前往平壤斡旋，美国与朝鲜在日内瓦签署了《核框架协议》，使得第一次朝鲜核危机得到暂时缓解。按照协定，朝鲜必须冻结其各种核项目，并在所有核设施上加装监控系统，禁止一切关闭项目的重启。作为回报，美国将负责在2003年底前，为朝鲜建造一座2000兆瓦或两座1000兆瓦的轻水反应堆。反应堆建成前，美国将同其他国家向朝鲜提供重油，作为能源补偿。随着朝鲜同意重返《不扩散核武器条约》，第一次朝核危机化解。2002年8月，第一座轻水反应堆在平壤奠基。

然而，朝美双方对核框架协定的执行存在分歧。一方面，朝鲜与美国在轻水反应堆的型号问题上各持己见、互不让步。直至1995年6月，朝鲜才勉强接受以“朝鲜半岛能源开发组织”名义提供韩国型轻水反应堆的方案。另一方面，朝鲜与美国一直在反应堆的建设资金分摊问题上讨价还价。美、日、韩三国协助朝鲜拆卸石墨反应堆并援建两座轻水反应堆的承诺一拖再拖，约有45亿美元的资金缺口。一段时期以来，朝鲜越来越感到美国对执行《核框架协议》缺乏诚意，双方在履行《核框架协议》问题上争论日渐激烈。1999年5月31日，朝鲜宣布将退出1994年与美国签署的《核框架协议》。朝美围绕框架协议展开的“不合作”为下一轮核危机的到来埋下了伏笔。

（三）第二次朝核危机

2002年下半年，朝核问题再起波澜。进入2002年以后，美国屡屡对朝鲜核项目提出异议，并不时透露朝鲜核计划的证据。2002年10月，美国主管亚太事务的助理国务卿凯利访朝期间，美国指责朝鲜在“冻结”现有的两座石墨反应堆的同时，一直在秘密地进行浓缩铀计划。对于美国举出的自己进口铀浓缩离心机的证据，朝鲜先是否认，后又改口表示“正在研发更具威力的武器”，并公开承认推进浓缩铀开发计划。朝美双方由此展开激烈交锋，事态步步升级。仅仅 4 个多月的时间，朝核问题几乎退回到《核框架协议》签署前的状态。同年 11 月，美国以朝鲜违反《核框架协议》为由停止向朝提供作为燃料用的重油；12 月 9 日，美国拦截并搜查朝鲜在公海上行驶的可疑船只。美国上述举动引起朝鲜采取进一步对抗措施。同年 12 月 22 日，朝鲜宣布解除核冻结，拆除国际原子能机构安装的监控设备，重启用于电力生产的核设施。2003 年 1 月 10 日，朝鲜宣布退出《不扩散核武器条约》，同时朝鲜表示无意开发核武器。朝鲜第二次宣布退约，引起国际社会极大关注。随即，鲍威尔谴责朝鲜“公然向国际社会示威”，表示将采取军事手段在内的一切可能的选择解决朝鲜核问题。随着半岛局势空前紧张，第二次朝核危机正式爆发。

第二次朝核危机的形成，与小布什政府调整对朝政策有关。小布什上台后改变了克林顿政府后期对朝的缓和政策，转而强调实行“大棒政策”，威胁实施“先发制人”的核打击。2002 年初，小布什将朝鲜与伊朗、伊拉克一起称为“邪恶轴心”。根据美国媒体披露的《核态势审议报告》，美国将朝鲜列为使用核武器的对象之一。2002 年 4 月，小布什正式宣布，美国政府正在考虑以火力发电站代替协议中所说的轻水反应堆核电站，美国国会对于政府向协助朝鲜建设轻水反应堆的拨款放弃每年一度的“资格审查”。小布什政府的强硬政策使美朝关系不断后退，并最终酿成新一轮核危机。

（四）朝核问题新态势

朝核危机再次爆发后，朝核问题发生了一些不同以往的变化。把握朝核问题的新态势，应抓住以下几个关键点：

1. 2005 年 2 月 10 日，朝鲜正式宣布拥有核武器，朝鲜将无限期中止参加六方会谈。美国白宫发言人麦克莱伦 2 月 11 日表示，美国拒绝与朝鲜就核问题进行双边直接会谈，主张在六方会谈框架机制内解决朝核问题。同年5月，朝鲜宣布完成从核反应堆中取出8000根废燃料棒的工作，重启5兆瓦核反应堆。

2.2006年7月6日，朝鲜外务省发言人证实，朝鲜试射导弹。朝鲜方面表示，此举是朝鲜“加强自卫国防力量的军事训练的一部分”，与六方会谈无关。朝鲜通过对话和协商实现朝鲜半岛无核化目标的决心“至今没有变化”。7月15日，联合国安理会以15个成员国一致通过关于朝鲜试射导弹问题的第1695号决议，对朝鲜导弹试射表示严重关切和谴责，要求朝方重新作出暂停导弹试验的承诺。

3.2006年10月9日，朝鲜宣布成功地进行了一次地下核试验。10月14日，联合国安理会一致通过第1718号决议，对朝鲜核试验表示谴责，要求朝方放弃核武器和核计划，立即无条件重返六方会谈，并决定针对朝方核、导等大规模杀伤性武器相关领域采取制裁措施。在朝鲜半岛紧张局势步步升级的情况下，10月31日，中、美、朝三国六方会谈代表团团长在北京举行非正式会晤。

4.2009年4月5日，朝鲜于当地时间11时20分（北京时间10时20分）在东海卫星发射场成功发射“光明星2号”试验通信卫星。朝鲜发射活动引起国际社会的普遍关注。4月14日，朝鲜宣布退出六方会谈，重启宁边核设施，要求联合国核查人员撤离。

5.2009年5月25日，朝鲜中央通讯社发表新闻公报说，朝鲜当天“成功地进行了一次地下核试验”。6月12日，联合国安理会一致通过第1874号决议，对朝鲜5月25日进行核试验表示“最严厉的谴责”，并要求朝鲜今后不再进行核试验或使用弹道导弹技术进行任何发射。7月23日，朝鲜官方证实最近试射了导弹。11月3日，朝鲜中央通讯社播发报道说，朝鲜已经在8月底完成了8000根乏燃料棒的再处理工作，并且在实现钚的武器化方面“取得了令人注目的成果”。

6.2010年5月12日，朝鲜正式宣布进行了核聚变活动。据朝鲜《劳动新闻》报道，朝鲜科研人员在开发核聚变反应技术方面取得了“值得自豪的成果”，从而为开发新能源打开了突破口。

（五）朝鲜打“核牌”的缘由

朝鲜发展核武器不符合当今世界的发展潮流。20世纪，人类社会遭受巨大灾难，先后经历两次世界大战，陷入长达半个世纪之久的冷战对抗。遭受浩劫的人们，必然会倍加珍惜各种来之不易的进步机遇。经过核对抗的洗礼，人类痛定思痛，多数国家愿意加入防扩散进程。1963年8月，美、苏、英缔结《部分禁止核试验条约》。1968年6月12日联大通过《不扩散核武器条约》，1995年5月11日178个缔约国以协商一致方式决定无限期延长该条约（截至2010年5月，条约缔约国共有189个）；美苏于1974年签署《美苏限制地下核武器试验条约》。在沧桑巨变的20世纪行将结束之际，和平与发展明显成为当今世界的时代主题。1996年9月10日，联合国大会以158票赞成、3票反对、5票弃权的压倒多数票通过一项禁止所有核试验爆炸的全球条约——《全面禁止核试验条约》。进入21世纪，各国相互依存和利益交融不断加深，要和平、促发展、谋合作表达了世界各国人民的共同心愿，事关世界各国人民的共同福祉，已成为不可阻挡的时代潮流。

从根本上说，朝核问题是半岛分裂状态引发的影响地区安全的重大问题。随着雅尔塔体系的确立和冷战时代的到来，朝鲜半岛最终陷入了南北长期分裂的僵局。朝鲜发展核武器，最早可以追溯到美国在朝鲜战争中威胁对朝鲜使用核武器。朝鲜战争结束后，朝韩国家实力的发展变化与国际安全环境的变更，进一步刺激了朝鲜的核武器计划目标。冷战的“意外”结束，打破了朝鲜半岛原有的力量平衡，使朝鲜独自承受多重压力。

1. 在经济方面，美对朝实行经济和技术双重封锁，半岛南北经济差距日益扩大。在20世纪60年代末，朝鲜的人均GDP超过韩国。但是20世纪70年代以来，韩国经济飞速发展，仅用三十多年的时间在造船、电子、通讯、机械、汽车、军工产业、钢铁等诸多行业创造了逼近世界一流的成绩，并逐渐扩大与朝鲜的经济差距。朝鲜的人均资源占有率是韩国的几倍，但是这种优势并没有给朝鲜带来更快的经济发展。尤其是，20世纪90

年代中后期（朝鲜称之为“苦难行军时期”），连年自然灾害和国际环境恶化使朝鲜经济陷入困难。进入新世纪以来，尽管朝鲜经济逐步走出低谷，实现恢复性增长，但是它与韩国经济的差距仍是一目了然。

1960—2007 年《朝鲜与韩国的人均 GDP 对比表》（单位：美元，按实际可比价格计算）

年份/国家	朝鲜	韩国	对比结果
1960	253	82	韩国不足朝鲜的 1/3
1970	400	410	韩国超过朝鲜
1980	700	1592	韩国是朝鲜的 2 倍多
1990	980	6482	韩国是朝鲜的 6.5 倍
2007	957	19624	韩国是朝鲜的 20 倍

根据《朝鲜的人均 GDP 曾超过中国和韩国》一文提供的数据绘制，资料来源：http：//news.ifeng.com/history/special/weichengchaoxian/200907/0724_7506_1267638.shtml

2. 在军事方面，美对朝不时做出威胁举措。基于半岛分裂、南北军事对峙的现实，朝鲜一直极度忧虑于自身安全。朝鲜认为，威胁国家安全的根源主要来自美国（而不是韩国）。冷战期间，维持半岛现状、遏制朝鲜的挑衅和军事冒险是美国对朝政策的基本方针。冷战结束后，美国担心朝鲜追求核武器对地区与全球核不扩散体制产生冲击和破坏，并继续维持和增强美韩军事同盟。美日韩军事同盟不断得以强化，更加坚定了朝鲜发展核武器的决心。

3. 在政治方面，美朝双方的不信任根深蒂固。回眸朝美关系历史轨迹，可以看出，双方基本上处于政治上互不信任甚至相互敌视的状态，尽管朝美为接近对方、影响对方做出相关努力。例如，1994 年达成的《核框架协议》迟迟得不到切实履行便是最好的例证。美国指责朝鲜是“恐怖主义国家”，或者是“邪恶轴心”，不太愿意与其进行直接对话，必然引起朝鲜深层次抵触。在朝鲜方面看来，保障朝鲜半岛和地区和平稳定的根本问题在于“终止朝美之间的敌对关系”。同时，美国鼓动西方国家不单独与朝鲜接触。朝韩、朝日关系的发展很不正常，也会增强朝鲜对美国的政治猜疑。

内外部环境的恶化使朝鲜政府面临巨大压力。为走出困境，谋求发展空间，朝鲜多次提出与美国协商缔结“和平协定”，期待与美国建立正常的国家间关系，以此彻底解决美国所担心的包括核问题在内的安全问题。但美国一直无视朝鲜的呼声，不愿把“停战协定”转变为“和平协定”。这样一来，朝鲜只好打出“核牌”，实现“拥核自保”的安全诉求。换句话说，只要美国不放弃敌视朝鲜政策，朝鲜就不会放弃核遏制力。

二、解决朝核问题长路漫漫

朝鲜半岛局势千钧一发，核风波高度复杂敏感，引起国际社会的高度关切和忧虑。朝核问题不仅关系到有关各方的根本利益，更关系到全人类的共同利益。朝美第二次陷入“核僵局”之后，国际社会随即展开紧锣密鼓的相关努力，解决方案目不暇接。外交斡旋形式多样，有直接对话型的（如金正日 2003 年 1 月 20 日会见来访的俄罗斯总统特使、俄副外长洛修科夫），也有间接磋商型的（如美国副国务卿博尔顿 2003 年 1 月 21 日结束对中国的访问后又赶赴韩国展开“穿梭外交”）。但是，朝核问题的解决似乎继续停留在没完没了的试探、猜疑和讨价还价的层次，真可谓“剪不断、理还乱”。

（一）引人注目的六方会谈

在国际社会的努力中，以中国政府推动达成的六方会谈最具代表性和权威性。2003 年 4 月，中国政府促成有朝鲜、中国、美国参加的朝核问题三方会谈。三方会谈开始后的 4 个月里，中国促成有中国、朝鲜、韩国、美国、日本、俄罗斯参加的朝核问题六方会谈，把朝鲜半岛核问题纳入了对话和平解决的轨道。截至 2011 年 9 月，六方会谈已进行到第六轮。

第一轮六方会谈（2003 年 8 月 27 日至 29 日）达成四点重要共识。通过对话和平解决核问题，半岛无核化；有必要解决朝鲜对安全的忧虑；分阶段、同步或并行实施；不采取可能使局势升级或激化的言行，保持对话。作为当今国际形势下处理安全问题的新探索，首轮六方会谈无疑为和平解决半岛核问题奠定了基础。

第二轮六方会谈（2004 年 2 月 25 日至 28 日）最终以《主席声明》的

形式阐明了各方共识。这次会谈采取更加公开和灵活的方式，促使各方保持冷静和建设性态度，并且启动实质问题的讨论。《主席声明》是六方会谈首次以书面文件形式确定会谈的成果。

第三轮六方会谈（2004年6月23日至26日）同意“以循序渐进的方式，按照口头对口头、行动对行动”的原则寻求和平解决朝核问题的途径。朝鲜首次表示可以透明地放弃一切核武器及相关计划，但是朝美在弃核的范围和方式以及关于核冻结的范围和相应措施等方面存在分歧。

第四轮六方会谈（2005年7月26日至8月7日第一阶段会议，9月13日至19日第二阶段会议）通过了六方会谈进程启动以来的首份具有实质内容的共同声明，即《9·19共同声明》，具有重要的里程碑意义。朝方承诺，放弃一切核武器及现有核计划；美方确认无意以核武器或常规武器攻击或入侵朝鲜；各方尊重朝方拥有和平利用核能的权利等。坚持、维护和落实《9·19共同声明》是各方义不容辞的责任和义务。

第五轮六方会谈反复磋商一年多。第一阶段会议（2005年11月9日至11日）通过的《主席声明》中重申，将根据“承诺对承诺、行动对行动”原则全面履行共同声明，早日实现朝鲜半岛无核化目标。此后，会谈因朝鲜反对美国的金融制裁而陷入僵局。第二阶段会议（2006年12月18日至22日）取得两点共识：重申通过对话和平实现朝鲜半岛无核化是各方的共同目标和意志；重申认真履行《9·19共同声明》，根据“行动对行动”原则，尽快采取协调一致步骤，分阶段落实共同声明。第三阶段会议（2007年2月8日至13日）通过了《落实共同声明起步行动》的共同文件，即《2·13共同文件》，内容包括：朝方关闭并封存宁边核设施，邀请国际原子能机构人员重返朝鲜进行必要的监督和验证，以及各方同意向朝鲜提供价值相当于100万吨重油的经济、能源及人道主义援助。

第六轮六方会谈第一阶段会议（2007年3月19日至22日）重申将认真履行在《9·19共同声明》和《2·13共同文件》中做出的承诺。第二阶段会议（2007年9月27日至10月3日）通过了《落实共同声明第二阶段行动》的共同文件。根据文件，朝鲜将在2007年年底前完成宁边核设施的去功能化并全面申报核计划；美国根据朝方行动履行其对朝承诺。

实践证明，六方会谈是实现半岛无核化、维护半岛和东北亚地区和平稳定的有效机制，是各方通过对话改善关系的重要平台。2008年以来，有关各方进行多次磋商，以推动全面、均衡落实第二阶段行动方案。2008年6月27日，朝鲜炸毁其宁边地区核设施的冷却塔。同年10月11日，根据美朝在朝鲜核设施验证问题上达成的协议，美国决定将朝鲜从所谓“支持恐怖主义国家”的名单中除名。

同时，六方会谈也是一次艰难的和平之旅。由于朝美在朝鲜核计划申报的验证方法上存在根本性分歧，朝日在“绑架”问题上矛盾重重以及朝韩在是否将经济补偿与验证挂钩问题上争执不下，艰难前行的六方会谈再次停摆。2009年7月15日，朝鲜最高人民会议常任委员会委员长金永南先生出席在埃及举行的不结盟运动首脑会议时说，六方会谈永远结束了。2009年7月16日，中国外交部发言人秦刚在例行记者会上表示，中方希望朝核问题六方会谈有关各方能够信守承诺，采取切实措施来共同推进六方会谈进程继续向前迈进。2011年3月15日，朝鲜外务省发言人在平壤表示，朝鲜将无条件参加朝核问题六方会谈，且不反对在六方会谈中讨论铀浓缩问题。令人遗憾的是，新一轮六方会谈至今仍处于无限期的“休会”状态。

（二）朝核问题的症结

朝核问题拖而不决，其根本症结是朝鲜半岛充斥着多国之间的利益博弈。朝鲜半岛历来交织着多层矛盾：大国之间的矛盾，半岛南北方与大国之间的矛盾，半岛南北方之间及南北方内部的矛盾。朝核问题正是上述三层矛盾的具体展现。其中，朝美双方的互不信任，是解决朝核问题的最大障碍。因此，改善朝美双方关系，是朝核问题的解决之道。

近年来，朝美关系跌宕起伏，导致六方会谈时而“曲高和寡”，横生枝节的情况也在所难免。战略利益驱使美朝双方都力图使朝核问题朝着于己有利的方面发展，这种逆向趋势自然不可能形成合力。

症结之一是关于朝美双方进行对话的先决条件。美国坚持，双方对话的前提是朝鲜首先宣布放弃核计划并得到有效验证。美国多次重申“没有任何入侵朝鲜的打算”，同时明确拒绝与朝鲜签署“和平协定”。朝鲜坚持，在讨论朝鲜半岛无核化之前，要先讨论缔结和平协定（把“停战协定”转换为“和平协定”，一直是朝鲜方面的安全诉求，在六方会谈之前要先取消对朝鲜的制裁）。朝鲜指责美国在朝核问题上的对话态度过于傲慢，在保障朝鲜安全问题上的表态多是“雷声大、雨点小”或者言行不一。围绕双方对话是否存在先决条件，朝美各执一词，展开唇枪舌战。

症结之二是关于朝鲜“安全保证”的形式问题。在双方陷入僵局的情况下，美国逐渐松动“拒绝与朝鲜对话”的强硬立场，转变为愿意就“有效履行国际义务”与朝鲜对话，甚至表示“可以对朝鲜提供安全保证”。但是，朝美在“安全保证”的形式问题上存在严重分歧。美国认为，只能与朝鲜签署保障安全的文件，而不准备签署互不侵犯条约，因为互不侵犯条约需经参议院的正式批准。朝鲜表示，美国以声明的方式保证不侵犯朝鲜，不足为信。如果未经美国国会批准，美方提出的任何安全保障文件对朝鲜半岛和平维护、朝美关系改善都没有实际意义。

症结之三是关于多边会谈与双边会谈的关系问题。美国认为，朝核问题不只是朝美之间的双边问题，也是与其他国家有关的多边问题。布什政府反对克林顿时代《核框架协议》的一个重要理由就是它的双边性质严重削弱协议的合法性和可执行性。2009 年 9 月 4 日，美国朝鲜问题特别代表斯蒂芬·博斯沃思在北京表示，“我们愿意同朝鲜进行接触，但是这只能在六方会谈的框架内。”2010 年 1 月 19 日，美国负责东亚和太平洋事务的助理国务卿库尔特·坎贝尔表示，“美国坚持认为应先重启六方会谈，在六方会谈框架内讨论缔结和平协定问题。”朝鲜认为，美国主张以多边会谈方式解决朝核问题，是为了推卸自身责任，并借机向朝鲜施加国际压力。只有首先进行朝美对话，找到实现朝鲜半岛无核化的途径，朝鲜才会进行包括六方会谈在内的多边会谈。2009 年 4 月 14 日，朝鲜外务省声明，宣布退出朝核问题六方会谈。同年 7 月 27 日，朝鲜外务省发言人重申朝鲜将不参加朝核问题六方会谈，并认为还有其他对话方式可以解决问题（该发言人没有说明有何种对话方式)。

(三)朝核问题的解决方案

朝核问题“议而不决”的局面不可能无限期持续下去。日益严峻的朝核危机已经表明，如果朝核问题得不到解决，维护半岛和平稳定将是一句空话。朝核问题的解决是指朝鲜完全放弃核武器，彻底实现朝鲜半岛的无核化。从理论的角度看，国际冲突的解决无非有和平方式与非和平方式两种，前者包括外交谈判、集体安全、司法裁决等，后者包括武力征服。现实地看，解决朝核问题可能有以下两种方式：

一是通过武力手段强行解决。朝核问题久拖不决，容易使美国逐渐失去耐心。尽管美国没有正式宣布解决朝核问题的时间表，但是它对朝鲜拥有核武器的容忍极其有限。面对朝鲜屡次运用“边缘政策”，美国国内不乏用高压手段“迫朝就范”的呼声。一旦美国将眼前面临的棘手问题（伊拉克重建、伊朗核问题）做好相应安排，必会实行更加强硬的解决朝核问题的立场。美国武力解决朝核问题的方案有二：第一，择机将朝核问题提交联合国安理会，尽量争取安理会通过一项对朝实行严厉制裁的决议。美国认为，朝鲜方面不易接受包括安理会在内的外部干预。一旦朝鲜不配合安理会的有关决议，美国将会有充分理由要求安理会组建多国部队对朝进行军事封锁，并且“诱使”朝鲜单方面采取军事行动。这样一来，美国可以通过战争的方式迅速而彻底地解决朝核问题。第二，如果中国对安理会制裁朝鲜的决议实施否决权，美国将绕开联合国，以“反对大规模杀伤性武器扩散签字国”等名义发动对朝鲜的军事打击。不管怎样，武力解决方式将会给东北亚地区带来激烈动荡的安全形势。

二是通过和平对话加以和平解决。以切实维护地区和平稳定为重，要缓和、不要紧张，要对话、不要对抗，要和平、不要战争，是和平解决朝核问题的基本态度。这种解决方式是指通过对话实现半岛无核化、维护和平稳定，保证朝鲜在国际原子能机构的监控下仍然保留和平利用核能的权利，而且美国等相关国家给予朝鲜一定的经济、政治以及安全方面的补偿。这种解决方式将六方会谈作为处理朝鲜半岛核问题的有效机制，强调充分执行 2005 年 9 月 19 日《共同声明》的重要性。

朝鲜半岛局势越是复杂多变，越是凸显有关方面重启六方会谈的必要性和紧迫性。六方会谈为加强各方之间的沟通，推进半岛无核化进程，维护半岛和东北亚地区的和平稳定发挥了重要作用。六方会谈最现实的意义在于，将朝核危机的发展态势限制在暂时可以控制的范围内。为此，有关各方必须充分发挥六方会谈的危机管理作用，以此最终实现半岛无核化、予朝鲜安全保证、建立半岛和平机制等一揽子目标的功能。

三、半岛局势变迁中的东北亚安全

朝鲜半岛局势事关东北亚地区安全形势的全局，是东北亚地区陷入安全困境的主要因素。朝核问题对东北亚地区安全形势的影响最突出、最重要，是东北亚地区安全困境和安全矛盾的集中表现。其他影响地区安全的突出问题，大多与朝核问题存在不同程度的联系。厘清朝鲜半岛局势的发展变化，有助于人们准确认识东北亚地区安全的总体形势。

（一）朝鲜半岛局势新变化（以朝韩关系为例）

观察朝鲜半岛局势，关键要处理好“变”与“不变”之间的关系。冷战结束以来，朝鲜半岛局势依旧徘徊在紧张、僵持、缓和、再紧张、再缓和的诡异怪圈。朝核问题浮出水面后，朝鲜半岛形势更加扑朔迷离，时而峰回路转，时而乌云密布（如美韩日强化军事同盟关系），令人目不暇接。

朝韩关系的发展变化直接关乎东北亚乃至亚洲地区的和平稳定与发展。朝鲜战争后，朝韩领导人迄今为止只会晤了两次。第一次是在 2000 年，朝韩领导人签署《北南共同宣言》，承诺双方团结起来，自主解决朝鲜半岛统一问题。第二次是 2007 年，朝韩领导人签署《北南关系发展与和平繁荣宣言》。尽管半岛局势时紧时松，但是南北关系出现的一系列新动向引起国际社会的关注。李明博上台后，朝韩关系处于一种非常微妙的状态。南北关系能否真正迎来“新的转机”，成为人们判断朝鲜半岛局势走向的重要因素。

2008 年，朝韩关系屡遭“寒流”，陷入僵局。朝韩关系的恶化，使半岛形势变得严峻复杂起来。

“寒流”之一：2008 年 3 月 26 日，韩国军队参谋长联席会议主席金泰荣在国会人事听证会上发表了引起朝方抗议的言论。当时，大国家党议员金鹤松问金泰荣：“如果朝鲜研发小型核武器并攻击韩国，军方将如何应对?”金泰荣回答说：“关键是确定敌方（朝鲜军队）可能藏有核武器的地点，并实施攻击。”朝鲜多次发表评论，批评金泰荣的言论是“先发制人”的狂言。朝鲜抨击韩军方幼稚无知，并威胁如果韩国采取先发制人行动，它将把韩国变成一片火海。直到 2009 年 4 月 3 日，李明博针对朝鲜发表系列愤怒言论首次做出反应。李明博表示朝鲜冷冻朝韩关系的挑衅性威胁“不受欢迎”，呼吁朝鲜不要中断两国对话。“寒流”之二：2008 年 4 月 14 日，朝鲜劳动党党报《劳动新闻》发表评论，认为李明博“像个商人那样，把国家和朝韩课题，当作可讨价还价的物品”。该评论说，朝鲜绝对不会与这类“不可靠的集团交往或达成任何协议”。这是朝鲜对李明博展开的最新一轮口诛笔伐行动。“寒流”之三：2008 年 7 月，一名韩国游客在朝鲜金刚山旅游区因闯入朝方军事禁区被射杀。事发后，韩方坚持要求派人到朝鲜调查，在遭到朝方拒绝后，韩方宣布暂停金刚山旅游项目。2008 年 11 月 24 日，朝韩将军级会谈朝方代表团团长宣布了包括驱逐朝鲜开城工业区和金刚山旅游区的部分韩方人员和车辆、中断开城旅游、禁止朝韩铁路通行、限制韩方人员进出开城和金刚山等在内的 5 项有关朝韩关系的措施。这些措施从 2008 年 12 月 1 日起实行。

2009 年的朝鲜半岛局势“季节分明”：上半年剑拔弩张，下半年偃旗息鼓。2009 年 1 月 17 日，朝鲜人民军总参谋部发言人发表声明，宣布由于韩国李明博政府继续执行对朝敌视政策，朝鲜将同韩国进行“全面对抗”。尽管朝方并没有说明“全面对抗”的具体措施，但是朝鲜半岛上空出现的紧张气氛无疑对地区安全和稳定造成一定影响。4 月，朝鲜进行“卫星发射”，安理会发表主席声明予以谴责，朝鲜则宣布“永远退出六方会谈”。5 月，朝鲜进行第二次核试验，安理会通过 1874 号决议对朝进行制裁，朝鲜则宣布三项对抗措施：将钚计划中获得的钚全部武器化，开展铀浓缩作业，声明视制裁为战争并将采取军事行动。8 月以后，朝鲜展开外交攻势，尝试改善同美、日、韩关系，半岛局势暂时趋于平静。

2010 年的朝鲜半岛局势继续呈现云谲波诡的特征。3 月 26 日，“天安舰”事件的发生，特别是韩国政府 5 月 22 日公布的调查报告（认定天安舰被“朝鲜军方进行的鱼雷攻击”击沉），再度激化朝鲜半岛的紧张局势。11 月 23 日，朝韩在韩国西部海域延坪岛附近发生炮击事件。朝韩互射炮弹，是朝鲜战争结束以来朝韩间最严重的边界冲突事件之一，令朝鲜半岛紧张局势急剧升温，可谓“山雨欲来风满楼”。朝韩炮击交火事件产生巨大国际影响，如国际金融市场出现震动风波等。随后，韩美在黄海海域进行联合军演，日美在日本海和黄海军演，让本来就不够坚固的东亚军事信任再度倒退。

进入 2011 年，朝鲜半岛形势有所缓和。在中国的劝和促谈下，朝鲜对美韩军演采取较为克制的态度，提出愿与美韩接触对话和恢复六方会谈。3 月 31 日，韩统一部宣布恢复“延坪岛事件后中断的民间团体对朝婴幼儿、孕产妇等弱势群体的人道主义援助”。朝鲜国内局势和政策出现不少新动向、新变化。2011 年元旦，朝鲜《劳动新闻》、《朝鲜人民军》和《青年前卫》三报发表联合社论指出，要加快发展农业和轻工业，在人民生活改善和强盛大国建设中实现根本转变。8 月，金正日时隔 9 年后再次访问俄罗斯，并顺访中国东北地区。金正日顺访中国期间表示，朝方坚持朝鲜半岛无核化目标，愿意无条件重返六方会谈，与有关各方一道全面履行《9・19 共同声明》，维护和促进朝鲜半岛和平稳定。金正日逝世后，朝鲜在接班人金正恩的领导下走向何方，引发各种猜想。此外，大国促和行动也是推动朝韩关系缓和不可或缺的重要原因。中美、中日、中韩关系的良性发展，也对今后朝鲜半岛形势发展带来积极的影响。朝韩关系虽呈缓和之势，但交流与合作仍然有限。例如，“天安舰”和“延坪岛”事件带来的政治障碍短期内难以消除。

客观地说，改善朝韩关系仍存在诸多挑战和难题，其发展前景值得关注。不少分析专家在关注朝韩关系积极变化的同时，也认识到改善朝韩关系的脆弱性和不确定性。在互信严重缺失、军事对峙、大规模经济交流与合作无法开展的情况下，朝韩双方难以把握打开朝韩关系发展新局面的历史机遇。更有舆论对李明博政府执政后朝韩关系的严重倒退深表疑虑。朝韩关系渐行渐远的原因有三：一是，李明博政府提出了“无核、开放、3000”的对朝政策，即以解决朝核问题、朝鲜实行开放为前提，韩国将帮助朝鲜在10年内人均国民收入达到3000美元。在朝鲜看来，李明博对朝政策与朝鲜提倡的“自主”、“民族共助”、“和解合作”政策在理念上格格不入，意在谋求对朝实行“和平演变”。二是，李明博政府对朝韩首脑签署的《北南共同宣言》和《北南关系发展及和平繁荣宣言》持保留态度。在朝鲜看来，这两个《宣言》是迄今朝韩关系中最为重要的纲领性文件。三是，韩国加强韩美政治、军事合作，在外交和军事上与美国密切协作，共同对朝施压的做法，给朝鲜带来沉重负担。有分析认为，李明博总统对朝鲜的强硬立场，有可能葬送十年“阳光政策”所取得的成果。

（二）东北亚地区安全形势现状

由于历史和现实的原因，东北亚地区一般是指东亚的北部地区，涉及到日本、韩国、朝鲜、蒙古、俄罗斯和中国六个国家。冷战结束以来，东北亚地区的安全结构发生深刻变化，由冷战时期的二元对立结构演变为一种犬牙交错的网状结构。进入21世纪以来，东北亚地区安全局势的一个最大特点，是区域国家间缺乏基本的相互信任，未能建立一个涵盖整体的有效的安全机制。东北亚地区存在许多结构性矛盾和敏感问题，安全形势异常复杂，其表现是：

一是主要大国把朝鲜半岛视为推进地区安全战略的重点。朝鲜半岛历来是大国博弈的舞台。朝韩双方的背后都有大国的身影，冷战时期是如此，现在同样如此。美国的政治军事存在仍然是东北亚地区安全格局的主导因素。第二次世界大战以后，美国长期在日本和朝鲜半岛驻军，至今仍保持着10万兵力的“前沿防御”态势。冷战结束后，美国在推进“单极”主导东亚安全新秩序方面取得一些进展。美国通过坚持多边外交解决朝核问题，把韩国和日本拉回到美国东亚战略轨道，举行多种条件下的三国部队大规模军事演习。俄罗斯同中国加强战略协作伙伴关系，共同反对美日在亚太建立战区弹道导弹防御系统。中国在东北亚地区的影响力迅速提升，引起相关大国的重视。

二是冷战残余和热战隐患并存。东北亚地区安全形势难拨云见日，根本原因在于该地区并未彻底摆脱冷战的影响。现实地看，东北亚国家关系格局基本上是冷战的产物，不仅冷战时期的对抗性结构仍然存在，而且一些冷战残余也会时有反复。例如，美国在该地区的军事存在和军事同盟得以强化，半岛南北对峙短期内难以消除。同时，东北亚地区仍然存在爆发“热战”的可能性。尤其是，朝核问题是东北亚地区安全困境的症结。朝核危机等热点问题一旦持续恶化，有可能引发地区冲突甚至战争。朝鲜半岛局势不确定性的长期化，无疑增加了东北亚出现突发性军事冲突的危险。

三是历史积怨和现实问题并存。东北亚各国之间存在错综复杂的历史情结，彼此互有历史积怨或悬而未决的领土争端。例如，日俄、日韩之间的领土之争、民族、历史积怨虽有缓解，但却没有从根本上获得改变与解决。在历史问题尚未解决的同时，现实问题开始凸显。例如，美国战略重心逐渐东移，日本谋求“正常国家化”，韩国推行“均衡”外交政策。上述现实问题表明，处于战略转型期的有关国家将在地区政治格局中重新进行角色定位。

四是经济利益和政治矛盾并存。就东北亚各国而言，经贸关系的发展与政治关系的发展表现出极大的非对称性。一方面，经济利益推动和促进了区域经济和双边经济的迅猛发展。另一方面，战略互信的缺乏导致政治关系的发展滞后，甚至制约经济发展的步伐。

五是传统安全和非传统安全并存。在中美、俄美、中日双边关系以及中美俄、中日俄三角博弈中，传统安全的竞争合作态势表现得十分明显。同时，非传统安全问题，如能源问题、难民问题、环境问题、恐怖主义问题等日益突出。

中方始终主张东北亚有关各方高举维护朝鲜半岛和平稳定和无核化旗

帜，保持冷静克制，显示灵活，消除障碍因素，改善彼此关系，为实现半岛和平稳定发展作出积极努力。

（三）东北亚地区对中国的战略价值

在新时期中国外交布局中，“周边是首要”具有重要地位。朝核问题的顺利解决事关中国周边安全大局，对中国战略机遇期的延长和战略利益的维护至关重要。东北亚地区对中国周边安全和战略利益具有重大现实意义：

一是维护国家安全和抵御外敌入侵的关键地带。东北亚地区是美国在亚洲推行霸权主义的前哨和遏制中国的跳板，是美国兵力部署的重要战略地区。美国将中国视为潜在的战略竞争对手，中国在该地区直接面对美国的军事存在。因此，东北亚对中国抵御和防范美国霸权主义的威胁至关重要。

二是处理大国和地区双边关系以及解决历史遗留问题的重要区域。在东北亚地区，中国需要处理好与美、俄、日、韩、朝之间的不同形式的伙伴关系。中国与日本存在历史纠葛、领土纠纷、领海划分问题；与朝鲜半岛国家间也存在着历史、领土、领海划界、民族等问题。完成祖国统一大业，也需要东北亚地区相对稳定的环境。

三是发挥大国作用和地区影响力的重要舞台。随着综合国力的增强，出于维护战略利益的考虑，中国需要在地区事务中逐渐扩大政治影响力，向世界展示“负责任大国”的良好形象。东北亚是中国确保“有所作为”并力争更大作为的重点区域，是发挥大国作用的重要示范区。

四是发展对外经济贸易的重要窗口。东北亚地区在中国对外开放格局中占有重要地位。近年来虽然中日政治关系严重恶化，但经贸关系发展前景和作用仍不容忽视（中国海关发布的数据显示，2010 年中日贸易额 2977.7 亿美元，距 3000 亿美元仅有一步之遥），日本仍是中国资金、技术等重要来源国。中韩经贸关系近年来突飞猛进，2005 年中韩贸易总额突破千亿美元，而且中国已成为韩国最大的贸易伙伴（2010 年中韩双边贸易额达到 2071.7 亿美元，同比增长 32.6％，韩国对中国出口额占其总出口额的25%左右)。中俄经贸关系与政治关系相比有些滞后，但近年来发展很快，增幅高达30%，而且潜力巨大。2010年，中俄双边贸易额达到554.5亿美元（较2009年的388亿美元增长43.1%)，中国从俄进口258.4亿美元（同比增长21.7%)。另外，中俄战略协作向更广领域发展，两国在能源、金融、人文等领域合作进展尤为显著。

四、东北亚安全变局的未来展望

从长远的角度看，东北亚地区的安全形势呈现为“总体稳定，局部动荡”。实现半岛无核化，维护东北亚地区的和平稳定，已经成为有关各方的共同战略利益。

（一）展望东北亚地区安全变局的几个角度

一是朝韩关系发展状况。朝鲜半岛南北至今未从法理上结束战争状态，其分裂对峙的现状成为该地区结构性矛盾最突出的表现。自金大中执政以来，朝韩关系出现了历史性转折，实现了南北首脑会谈和离散亲人团聚，卢武铉提出“和平繁荣”政策。朝鲜半岛孕育着对话、合作的趋势，这种趋势将成为东北亚地区结构性矛盾变化的原动力。但是，核问题长期未能得以有效解决，已成改善朝韩关系的重大障碍。再加上，天安舰事件和延坪岛炮击事件给未来朝韩关系发展蒙上阴影。朝鲜半岛剑拔弩张，争执双方“意犹未尽”，随时都有可能再起波澜。

二是朝鲜国内局势的稳定情况。自金正日执政以来，朝鲜面临着更加严峻的国内外形势。朝鲜保持政局稳定和内外政策的持续性，事关半岛安全格局的结构性变化，符合有关各方希望朝鲜半岛保持和平稳定局势的诉求。有西方舆论认为，朝韩冲突事件发生的峰值与朝鲜新领导人政治成长往往具有同步性。朝鲜如何实现国内政权的平稳过渡，将对未来东北亚安全形势走向产生重大影响。

三是大国在朝鲜半岛上的利益博弈。与东北亚联系直接的大国主要有四个，即美国、俄罗斯、日本和中国。大国间的利益博弈是东北亚地区安全与否的重要原因，其战略调整直接影响东北亚地区安全形势。中美关系是东北亚地区乃至整个亚太地区最重要的双边关系。2010 年，美国对中国进行“战略压制”的态势有所增强，中美关系呈现“高开低走”的态势。尤其是，随着美国高调“重返亚洲”，中美在朝鲜半岛的战略性摩擦可能会有所增多。

（二）未来东北亚安全变局的积极因素

一是朝核问题的发展态势仍在可控范围内。六方会谈在稳定朝核危机的发展态势方面发挥重要作用。朝核问题第四轮六方会谈取得了阶段性进展，《共同声明》确立了解决朝核问题的基本框架和原则，使会谈进入探讨和解决实质性问题的阶段。无论有无进展，只要六方会谈不致破裂，就不会引发地区形势失控的局面。

二是朝鲜政局基本保持稳定。在国内，朝鲜通过一定程度的开放搞活促进了经济生产的发展，通过重视解决民生问题和思想宣传稳定了社会动荡局面。2010 年下半年以来，金正恩作为金正日接班人开始登上朝鲜政治舞台。2011 年 12 月，金正日去世后，朝鲜政局基本保持稳定，顺利实现已有体制的延续。在国际上，朝鲜积极调整双边关系——对美国显示灵活姿态，与韩国关系逐步升温，重视中朝关系，重开日朝双边谈判。朝鲜政局的稳定既有利于维持朝鲜半岛现状，也有利于半岛的缓慢、和平统一，对保持东北亚地区安全局势具有积极意义。

三是美国希望保持东北亚地区稳定。美国在战略重心东移完成以前，不愿意看到朝鲜半岛局势发生急剧变化，也不急于采取军事措施解决朝核问题。在朝核问题上，美国采取更加务实、灵活的姿态，力图保持东北部地区的和平与稳定。在《第四轮六方会谈共同声明》中，美国承诺“无意攻击或入侵朝鲜”，推动六方会谈取得阶段性进展。美国进行战略调整，有助于缓和朝核危机，稳定半岛局势。

四是建立朝鲜半岛和平机制和东北亚安全合作机制已成各国共识。朝核问题既冲击了现存的东北亚安全结构，又推动了东北亚安全结构朝着更高层次的东北亚安全机制的方向发展。从地缘政治上分析，东北亚地区构建多边安全机制必然是大势所趋。第四轮六方会谈发表的《共同声明》首次把建立半岛和平机制和东北亚安全合作机制写入文件。不少政策研究机构认为，六方会谈框架为建立半岛和平机制和东北亚安全合作机制创造了一个良好的开端。

（三）未来东北亚安全变局的不确定因素

一是朝鲜摆脱危机需要时间和机遇。冷战结束以来，朝鲜在对外交往中的政策取向经常令人难以预测。例如，朝鲜有时推行战争边缘政策，导致韩国防不胜防；有时也能够顾全大局，主动抛出橄榄枝，让朝韩关系一触即发的紧张局势峰回路转。朝鲜这种“出奇制胜”式外交做法与其国内政局紧密相连。有分析认为，朝鲜国内外形势有所好转（如领导层有望实现顺利交接），同时朝鲜经济发展实现恢复性增长的过程时有反复，外部安全环境异常严峻。可以想象，一旦外部形势出现风吹草动，容易在朝鲜国内引发连锁反应，增加社会不稳定。解铃还需系铃人！在尚未完全摆脱危机之前，朝鲜自然不会按照别国期望的“正常路线”出牌，而继续采取一系列非常规措施。朝鲜对外行为方式时有反复，可谓是煞费苦心，更是一种无奈之举。当然，一国在国际舞台上保持别具一格的行为方式，也是一种力量的表现。只要朝鲜对外行为仍具有不可预见性，准确预测未来东北亚地区安全局势就可能有一定难度。

二是朝韩关系改善困难重重。作为两个唇齿相依的兄弟国家，朝鲜与韩国理应尽早打破双方对峙的僵局，营造相互信赖、共同繁荣的发展平台。然而，朝鲜半岛并未迎来真正意义上的美好时代，而是频频充斥着擦枪走火、军备竞赛等不和谐因素。朝鲜历来以采取“以超强硬对强硬”政策而著称，不乏“不惜发动核战反击”等言论。即使在21世纪开启第二个十年的今天，朝鲜半岛依然面临南北双方在各自边境陈兵百万的困境，依然遭遇发展失衡以及诸多突发事件的严峻挑战。值得关注的是，延坪岛炮击事件打破了以前“北强南软”的对峙格局，韩国出其不意的强硬反应令从来不妥协的朝鲜政府有些不太适应。朝鲜以“不值得回击”为由高举免战牌，并且借机开展卓有成效的外交活动——强调中朝友谊，向韩国发动“和平攻势”，甚至主动向美国示好。与以往不同，韩国面对延坪岛冲突异常冷静，有条不紊地部署陆海空三军全方位的主动出击和不惜一战的军演宣誓。2010年12月6日至12日，韩国在西部、东部、南部海域29处地点举行海上实弹射击训练。同年12月20日，韩国在离朝鲜近在咫尺的延坪岛海域大规模军演。同年12月23日，韩国陆军和空军在首尔以北的京畿道抱川市军用训练场展开100多个兵种组成的陆空火力演习。面对朝鲜主动伸过来的橄榄枝，韩国政府坦然处之，不再盲从“和平攻势”，继续保持咄咄逼人的态势。尤其是，延坪岛的炮声使“阳光政策”在韩国的社会基础大大受损。越来越多的韩国人难以容忍，认为韩国政府必须以强硬政策应对朝鲜。民意不可违，李明博政府只好撤换原本就是鹰派的国防部长金泰荣，换上更加强硬的金宽镇，并相应调整军事部署。一旦失去“阳光”的普照，朝韩关系有可能急转而下。冰冻三尺非一日之寒。改善朝韩关系既需要理性领导人的大智慧，更需要双方国民心态的内在沟通和交流。更何况，南北双方缺乏推动对话的诚意，在多数情况下将对话视为回应外部要求的一种被动措施。对于东北亚地区安全形势而言，只要朝韩关系不发生根本改善，朝鲜半岛局势就具有“牵一发而动全身”之功效。

三是美韩日战略同盟得以巩固发展。面对“天安舰事件”、“延坪岛事件”的相继发生，韩国敢于迎面相撞朝鲜的战争边缘政策，主要是因为韩国赢得了美国和日本直接和间接的实力相助和军事支持。朝韩的军事对峙逐日升级，其重要结果是美日渔翁得利。2010年7月，韩美举行“双长会议”，随后美韩连续举行大规模联合军演。同年12月6日，韩美日三方外长举行会谈，统一对朝政策，规划联合行动。借助美韩西海军演、美日东海军演，美国推动美日韩三国军事合作取得重大进展，克服日本和韩国的“离心”倾向，巩固了自己在东北亚的主动作用。美日韩巩固战略同盟，将有可能改变东北亚地区安全结构（如日本加固第一、二岛链封锁），甚至引发新一轮的地区对抗。中国国内部分舆论极力渲染美韩军演——“美国航母进入黄海，醉翁之意不在酒，项庄舞剑意在沛公”——威慑朝鲜是假，遏制中国是真。这种判断值得商榷，但是它却道出结盟政治对东北亚安全局势的破坏性影响。

第二章
钓鱼岛问题与中日东海争端

2

◎ 陶莎莎

钓鱼岛是中国领土不可分割的组成部分。20 世纪 90 年代以来，中日两国围绕钓鱼岛在东海大陆架和专属经济区划界中的法律效力问题展开了较量。2010 年 9 月，中日“撞船事件”引发的钓鱼岛风波，再次将人们的视线聚焦于两国之间的钓鱼岛争端上。钓鱼岛问题，已日益成为一个影响中日关系健康发展的主要敏感争执点。

一、钓鱼岛问题的历史缘起与主权归属

对钓鱼岛问题历史与主权的论述，主要通过对钓鱼岛的历史、钓鱼岛主权归属问题的回顾，寻找钓鱼岛是中国固有领土的历史和法理依据。

（一）钓鱼岛历史溯源

钓鱼岛及其附属岛屿位于中国台湾省基隆市东北约 92 海里的东海海域，在地质结构上属于台湾的附属岛屿。钓鱼群岛由钓鱼岛、黄尾屿、赤尾屿、南小岛、北小岛及三个小岛礁组成，总面积约 6. 3 平方公里。其中钓鱼岛最大，面积 4. 3 平方公里，海拔为 362 米，岛上长期无人居住。钓鱼岛又称钓鱼屿、钓鱼台。日本称钓鱼群岛为尖阁列岛。

根据中国的相关史料，早在明朝初年钓鱼岛诸岛已被确定为中国领土。明、清两朝均将钓鱼诸岛划为我国海防管辖范围之内，并非“无主

地”。在行政规划上，钓鱼岛明朝年间隶属于中国福建省，清朝初年隶属于台湾省。

中国关于钓鱼岛的最早文献是明朝永乐元年（1403 年）的《顺风相送》一书。该书称钓鱼岛为“钓鱼屿”，称赤尾屿为“赤坎屿”。1534 年，明朝第十一次册封使陈侃在其进呈的《使琉球录》（即“复命书”）中有“见古米山，乃属琉球者，夷人鼓舞于舟，喜达于家”的明确记载。这说明，当时的琉球人认为过了钓鱼岛列岛，到达古米山（现在冲绳的久米岛）后才算回到自己的国家，而钓鱼屿、黄尾屿、赤尾屿则不属于琉球。1561 年，册封使郭汝霖在其《重编使琉球录》一书中认为，赤尾屿是琉球与中国的分界线。1562 年，浙江提督胡宗宪编纂的《筹海图编》将钓鱼岛及其附属岛屿划入海上防御区域。1684 年，清朝第二任册封使汪楫写下的《使琉球杂录》记载了他途经钓鱼岛、赤尾屿的所见所闻。1719 年，徐葆光在《中山传信录》一书中注明久米山为琉球西南界上的镇山，即中国和琉球的分界线位于赤尾屿和久米山之间。此外，1893 年，慈禧太后下诏把钓鱼岛与黄尾屿、赤尾屿一起赏赐邮传部尚书盛宣怀，作为采药用地。

在琉球人的文献记载中，1650 年，执政官向象贤所著的《琉球国中山世鉴》（卷五）中，转载了陈侃“见古米山，乃属琉球者”之说。1708 年，琉球大学者程顺在其《指南广义》一书中称，古米山（久米岛）为“琉球西南方界上镇山”。

日本关于钓鱼岛的最早史料是，1785 年林子平所著的《三国通览图说》一书。在附图“琉球三省并三十六岛之图”中，钓鱼台等岛屿的着色与中国大陆相同，并未包括在琉球范围内。1873 年大槻文彦出版的《琉球新志》一书中所附《琉球诸岛全图》、1876 年日本陆军参谋局绘制的《大日本全图》等文献均认为，琉球不包括钓鱼岛及其附属岛屿。即便日本在 19 世纪 70 年代吞并琉球并将其称为“冲绳县”后，也没有改变上述界限。

上述史料表明，钓鱼岛及其附属岛屿是中国固有领土。最近发现的由（清）沈复所著的《浮生六记》佚文第五记《海国记》，是论证钓鱼岛为中国固有领土的有力证据。

（二）钓鱼岛主权归属问题的缘起

1868年日本明治维新后，日本开始走上对外侵略扩张的道路，中国台湾及其周边的岛屿（包括钓鱼岛）成为其觊觎的目标。

清朝末年，中日之间围绕琉球问题开始发生争议。1868年日本明治维新后，日本开始走上对外侵略扩张的道路，中国台湾及其周边的岛屿（包括钓鱼岛）成为其觊觎的目标。1871年，日本明治政府把琉球国划为由日本外务省管辖的“琉球藩”。翌年，封琉球国王尚泰为藩王。1875年7月，日本政府命令琉球番王停止对清朝进贡。同年4月，日本将琉球改名为“冲绳”。1895年日本趁甲午战争清政府败局已定，在《马关条约》签订前三个月窃取钓鱼诸岛，划归冲绳县管辖。甲午战争的惨败，导致中国痛失台湾50年，钓鱼岛也被包括在内。

二战结束后，日本理应按照《开罗宣言》、《波茨坦公告》等国际法规定归还钓鱼岛。1943年12月，中、美、英发表的《开罗宣言》规定，日本将所窃取于中国的包括东北、台湾、澎湖列岛等在内的土地归还中国。1945年的《波茨坦公告》规定：“开罗宣言之条件必将实施”。同年8月，日本接受《波茨坦公告》宣布无条件投降，这就意味着日本将台湾、包括其附属的钓鱼诸岛归还中国。然而，1951年，美国将中国排除在外后操纵一些国家与日本片面签订了《旧金山和约》。日本放弃对中国台湾及澎湖列岛的一切权利、权利根据及要求，将钓鱼诸岛连同日本冲绳交由美国托管，并且只字不提其主权归属问题。对于《旧金山和约》，中国政府认为是非法的，无效的，因而不予承认。

吉林大学郭永虎副教授在《关于中日钓鱼岛争端中“美国因素”的历史考察》一文中指出，1953年12月25日，美国陆军少将大卫·奥格登代表美国琉球民政府发布了“第27号令”，将中国的钓鱼岛非法划入美国琉球托管区域，钓鱼岛成为美国的靶场。1971年，美国政府与日本签订“归还冲绳协定”时，出于冷战和反共的需要，将其托管的琉球群岛连同钓鱼岛一起交给日本。美日这一无视中国主权的行为激起全球华人的极大愤慨，引发了华人民间团体组织的“保钓运动”。

1971年12月30日，中国外交部首次发表对钓鱼岛诸岛主权的正式声明。声明指出，早在明代，钓鱼岛诸岛就已包括在中国的海上防御区域内。美日两国政府在“归还”冲绳协定中，把中国的钓鱼岛等岛屿列入“归还区域”，完全是非法的，丝毫不能改变中华人民共和国对钓鱼岛等岛屿的领土主权。迫于强大的舆论压力，美国政府被迫宣布：只向日本移交钓鱼岛之行政管辖权，与主权无关；钓鱼岛主权归属问题，由各有关方面谈判解决。可以说，正是由于美国政府关于钓鱼岛问题的上述言行为此后中日之间的钓鱼岛纷争埋下了长期隐患。

1972年中日两国在恢复邦交的谈判中，双方从中日友好的大局出发，同意将钓鱼岛诸岛的主权归属问题“搁置”起来留待以后条件成熟时解决。1978年，中日两国签署了《中日和平友好条约》。在该条约中，中日双方确认，在两国关系中，用和平手段解决一切争端，而不诉诸武力和武力威胁。同年，邓小平副总理在访日时表示，钓鱼岛问题可以搁置主权争议，留待子孙后代日后慢慢解决。

（三）钓鱼岛是中国固有领土的法理依据

由于历史原因，1970年代以后日本取得了钓鱼岛的实际管辖权。1972年3月8日，日本外务省发表了《关于尖阁列岛所有权问题的基本见解》。该“基本见解”认为，“经过对尖阁诸岛的多次实地调查，没有发现清朝统治的痕迹”。在这一言论的基础上，日本政府主要依据国际法中的“无主地先占”和“时效取得”原则主张对“尖阁列岛”的主权。那么通过论证日本上述两个主要原则的非法和无效，可以从侧面证明中国对钓鱼岛的领土主权。

关于“无主地先占”的原则，北京大学法学院教授邵津主编的《国际法教程》中指出：根据18世纪以后的国际法，先占必须具备四个条件：第一，先占的主体是国家；第二，先占的客体是“无主地”，即未经他国占领的无人荒岛和地区或虽然占领但已被放弃的土地；第三，主观上要有占有的意思表示；第四，客观上要实行有效占有，即适当地行使和表现主权。其中比较关键的是第二点。通过对钓鱼岛历史进行考察发现，钓鱼岛在明清时期已在行政规划上属于中国的福建省，同时，一直以来，中国政府在各种场合也不断重申对钓鱼岛的领土主权。因此，钓鱼诸岛既谈不上是未经他国占领的荒岛也谈不上是被放弃的土地。

所谓“时效取得”原则，是指一国在足够长的一段时间内对于一块土地连续地和不受干扰地行使主权，即没有遭到其他国家持续的反对或抗议，那么这个国家就取得了对该土地的主权。这说明，日本取得所谓的钓鱼岛主权必须是在中国长期默认或不提出异议的前提条件下才能实现。但是，从1951年美日片面签订《旧金山和约》时开始，无论是中国中央政府还是台湾地方当局，在关于钓鱼岛主权归属上的表态都异常坚定和明确，即钓鱼岛诸岛是中国的固有领土。针对日本在钓鱼岛问题上的非法举动，中国政府进行了多次严正抗议和宣示主权的活动。

与此同时，日本还以1951年的《旧金山和约》和1971年美日两国的“归还冲绳协定”为“根据”，宣示对钓鱼岛的所谓领土主权。日本声称1951年的《旧金山和约》是合法的国际条约，日本有权据此对钓鱼岛拥有主权。根据国际法“条约相对效力原则”，美日两国将中国排除在外而片面签订的《旧金山和约》，对于非缔约的中国来说，《旧金山和约》并不发生实际效力。《维也纳条约法公约》也规定，条约非经第三国同意，不对该国产生效力。因此，美日两国之间签订的任何双边条约或协议，对中国没有约束力，均不具备影响中国对钓鱼岛拥有领土主权的法律效力。

可以说，无论是从历史史实，还是国际法的角度来看，钓鱼岛都是中国领土不可分割的组成部分。对此，中国政府一贯主张，钓鱼岛及其附属岛屿自古就是中国的领土，中国对此拥有无可争辩的主权。日方任何试图改变这一事实的言行都是徒劳的。

二、钓鱼岛问题背后的中日东海争端

在东北亚地区，一直悬而未决的钓鱼岛问题与中日东海争端，近年来呈现不断升级的态势。

（一）中日东海争端的背景及主要内容

东海是一片由中、日、韩三国领土环绕形成的半封闭海域，西接中国，东面邻接日本的九州和琉球群岛，北面濒临韩国的济州岛和黄海，南与台湾海峡和南海相通。东海南北长约700海里，东西最宽处不到400海里，最窄处不过167海里，一般宽度是216海里。

1968年，联合国“埃默里报告”中指出，东海海域尤其在钓鱼岛群岛附近蕴藏着大量的石油和天然气资源。这一报告引起中日两国特别是日本的关注。此后，日本政府先后派出调查团前往钓鱼岛附近海域进行海底资源调查并制定了在东海大陆架南部海域寻找油气资源的五年规划。同时，日本还加快了与美国关于“收回”冲绳的谈判。1971年，美国将其托管的琉球群岛连同钓鱼岛一起“归还”日本。对此，中国政府首次发表了对钓鱼岛领土主权的声明。中日东海争端由此开始。

1974年，日本单方面在东海与韩国缔结了共同开发协定；1982年，日本驻华使馆向中国交通部递交了一份地图，提出中日之间的东海海域应按中间线的方法划分。然而，由于当时中国在美苏冷战对抗中地位的上升和中美关系的改善，中日两国关系也获得友好发展，两国关于钓鱼岛问题等东海争端处于相对克制的状态。总体来说，20世纪70、80年代是中日东海争端的相对缓和期。

自20世纪90年代后，中日东海争端逐渐凸显。概括起来，主要有三个原因：首先，亚太地区的国际环境发生了很大变化。冷战结束后，苏联威胁消失，中美日特别是中美之间安全合作的基础丧失。中国自1978年实行改革开放后，综合国力大幅提升，在东亚地区乃至世界范围内发挥着日益重要的作用。上述原因，促使美国倾向于把中国看成是主要的潜在“竞争对手”，同时也引起日本的忧虑和担心。“中国威胁论”的论调开始在美日等国甚嚣尘上。在这一背景下，为了在东海争端中抢占先机，日本开始加强对钓鱼岛实际控制的步伐；其次，在能源问题上，中日两国由互补关系变为相互竞争。清华大学国际问题研究所教授刘江永认为，20世纪90年代之前，尤其在20世纪70年代世界石油危机后，由于中国是日本的石油供应国，日本在中日东海争端上采取了尽量克制的政策。但 1993 年以后，中国因自身能源消费需求的增加而停止向日本出口石油，中日在石油问题上由过去的互补变为竞争。对日本来说，在东海问题上保持相对克制立场的一个重要理由也随之消失；最后，东海海底蕴藏有丰富的油气资源，具有巨大的经济利益。中国自 1970 年对东海油气资源进行勘探开发以后，取得了很好的业绩，先后发现了平湖、春晓、断桥、残雪、天外天等七个油气田。在巨大利益的驱使下，日本也希望从东海丰富的海底资源开发中分一杯羹，因此，加快了争夺东海海域能源资源利益的行动。

从 2004 年开始，中日东海争端进入凸显期。此后，两国东海问题不断升级、激化。主要起因于 2004 年 5 月 27 日，日本《东京新闻》记者和日本杏林大学教授平松茂雄乘坐飞机对中国东海天然气开采设施的建设情况进行了“调查”。第二天，二人就开始在《东京新闻》上连续刊登《中国在日中边界海域建设天然气开采设施》、《日中两国间新的悬案》等报道和评论。这些文章称，中国“春晓”天然气田的位置距离日本单方面划定的所谓“中间线”只有 5 公里等等，惊呼“中国在向东海扩张以及企图独占东海海底资源”。此后，日本开始在东海海域的资源开发活动中采取更加强硬的态度和立场，导致东海问题日益升级。

中日东海争端的核心是两国不同的权利主张引起的划界分歧，关键在于大陆架和专属经济区的划分。由于东海大片海域东西宽度不到 400 海里，这在客观上造成了中日两国所主张的大陆架与专属经济区的部分重叠，这些重叠部分构成了两国的争议海域。其中，钓鱼岛的主权归属以及它在东海划界中的法律效力问题，成为中日东海争端中的主要焦点。

（二）中日东海争端中钓鱼岛主权之争的继续

在中日东海争端中，中日两国持有不同的权利主张。主要表现为：中国主张在东海划界中实行大陆架自然延伸原则，日本则主张中间线原则。

中国主张大陆架可以超过 200 海里，认为东海大陆架无论从地形、地貌、地质来看，都与中国大陆有着连续性，是中国领土在水下的自然延伸。最大深度约 2716 米的冲绳海槽两侧的地质构造性质是截然不同的，东侧为琉球岛弧，地壳运动活跃；西侧为一个稳定的大型沉降盆地。自中国台湾及闽浙沿岸经钓鱼岛诸岛而南至冲绳海槽止，整个海底区域形成了一个完整的大陆礁层。因而冲绳海槽构成了中国东海大陆架与琉球岛架的自然分界线，理应作为中日划分大陆架的依据。

根据《联合国海洋法公约》的相关规定，沿海国的大陆架包括其领海以外依其陆地领土的全部自然延伸，扩展到大陆架外缘的海底区域的海床和底土；大陆架外部边缘不应超过从测算领海宽度的基线量起350海里或不超过连接2500米等深线各点连线以外100海里。同时，《公约》还规定，海岸相向或相邻国家间大陆架界限的划定，应在国际法的基础上以协议划定，以便得到公平解决。因此，中国主张，东海大陆架应在自然延伸的基础上按照公平原则划定。

日本坚持大陆架为200海里，认为中国与日本琉球是共大陆架，冲绳海槽只是东海大陆架上连续的偶然凹陷，不构成日中东海大陆架的自然分界，主张在东海大陆架划界中适用中间线原则。

中间线又称等距离线，是指一条其每一点都同两国领海基线（或海岸线）上最近各点距离相等的线。根据《大陆架公约》的相关规定，海岸相向或相邻的两国，其大陆架划界应由相关国家之间的协议划定。在无协定的情形下，除了特殊情况另定疆界外，应由中间线或等距离线来决定。因此，日本主张，日中东海大陆架应以中间线原则为基础进行划定。

按照中国自然延伸原则的权利主张，钓鱼岛位于中国大陆及台湾在海底自然延伸的边缘部分，在中国所主张的大陆架上，属于中国领土。按照日本的中间线原则的权利主张，钓鱼岛将划归日本所有。近年来，日本在东海油气田问题上不断挑起事端，除了巨大的经济利益外，主要是借机将其所主张的所谓“中间线”事实化，从而攫取钓鱼岛的领土主权。

（三）中日东海争端中钓鱼岛法律地位之争

中日东海争端中钓鱼岛法律地位之争，主要涉及其在东海大陆架、专属经济区划界中的法律效力问题。

这一划界中的法律效力与国际海洋法中的岛屿制度有关。岛屿制度是国际海洋法中一个长期争议的问题，其中关于岛屿是否应该拥有领海以及岛屿在国家间海洋区域划界中的地位，是争论的焦点。

王玉玮博士在《岛屿在国际海洋划界中的作用》一文中指出，根据广泛的国家实践和国际司法判例，一般而言，那些位于领海之内、靠近一国大陆，且面积大、人口多、地理位置重要的岛屿，在划界中有可能获得全效力；那些远离其本土大陆架而接近于两国间假定中间线的岛屿，划界双方通常给予其部分效力或不将岛屿作为划界基点，仅允许其享有适当海域；对于有主权争议或面积很小、对本国不重要且远离本土大陆的岛屿，一般给予零效力。

根据《联合国海洋法公约》的相关规定：不能维持人类居住或其本身的经济生活的岩礁，不应有专属经济区或大陆架。专属经济区指沿海国在其领海以外邻接其领海的海域所设立的一种专属管辖区。专属经济区从测算领海宽度的基线量起，不应超过200海里。

钓鱼岛接近于日本假定中间线附近。日本所谓的“中间线”原则以及主张对钓鱼岛的领土主权，主要是企图以钓鱼岛作为领海基点，划定半径为200海里的庞大专属经济区和享有此海域内所包括的海底石油、矿产、渔业等海洋资源和领海、领空的交通、运输权以及未来潜在的战略意义等。然而，钓鱼岛由于不能维持人类的长期居住，按照《公约》的相关规定不应拥有专属经济区或大陆架。

（四）中日东海争端的最新进展

中日两国东海争端中的钓鱼岛主权归属之争和钓鱼岛在海洋划界中的法律地位之争，除了历史原因外，归根到底，主要还因两国对东海大陆架不同的权利主张及其划界分歧引起的。

日本关于中间线原则的权利主张，主要根据《大陆架公约》的相关规定，海岸相向或相邻的两国，其大陆架划界应由相关国家之间的协议划定。在无协定的情形下，除了特殊情况另定疆界外，应由中间线或等距离线来决定。但是，国际法委员会在审议该公约草案时考虑到，由于各国海洋划界的具体情况千差万别，一概使用中间线原则将有违国际法中的公平原则，因此，不建议其成为统一的划界标准。

中国认为，根据《联合国海洋法公约》的相关规定，海岸相向或相邻国家间大陆架界限的划定，应在国际法的基础上以协议划定，以便得到公平解决。海洋法专家陈德恭在其《现代国际海洋法》一书中指出，如果采用中间线或等距离的方法能够达到公平合理的划界结果时，有关国家可以通过协议加以使用。但反对在有关国家未达成划界协议前单方面将中间线或等距离线强加与另一方。而中日双方迄今为止并未缔结任何关于东海海域划界的协议。同时，《大陆架公约》的规定不构成习惯国际法规则，只能约束该公约的缔约国。中国不是缔约国，没有适用中间线的法律义务。金永明博士认为，事实上，日本主张的日中在东海共大陆架的观点，缺乏地质和地理构造方面的事实根据，日本迄今无法提供有关的包括数据的资料。

关于中日东海争端，中国提出了“搁置争议、共同开发”的建议。在具体做法上表现为，先搁置钓鱼岛的主权争议以及有关争端海域，根据国际法中的公平原则，通过两国的磋商谈判共同开发东海的油气资源。中国社会科学院亚洲太平洋研究所副研究员朱凤岚在《中日东海争端及其解决的前景》一文中认为，日本的做法为，采取步骤实际控制有主权争议的钓鱼岛，并将其纳入大陆架调查战略，然后依据国际法的有关规定获得大陆架和专属经济区的主权权利，在此基础上，再与中方协商划界以及资源开发等问题。

为了解决中日两国在这一争端中的分歧，从2004年开始至2008年，中日双方已进行了十一次磋商。2008年6月18日，中国外交部公布了中日双方认可的《关于中日东海问题的原则共识》（简称《原则共识》）文件，可谓是“千呼万唤始出来”。《原则共识》的主要内容有三：第一，关于中日在东海的合作。在实现划界前的过渡期间，在不损害双方法律立场的情况下进行合作。第二，中日关于东海共同开发的谅解。本着互惠原则，经过联合勘探，在指定区块（面积约为2700平方公里）中选择双方一致同意的地点进行共同开发；为尽早实现在东海其他海域的共同开发继续磋商。第三，关于日本法人依照中国法律参加春晓油气田开发的谅解。中国企业欢迎日本法人依照中国对外合作开采海洋石油资源的有关法律（即中国国务院制定的《中国对外合作开采海洋石油资源条例》），参加对春晓现有油气田的开发。中日双方就东海问题达成的共识有两个重要前提：一是不损害各方在东海问题上的立场与主张；二是中日在春晓油气田是合作开发，不是共同开发。中日就东海问题达成原则共识并就共同开发第一步达成谅解，对于双方都具有多重意义：有利于稳定东海局势，有利于两国加强在能源等领域的互利合作，有利于两国增进互信，推动在其他领域开展互利合作。2010 年 5 月 4 日，中日两国就悬而未决的东海油气田共同开发问题举行了司局级磋商。2010 年 7 月 27 日，中日两国首次东海问题原则共识政府间换文谈判在东京举行。但是，从磋商过程及后续工作可以看出，中日在政治上向前迈进一步，但是双方在东海划界问题上的法理主张仍然尖锐对立，而且在短期内没有实现突破性进展的可能。2011 年 12 月，日本首相野田佳彦访华，两国未就东海油气田等问题取得进展。可以预见，中日东海争端中的最终划界协议在短期内将很难实现，是一场“持久战”。

三、钓鱼岛问题与东海困局的深层原因及影响

钓鱼岛问题与中日东海争端是中日关系中的重要内容，在一定程度上影响到两国关系的健康发展。通过分析、归纳这一争端背后的深层原因及其不利影响，有助于人们透过问题的表相，认清本质，从而为促进中日关系的友好发展寻找良策。

（一）钓鱼岛问题与中日东海争端原因探析

钓鱼岛问题与中日东海争端是多种因素的相互交织，主要涉及领土主权、两国政府的立场、国家尊严与民族情绪以及钓鱼岛海域的经济利益和战略意义等。

1. 国家安全与领土主权

对于一个国家来说，其最基本的国家安全是确保本国领土主权的统

一、完整与不受侵犯。目前，中国与周边的许多国家还存在着陆地和海洋的划界纠纷和主权争议。在今后一段时期内，中国国家安全的首要目标仍然是，维护与实现中国领土主权的统一、完整与不受侵犯。

钓鱼岛是中国的神圣领土。中日东海争端中之所以出现钓鱼岛的主权归属纷争，归根结底是由日本侵略中国的历史造成的，是日本殖民时代的产物。但是，中国政府出于中日两国和平友好发展的大局，提出了搁置钓鱼岛主权争议，共同开发东海油气资源的建议；反而是日本，近年来在这一问题上表现出咄咄逼人的态势，公然采取了违背两国东海原则共识的单方面行动并日益强化对钓鱼岛的实际控制权，丝毫不顾及两国战略互惠关系的大局。凭借对钓鱼岛的实际控制，日本声称对钓鱼岛拥有“主权”，并在钓鱼岛上进行了大量的政治和军事造势活动，严重侵犯了中国的领土主权。总之，只要这一争议继续存在，中国的国家领土主权就会面临现实的安全问题及安全隐患。

2. 经济利益与能源开发

自20世纪90年代以来，随着经济快速发展对能源需求的增加，中国开始实施“走出去”的能源发展战略，到中东和非洲等一些地区拓展油源以弥补国内能源特别是石油供应的缺口。在这一过程中，中国与同为世界石油和天然气消费大国的日本不可避免地产生利益冲突与摩擦，两国在能源问题上成为相互竞争关系。

1968年，联合国亚洲及远东经济委员会通过对东海海域资源的勘查，得出结论：东海大陆架可能是世界上最丰富的油田之一，钓鱼岛附近水域可能成为“第二个中东”。据有关探测数据显示，东海油气资源储量达77亿吨，这一储量足够中国使用80年，足够日本使用100年。

同时，东海海域还拥有丰富的矿物和渔业资源。加紧对这一海域资源的争夺，对于日本实现资源大国的梦想，至关重要。对于中国来说，维护合法海洋权益、保护和开发东海海洋资源对于实现以经济建设为中心的发展战略也具有重要意义。中日东海争端，在一定程度上，即是两国对东海海底油气资源以及其他经济利益之争。

3. 美国因素

二战后，出于冷战和国家利益的考虑，美国政府在制定对日政策的过程中单方面与日本签订的条约或协定对中日钓鱼岛问题产生了负面影响，日本在谋求钓鱼岛的主权时常常援引这些所谓的“依据”。

冷战后至今，美国在钓鱼岛问题上的立场也随着美国在亚太地区的战略调整不断发生变化。例如，克林顿政府时期保持了中立姿态，一直坚持美日安保条约的范围不包括钓鱼岛。小布什政府时期，对于该问题在口头上发生了变化。2001 年 12 月 12 日，美国助理国务卿福特表示：“钓鱼岛一旦受到攻击，美国有可能对日本提供支持。”2004 年，美国国务卿副发言人艾利在回答记者提问时指出：“美日安保条约适用于尖阁群岛。”事实上，美国在该问题上的立场一直是表面“中立”，实则偏袒日本。

鉴于美国谋取世界霸权的战略态势短期内不会改变的现实和美国在亚太战略利益布局的形成，美国既需要将中国纳入美国主导的地区秩序以抵消中国崛起的影响对美国利益造成的冲击，又需要与中国这样的全球性合作伙伴开展合作。上述美国在东亚的战略心理表明：未来一段时期内美国仍将寻求对钓鱼岛问题的介入但比较有限，以在该问题上争取更多的回旋余地，并在平衡中日关系中获取利益最大化。

4. 地缘战略与军事意义

钓鱼岛距日本本土达 1000 余海里，距琉球群岛 80 多海里，距中国台湾基隆仅 70 多海里，距中国大陆 90 海里。从中国方面来看，钓鱼岛位于台湾和冲绳之间，处于西太平洋第一岛链的中段，成为中国大陆的天然屏障，这无论是对于台湾还是中国大陆东南沿海的安全来说，都具有不容忽视的直接或潜在的军事价值，战略意义重大。

中国社会科学院日本所研究员冯昭奎在《钓鱼岛海域，风紧云急?》一文中指出，对于日本来说，日本是一个地形狭窄的岛国，这种不利的自然地形和相对短浅的防御纵深，使日本在战时极易受到来自各个方向的空中与海上袭击。一旦日本占领了钓鱼岛，可将其防卫范围从冲绳向西推进 400 余公里。如果在钓鱼岛上设置一系列军事设施，它可望成为日本监视中国东南沿海经济发达地区的重要军事据点，并成为防止中国海军进入太平洋的一道屏障。

由于钓鱼岛在战略、军事上的重要作用，从20世纪70年代开始，日本通过在钓鱼岛上修建直升飞机场、抢建灯塔和部署军事力量逐渐掌握了钓鱼岛的实际控制权。从日本政府从国民手中“租借”钓鱼岛到多次进行以钓鱼岛为背景的模拟突击演习，从举行“夺岛演习”到调集可搭载直升机的大型巡逻舰增防钓鱼岛，从2010年12月与美国在日本西南海域举行大规模联合军演到今年2011年计划将包括钓鱼岛在内的25个离岛登记为其“国家财产”等各项行动中可以看出，日本为控制钓鱼岛采取了有计划、环环相扣的措施。对此，中国不能不就这一问题保持密切关注并做到积极应对。

5. 历史情结与民族情绪

从东北亚一个弱国到在甲午海战打败大清，从日俄战争中成为打败西方白种人的第一个亚洲国家到二战期间达到对外扩张的巅峰，日本在亚洲特别是在东北亚地区一直具有一种民族优越感。二战后，日本迅速摆脱了战后初期经济陷于瘫痪的状态，经济出现高速增长，创造了日本经济发展的“神话”。日本迅速成为世界第二大经济强国，国际地位也大幅提高。

与之不同，中国在近代以后反而落后了，饱受西方列强的侵略和蹂躏。然而，中华民族是一个坚强的民族。经过一代代中国人的艰苦奋斗，在中国的大地上屹立起了新中国。1978年，中国实行了改革开放的政策，使经济实现飞速发展。同时，和平发展道路和睦邻安邻富邻周边外交政策的实行，使中国在周边国家中的影响力迅速增强，国际地位不断提高。

在东亚秩序的变迁中，中日两国之间曾经出现过几次戏剧性的角色互换（在东亚地区主导地位的变化）。钓鱼岛问题与中日东海争端也暴露出了两国之间的这一深层次矛盾。钓鱼岛问题本是中国正当合理的主权诉求，却被日本贴上“中国威胁论”的标签大肆渲染，反映出其对中国经济、政治、军事力量增强的忧虑，不甘心被中国超越。今后，随着中国综合国力的进一步增强，在相当一段时期内，日本心理上的这种不适状态都将持续存在。

另外，日本在与俄罗斯北方四岛（俄罗斯称为南千岛群岛）和韩国的竹岛（韩国称为独岛）领土争端中均处于劣势，引起日本国内民众对政府外交政策的不满。出于一种补偿心理和照顾国内民族情绪的目的，日本政府在中日东海争端中也一定不会示弱。

（二）钓鱼岛问题与中日东海争端的主要影响

中日东海争端是世界各国对海洋的争夺日益激烈化的一个缩影。特别是在中国日益崛起的背景下，这一争端主要产生了三个层面的影响。

1. 国际层面的影响

钓鱼岛问题与中日东海争端属于双边性质的海洋争端，然而，日本却积极谋求这一争端的“国际化”。主要有两个原因：第一，不断强化对钓鱼岛的实际控制权，造成既有事实。从近年来日本在钓鱼岛问题上小动作不断可以看出，日本已加快了对钓鱼岛占有“事实化”的步伐。特别是，通过利用“美国因素”，日本增加了与中国对抗的筹码。随着中国实力的日益壮大，拖得越久对日本未必有利。第二，采取“宣传战”策略，向国际社会广泛宣示主权。日本在日中东海争端中通过制造舆论攻势，寻求国际话语权，对中国形成外交压力，以增加谈判筹码，赢得主动。例如，中国对东海油气田的开发并不在两国的争议海域，按照中日两国在这一问题上的“原则共识”，属于中日“共同开发”的区域。日本却指责中国违反协议，缺乏诚意。同时，日本媒体利用“吸管效应”理论，指责中国在向东海扩张，抢占东海资源、能源，进而大肆渲染“中国经济发展威胁论”。两国因这一争端造成的紧张局势，不但影响到中日关系的健康发展，也不利于东北亚地区的和平与稳定。

除了中日东海争端外，中国与东南亚一些国家在南海问题上也存在领土争议。因此，中日东海争端的解决方式无疑会产生向外扩散与辐射效应，对南海争端的解决产生某种程度的影响。

值得一提的是，随着中国与国际社会的相互联系日益增多，国际社会也在密切关注中国的发展变化，在中日东海争端中如何能做到既有效地维护国家领土主权，又能展现出积极、自信、智慧的大国形象，也是中国今后需要注意的问题。

2. 国家层面的影响

2010年版日本《外交蓝皮书》中用专门篇幅强调东海问题的重要性，甚至扬言要为解决东海问题而更多地动用海上保安厅和海上自卫队的力量。同年12月，日本的新《防卫计划大纲》决定加强应对能力以防备冲绳县西南诸岛的岛屿被侵犯。2010年9月7日，钓鱼岛附近海域，一艘中国渔船受到一艘日本巡逻船冲撞，后又受到日方另外两艘巡逻船跟踪、冲撞、截停、登船、检查。2011年1月5日的《半月谈》指出，中日撞船事件被日本共同社评为“2010年中日关系十大新闻”之首，另外，日本“关切中国军队的动向，决定加强西南防卫”也被评为中日关系十大新闻之一。

由于撞船事件，中日两国推迟了第二轮东海油气田条约谈判，随后还陆续取消或推迟了一系列中日交流活动，中日首脑会谈也遭受“挫折”。而中国也对日本提出将加强西南诸岛的防卫表示了关切。

对于日本来说，是继续倚重以日美同盟为基础的双边主义，还是回归到以东亚为中心的地区主义，一直是两难选择。日本前首相鸠山由纪夫在任期间曾因普天间军事基地问题和谋求实行与美国建立对等的外交关系而令美国不快，这也是导致其连任失败的主要因素。继任的菅直人深知其中的厉害关系。所以，在2010年9月的中日钓鱼岛风波中，日本的强硬立场在很大程度上也是做给美国看的，这是美国乐于看到的。只要在这一问题上日美继续联手，日本的强硬立场就不会改变。目前，中日之间的主要问题是战略互信的缺失。两国在东海争端中的摩擦不断，只会加重这一内伤，进而影响中日关系的良好发展。

3. 对两国民众的影响

随着中日两国的交往不断深化和紧密，从2005年开始至2010年8月，中日联合舆论调查已经进行了6次。这项调查从某种程度上显示了中日两国关系发展背景下国民感情的变化。

2010 年，据调查的相关数据，在中国方面，有 38.3%的民众受访者和 45.2%的学生受访者对日本的印象“非常好”或“相对较好”。与 2009 相比，整体趋势趋于稳定，好感度提高 5.7%；在日本方面，有 27.3%的民众受访者和 51.4%的有识之士对中国的印象较好，分别比去年上升了 0.7 和 2.2 个百分点（《中国新闻网》，2010 年 8 月 18 日）。然而，2010 年 9 月“撞船事件”发生后，中日两国民众的互不信任感均大幅上升。

在日本，很多民众并不了解日本窃取中国钓鱼岛的历史。日本一些右翼保守派和少壮派为了应付国内“选举政治”的需要，转移民众对其经济政策上的不满情绪，往往借钓鱼岛问题，发表一些挑衅中国的强硬言论，大肆煽动日本民众的民族主义情绪；日本政客以如此极端的方式对待本就比较敏感的钓鱼岛问题，伤害了中国人民的民族感情，也人为地制造了中日两国之间的心理隔阂。其结果是极大地恶化了中日两国的民意和舆论基础。

四、钓鱼岛问题与东海困局的破解之道

对于钓鱼岛问题与中日东海争端，主要可以通过三种方式解决。第一，维持现状；第二，通过军事手段解决；第三，通过外交手段以和平方式解决。

结合中日东海争端的现状来看，第一，维持两国争端的现状几乎不可能。由于钓鱼岛在东海争端中的重要地位，日本已经加快了对钓鱼岛实际控制的步伐。从日本政府继宣布增兵西南诸岛、决定把包括钓鱼岛在内的 25 个离岛“国有化”，以作为“划定大陆架面积和确保海底资源的据点”，到举行与美国在西南诸岛（包括钓鱼岛）海域的海空联合军演，日本可谓是步步紧逼，环环相扣。

第二，通过军事手段解决争端的可能性较小。中日东海争端，特别是钓鱼岛问题日益复杂化的一个重要原因是美国的介入。尽管日本一直希望美国军事介入这一争端，但是，在今后一段时期内，美国的战略出发点主要还是维持东北亚地区的和平与稳定以保障美国的既得利益。在这一点

上，美国与中国存在共同利益。因此，美国在这一争议问题上也要顾虑中国的感受，并留有一定回旋余地，以防止事态出现不可控的局面。

第三，在钓鱼岛问题与中日东海争端中，美国只是希望利用中日两国在东海争端中的矛盾，阻止中日过度接近以达到控制日本和牵制中国的目的，但并不主张两国通过军事冲突的方式解决。

中日东海问题谈判进展缓慢的主要责任在于日本一方。争端涉及钓鱼岛的主权归属等历史遗留问题，也涉及东海海域的划界及海底资源的开发等巨大的经济利益。在这些争议问题上，中日双方应相互尊重对方的权利主张和利益诉求。在钓鱼岛问题上，日本丝毫不顾中国的合理主权诉求，不断强化对钓鱼岛的实际控制权，严重伤害了中国人民的民族感情；在东海划界问题上，日本也不顾两国不同的权利主张和两国的东海“原则共识”，不断挑起事端，缺乏解决问题的诚意。同时，日本利用东海争端不断强化针对岛礁防御的机动防卫能力，日本自卫队将新设“沿岸监视”部队加强西南诸岛防御，还联合美国在日本西南诸岛海域举行联合军事演习等。日本这种不顾大局、极端自利的做法，不但无助于问题的解决，反而不断激化两国矛盾，危害两国关系的健康发展。

另外，日本是一个崇拜强者的国家。寻求钓鱼岛问题与中日东海争端的最终解决，中国有必要在坚持本国权利主张和立场的基础上，尽可能地通过和平的外交手段和法律手段解决争端，并做好其他一切应有准备。

首先，中国应在坚持东海大陆架争端中自然延伸原则的权利主张的基础上，加强对其法律基础的系统性论证。

从目前中日两国实力对比的现状来看，中国所掌握的谈判资源相对有限。在这一背景下，中国如何运用相关的国际规则，例如国际法，来维护中国在东海争端中的合法的权利主张，变得重要起来。因此，中国要加强并加紧对相关的国际法和国际司法判例等方面的深入细致的研究。特别是，作为崛起中的大国，中国在处理与日本等周边国家的争端谈判中如适当侧重法律的运用，一方面，可以在与这些国家进行谈判时掌握一定的法律资源，即维护中国权利主张的法律基础或法律依据，另一方面，能够减少周边国家的疑虑，在国际社会塑造中国和平发展的国家形象。

同时，中国在东海争端中的权利主张也应在国内法中加以明确规定。1998年颁布的《中华人民共和国专属经济区和大陆架法》对中国坚持划界中的公平原则进行了明确规定。然而，这一法案迄今未制定相应的配套法规与实施细则。另外，中国在东海大陆架争端中的自然延伸原则的权利主张，也应该在国内法中有所体现。金永明博士认为，为应对海洋冲突，包括划界争议，必须尽快制定和完善相关配套法规，以细化上述法律的基本原则与规则，切实维护中国合法的权利主张。

近些年来，中国出于中日两国关系的大局，多次强调“共同开发”的立场。然而，在涉及中日东海争端中的春晓油气田等相关内容时，日本故意曲解东海原则共识，把中日在东海北部地区的“共同开发”与日本企业承认中国拥有春晓油气田主权并依据中国法律出资参与开发的“合作开发”混为一谈。基于此，张新军博士总结道，中日东海争端中中方向日方释放的“共同开发”的善意，如果不是坚实地建立在自己的法律主张的基础上，不仅不能得到对方善意的回报，反而会陷于因对方趁虚而入而可能带来的被动。

其次，推进海峡两岸在钓鱼岛问题与中日东海争端上的合作。

在两岸统一尚需时日的现状下，应把钓鱼岛的领土争端问题作为培养与台湾实现领土共识、促进两岸合作的一个重要平台。推进中国大陆与台湾在钓鱼岛问题上的合作，意义十分深远：一是可以起到对日宣示主权的作用，表明两岸在钓鱼岛问题上的一致立场；二是可以起到纽带作用，通过官方、非官方性质的相互沟通，带动两岸的政治交流；三是可以起到示范效应，通过钓鱼岛问题方面合作，为两岸在南海问题上进一步协调立场、加强沟通提供一定的参照和启示。

中日东海争端将是中日之间旷日持久的综合比拼。就中国来说，只有实现官方和民间共同努力，大陆和台湾相互配合，才能确保东海海域的形势朝着有利于中国的方向发展。两岸应从共同海上救助、海上危机管理到共同保护海洋国土等方面一步步加强合作，以培养海峡两岸在该问题上的默契。同时，中国大陆和台湾可以在日常的海洋巡防能力上加强合作，例如，海上搜救、航运安全、联合打击海上犯罪活动等。

最后，中国应继续坚持以经济建设为中心，走和平发展道路，坚决捍卫国家主权和领土完整。

20世纪70年代末以来，中国以改革开放为动力，取得巨大成就，综合国力迈上新台阶。在外交上，中国奉行“与邻为善，以邻为伴”的周边外交方针，实行“睦邻、安邻、富邻”的政策，坚持用和平方式而非战争手段解决国际争端，始终不渝走和平发展道路。

同时，中国政府及人民维护国家主权和领土完整的决心及意志是坚定不移的。在钓鱼岛问题和中日东海争端中，中方的立场是一贯的和明确的。1992年，中国颁布《中华人民共和国领海及毗连区法》，首次用立法的形式确认了中国对钓鱼岛诸岛的领土主权，并保留对争议地区“使用武力”的权利；2008年12月8日，中国公务执法船历史性地进入钓鱼岛12海里区域，实施维权执法行动。

然而，对海洋领土主权的捍卫需要强大的国家实力为基础。海洋问题专家江淮认为，当今世界海洋权益斗争的主要特点之一是，维护海洋权益、争夺海洋的力量已由单纯的军事力量发展到政治外交力量、经济开发和科技力量与军事力量相结合的综合海上力量。

因此，在维护国家海洋权益的问题上，中国要有充分的心理准备和长远战略规划。就国防建设而言，中国应从过去关心传统的战争形式，注重陆军训练及装备，到关注现在高科技条件下的局部战争，加强对海空军的作用的调整，实现对全球化时代“蓝色国土”的新的认知。应加紧完善相关的海洋立法、增强海洋意识和提高中国的立体海洋防卫能力，从而为捍卫中国国家主权和领土完整做好一切必要准备。

第三章 南海问题的历史演变与变化趋势

3

◎ 郑泽民

一般来说，南海问题是指 20 世纪后半期特别是 60 年代末以来，越南、菲律宾、马来西亚、文莱等东南亚国家对中国南海诸岛提出领土主权及相关海洋权益要求而引发的争端。客观地说，中国对南海诸岛及其附近海域拥有无可争辩的主权。为了维护地区和平、稳定，发展与东南亚各国的友好关系，中国提出了和平解决南海问题的原则主张，即“搁置争议，共同开发”。然而，东南亚有关国家和区域外大国为各自的利益考虑，相互配合，或觊觎南海岛礁主权和海洋权益，或着眼于全球领导地位与地区主导权的争夺，占据岛礁，分割海域，开采资源，宣示“主权”，推动南海问题国际化。对于东南亚有关国家以及区域外大国这些不利于南海问题和平解决的意图和行径，中国要有清醒的认识，从国家总体外交的角度来应对南海问题。

一、南海问题由来的地缘因素分析

（一）南海战略位置

南海战略地位重要，原因之一就在于其地理位置。南海是中国大陆濒临的四大边缘海之一，位于中国南部方向，故名南海。南海为东北—西南走向，南部边界位于苏门答腊和加里曼丹岛之间，北部至中国大陆沿海和台湾岛，东部至菲律宾群岛，西部至越南和马来半岛，往东通过巴士海峡和苏禄海连通太平洋，西南方向通过马六甲海峡到达印度洋，总面积约350万平方公里。

有学者指出，在战略中，像在房地产中一样，地理位置是决定价值的主要因素，此一比喻恰到好处，南海地缘政治价值与其所处地理位置完全是成正比的，而且随着南海周边地区国家政治、经济形势的发展，南海战略位置将越来越重要。

地缘政治学家早就关注起了南海地区。德国地缘政治学者卡尔·豪斯霍弗尔预言“印度洋—太平洋空间”将会是未来权力的主要中心，注定要取代欧洲成为世界事务的主宰者，作为“印度洋—太平洋空间”结合部的南海应该在这个“未来的权力中心”处于极其重要的位置。豪斯霍弗尔预言可以说具有超前性。在中印两国还未发展起来的时代，南海就已经成为大国争夺的重点地区，包括近代西方殖民主义者的瓜分和现代美苏两霸在南海的对峙。在中印发展成为世界主要经济体的未来，南海地区必将会成为“印度洋—太平洋空间”的中心。以目前中印两国的发展势头来看，这一时刻已不久远。

随着东亚地区融入世界经济速度的加快，南海航道这一古代海上丝绸之路发展成为世界贸易的主航道，全世界超过一半的大型油轮和货轮往来于南海，每年通行的大小船舶总计在5万艘以上，就具体的国家来说，印度50%以上的贸易货物需通过马六甲海峡，而中国和日本超过80%的进口石油通过这一海峡。虽然这些统计数据每年都有所不同，但增加的趋势无疑是确定的。南海航道对南海周边国家，特别是对中国、日本、韩国等东亚地区国家最为重要，是东亚地区的“海上生命线”，也是东南亚各国对外贸易的主要通道。

人们普遍认为南海具有丰富的石油和天然气，而且，随着时间的推移与勘探技术的进步，对该地区石油与天然气储量的估计也在日益增加。1968年联合国亚洲暨远东经济委员会自然资源探勘报告认为南海至少具有10亿吨的石油储量，南海海域储藏着丰富的石油、天然气资源是没有疑问的。据专家保守估计，目前南海的石油天然气地质储量超过 200 亿吨油当量，被喻为“第二个波斯湾”，而近几年又在南海发现可燃冰，储量更大。

正是由于地理位置的重要性，近代以来南海及东南亚地区国家一直处于殖民主义、帝国主义的侵略、掠夺之下。二战结束以后，这一地区一度成为美苏争霸的前沿阵地之一。目前，它是美国急欲“重返”亚洲加强影响和控制的地区。南海问题的存在与发展为美国的“重返”亚洲提供了便利与机会。

（二）东南亚有关国家对南海诸岛的分割占领

南海问题通常是指 20 世纪后半期特别是 60 年代末以来，越南、菲律宾、马来西亚、文莱等东南亚国家对中国南海诸岛提出领土主权及相关海洋权益要求而引发的争端。

越南、菲律宾、马来西亚、文莱等东南亚国家对中国南海诸岛主权及相关海洋权益的侵犯形式多样。武装占领与资源开采，是目前东南亚国家侵占南海诸岛主权和相关海洋权益的主要方式。

越南是南海争端中占领岛屿最多的国家。早在 1956 年 4 月，南越政府即派遣部队接替驻守西沙群岛的珊瑚岛的法军，随后又占领甘泉岛。而统一后的越南也在 1975 年 4 月首次侵占南沙群岛中的岛屿。据有关学者统计，越南在南海已占岛礁达 29 个之多。

菲律宾染指南沙群岛也很早，在 20 世纪 50 年代初就以“安全”和“邻近”为由觊觎南沙群岛。1956 年，菲律宾“旅行家”克洛马“发现”南沙群岛的部分岛屿，并命名为“卡拉延群岛”。70 年代初，菲律宾开始新的占领行动，从 1970 年 9 月占领马欢岛开始，截至 2009 年，菲律宾侵占了中国南沙群岛的 10 个岛礁（马欢岛、南钥岛、中业岛等）。

与越南、菲律宾不同的是，马来西亚虽然在 20 世纪 70 年代就对部分南沙群岛提出主权要求，但一直未加以占领，其武装占领行动是从 80 年代开始的。从 1983 年 8 月马来西亚占领弹丸礁开始到 1999 年 4 月占据榆亚暗沙和簸箕暗沙止，马来西亚共占有 5 个岛礁。此外，文莱也对南沙群岛的部分岛礁提出了主权要求，印尼未对南沙群岛提出主权要求，但其划定的 200 海里专属经济区与中国“U”型线有重叠之处。

东南亚各有关国家对各自占据的岛礁和海域不断采取措施巩固占领，在岛礁上修建机场、港口等军事设施，购买海空武器装备，用于长期固守，有的国家还不时在所据岛礁上单独或联合举行各种活动，在有关海域进行油气资源的勘探和开采，对中国渔民进行抓扣、驱赶，甚至判刑，以各种方式宣示其所谓“主权”等。例如，越南采用免税的办法要求渔民对渔船进行现代化改造，鼓励渔民前往南沙群岛海域捕鱼，派遣海洋学家在南沙群岛海域确定鱼群与珊瑚礁的位置，帮助渔民扩大渔场和开发自然资源，以此宣示“主权”和获取经济利益。

二、南海从“平静”走向“复杂”

（一）近代西方列强对南海的侵略

南海很早就进入了人们的视线，南海成为“问题”，几乎与中国近代史一样久远，而让南海成为“问题”的始作俑者就是西方殖民主义列强。历史上，南海是近现代西方列强入侵中国的海上通道。无论是与中国进行贸易通商，还是谋划入侵中国的活动，无论是通过沿岸航行经由非洲南端、印度洋、马六甲海峡，还是远洋航行横跨大西洋、太平洋，西方列强一般都通过东南亚地区中转然后经南海进入中国本土。例如，欧美殖民主义者基本上都遵循这一路线入侵中国。南海所处地理位置及其在全球海上通道中的关键节点决定了西方列强入侵中国时首先侵犯的就是中国南海诸岛主权及相关海洋权益。这一时期，南海“问题”的基本含义是西方列强对中国南海诸岛主权及相关海洋权益的侵犯以及中国政府和人民为保卫南海权益同西方列强的侵略活动进行的坚决斗争。

西方列强对中国南海诸岛主权及相关海洋权益的侵犯包括两个方面：一是无视中国南海权益，在南海自由航行，把南海看作入侵中国的海上通道。较早侵犯中国南海诸岛和海域的是英国，英国对清政府屡次发动侵略战争所需兵力调动和部署都是经过南海来进行的。

二是对中国南海岛礁和海域的直接侵略，包括进行调查、测绘、资源开采活动直至公然侵占。19世纪初英国军舰开始测量西沙群岛，其他列强相继加入测量的行列。20世纪初，日本开始掠夺东沙岛资源。30年代法国占领南沙群岛九小岛，制造“九小岛”事件，中国政府和人民对此进行了坚决的斗争。30年代后期，日本发动对中国的全面侵略战争，40年代初，又入侵东南亚，占领了越南、印尼、菲律宾、马来西亚等东南亚各国，事实上也就控制了整个南海地区，并擅自将南沙群岛改名为“新南群岛”，划归其台湾总督管辖。1946年中国政府接管南海诸岛。1947年，中国内政部重新命名包括南沙群岛在内的南海诸岛全部岛礁沙滩名称共159个。为巡视提供依据与方便，中国政府内政部方域司绘制了《南海诸岛位置图》，以断续线的形式明确表述了中国南海的权利范围。至此，近代以来中国与列强有关南海诸岛主权和海洋权益之争以中国收回南海诸岛主权和确认南海海洋权利范围为结果划上句号。

（二）20世纪50年代以来南海问题的发展

二战结束后尤其是20世纪50年代后，南海问题再次出现并进入一个新的时期，此次南海问题主要表现为东南亚有关国家对中国南海诸岛提出主权要求甚至派兵入侵，菲律宾和南越当局在其中扮演主要角色。20世纪60年代末70年代初至20世纪末，越南、菲律宾、马来西亚、文莱等东南亚国家对中国南海诸岛及附近海域提出主权和其他权利主张，并陆续派兵占领各自提出权利要求的全部或部分岛礁与海域。因此，南海问题转化为越南、菲律宾、马来西亚、文莱等东南亚国家对中国南海诸岛提出领土主权及相关海洋权益要求及由此而引发的多边国际争端。

自20世纪50年代以来，南海问题已历经数十年的发展，期间经历冷战时期、冷战后时期，按照不同时期的国际政治特征和东南亚有关国家在南海问题上的行为与政策特点，南海问题可分为几个发展阶段。

第一个阶段从20世纪50年代初到60年代末。这一阶段是东西方冷战最为激烈的时期，相应地，有关南海问题的斗争也较为激烈，而且可以说是外部势力由于自身利益考虑给南海埋下争端的种子。

二战结束后，围绕有关对日和约的斗争涉及到南海岛礁主权问题。东西方两大阵营的斗争和美苏矛盾以及中国加入社会主义阵营，使当时占据国际政治舞台主导地位的美国等西方大国有意在南海问题上留下争端的种子。在很大程度上，围绕有关对日和约的斗争涉及到的南海岛礁主权的争端仍然是近代以来西方列强侵略南海遗留下来的后果。

菲律宾与南越当局对中国南海诸岛主权和海洋权益的争夺是这一阶段南海问题发展的表现形式之一。1948年季里诺出任菲律宾总统，不断鼓吹并吞南沙部分岛礁，并得到部分内阁阁员的支持。此后，菲律宾多次组织“探险队”对南沙群岛进行勘测。1956年，一位名叫克罗马的菲律宾狂人公然宣称自己“发现”了南沙的11个岛礁，一时在东南亚地区掀起轩然大波。南越当局也在1956年4月派遣部队接替驻守西沙群岛的珊瑚岛的法军，还派兵入侵南沙群岛。

这一阶段美国还直接间接地侵犯南海权益。一是南海成为美军军事演习场所；二是将南海作为向越南战争运送军队和军火物资的通道；三是将南海作为对中国本土进行军事寻衅甚至入侵的捷径。

此外，美国还公然入侵南沙群岛。1957年，美国就“考虑”在南沙群岛上设立一个气象台。同时，美国、台湾、南越当局三方面在吴庭艳访问美国期间，就中国的西沙群岛“属谁的问题”达成了协议。“假如”承认西沙群岛属于中国，就可能应用美台间的“共同防御条约”来“保卫”这些岛屿。美国根据其反共、反华战略来随意“安排”西沙群岛的主权归属，是对中国南海权益的严重侵犯。

第二个阶段从20世纪60年代末70年代初到冷战结束。东南亚有关国家对南海岛礁和海域的占领、分割成为这一阶段南海问题的主要特征。越南通过所谓“解放”、逐步蚕食等手段占领了其所占29个南沙岛礁中的大部分。而菲律宾从1970年开始，到1980年占领司令礁止，共占据南沙8个岛礁。马来西亚则在1983年占领弹丸礁，1986年11月又占领南海礁和光星仔礁。

导致菲律宾、越南、马来西亚等东南亚有关国家对南海岛礁和海域进行占领、分割的主要原因当然是它们觊觎南海诸岛领土主权和在该海域发现储量丰富的石油资源，还有所谓的要为自身“安全”对这些海域进行控制。此外，当时国际海洋法正处于快速甚至是无序发展的过程也是一个非常重要的原因。

第三个阶段从冷战结束到2002年11月《南海各方行为宣言》的签署。东南亚有关国家对南海岛礁和海域的占领、分割行为仍有发生，例如，越南又占据了几个岛礁，菲律宾占了一个，马来西亚占了两个，并且抢占行为多集中在20世纪90年代末，这同样反映了东南亚有关国家在《南海各方行为宣言》签署前多占岛礁的企图。但总的来说，占领、分割行为接近尾声。

由于有关争端国家的政策选择与拉拢，区域外大国基于其全球和地区战略考虑开始影响、干预南海问题，南海问题开始国际化，这是这一阶段南海问题发展的一个重要特征。区域外大国特别是美国对南海问题政策、立场的变化对有关争端国家在南海问题上的僵硬立场有重要影响。

东南亚有关国家在南海问题上联合对华也肇始于这一阶段。在南海争端中，东南亚有关国家的联合基于这样一个认识，即任何单个的争端国都不是中国的对手，虽然联合起来也未必能与中国取得力量平衡，但至少可起到一定牵制作用。

这一阶段是南海问题发展的重要阶段。《南海各方行为宣言》是中国和东盟国家于2002年11月签署的一份政治文件，主要内容包括：确认中国与东盟致力于加强睦邻互信伙伴关系，共同维护南海地区的和平与稳定；强调通过友好协商和谈判，以和平方式解决南海有关争议；在争议解决之前，各方承诺保持克制，不采取使争议复杂化和扩大化的行动，并本着合作与谅解的精神，寻求建立相互信任的途径，例如，开展海洋环保、搜寻与求助、打击跨国犯罪等。签署《南海各方行为宣言》的意义在于，要求各方以和平方式解决争端和各方承诺保持自我克制，不使争议复杂化、扩大化，为有关当事国最终和平解决争议创造良好条件和氛围。落实《南海各方行为宣言》后续行动已成为中国和东盟国家围绕南海问题开展对话与合作的重要平台，为维护南海局势稳定，深化中国一东盟战略合作伙伴关系发挥不可替代的作用。

（三）南海问题的现状分析

《南海各方行为宣言》签署以来，南海问题现状基本定型，即分割占领，各方态度僵硬。东南亚有关国家虽然不再占领新的岛礁，但对南海岛礁主权和海洋权益的侵占和争夺以及采用各种方式宣示所谓南海岛礁“主权”和“海洋权益”的活动一刻也未停止。在东南亚有关国家立场僵硬且拒绝“搁置争议，共同开发”的情势下，实际上是对南海问题现状的间接承认。

利用报刊媒体宣传本国所谓拥有南海诸岛主权的“历史证据”，越南在这方面比较突出。越南不时抛出“发现”证明自己拥有“黄沙群岛”和“长沙群岛”主权的“新资料”，声称中国对南海诸岛拥有主权没有根据。实际上，这是对中国拥有南海诸岛主权的否定。

采取各种方式宣示所谓南沙“主权”和海洋权益是东南亚有关国家在南海问题上的主要行为。大张旗鼓地在南沙争议海域划定区块，向西方国家的石油公司进行油气资源勘探招标，越南是典型。虽然大多数时候在其他国家的抗议声中越南的招标不一定成功，更别说能够开采出油气，但越南仍然乐此不疲地进行招标，其目的并不在于希望能够最后开采出油气资源，而在于以这种方式向国际社会宣示其所谓的“主权”。

在南海所占岛礁甚至不是自己占据的岛礁上建立所谓“行政机构”，还任命官员进行“行政管理”，也是东南亚有关国家宣示南海“主权”的重要方式，越南就经常任命其所谓“长沙”和“黄沙”行政机构的负责人。而各国政府领导人或要员或军方首脑或登岛或乘飞机空中“视察”南沙群岛，更是成为它们宣示其“主权”的惯用方式，越南、马来西亚、菲律宾经常如此。

东南亚有关国家还在南海诸岛上进行民用基础设施的建设，一方面既是宣示“主权”，另一方面也是巩固占领，获取经济利益。在所占岛礁上建设旅游项目，发展海岛经济和海上航空服务，建立民用通讯系统，配合其“行政机构”的建立，达到宣示“主权”和巩固占领的目的。

对中国在南沙海域捕鱼的渔民进行驱赶、抓扣、罚款和审判，是东南亚有关国家宣示其海域“管辖权”的常用方式。2006 年 12 月被菲律宾以“非法入境”等罪名起诉的部分渔民，直到 2010 年 2 月才被菲律宾释放回国。

在南沙海域进行油气资源的勘探和开采则是东南亚有关国家侵犯南海权益的又一主要形式，其中以马来西亚居多。据有关报刊统计，周边国家已在南沙群岛海域钻井 1000 多口，在已投入生产的 500 余口油气井中，有 100 多口位于中国南海“U”型线内，中国南海油气资源正在大量流失。2011 年 3 月初，菲律宾在南沙礼乐滩海域探油。

在南沙群岛各自占领的岛礁和海域加强军事建设是东南亚有关国家巩固占领的主要行动，体现的是它们以武谋岛、以武谋海的军事战略。这些军事建设包括军事基础设施的建设，修建飞机跑道，扩建军舰停靠码头等。越南更甚，还在本土投入巨资兴建大型军港，用于停泊军舰和潜艇，以备将来南沙可能的战事。

购买用于海战的海空武器是东南亚有关国家进行军事建设的又一主要动作。限于技术原因，东南亚国家自造武器能力较弱，向外购买先进武器或接收西方国家赠送的二手武器成为各国首选，在东南亚地区引领起一波波的逆裁军高潮。越南仍然是这方面的急先锋，耗巨资向俄罗斯购买军舰、潜艇、战机以及反舰导弹等，成为俄罗斯军购大户。菲律宾也扩大军费开支，接收美国军事援助，印尼和马来西亚则从俄罗斯购买先进战斗机以及向欧洲国家购买军舰与潜艇。不但如此，越南和马来西亚甚至还制定了以潜艇为主要力量的海上军事战略，越南、菲律宾媒体及军方官员甚至放话，声称不放弃一寸土地，要为南沙不惜一战。

国内立法和向联合国大陆架界限委员会提交外大陆架划界案，是东南亚有关国家企图使其占据南沙岛礁和海域合法化的新的动作。借《联合国海洋法公约》要求在 1999 年 5 月之前批准公约的各缔约国需在 2009 年 5 月前提交领海基线声明的规定，东南亚有关争端国家纷纷向联合国大陆架界限委员会提出划界案，企图为其占据南沙岛礁合法化提供“法理”依据。首先，菲律宾国会通过“领海基线法案”，将中国的黄岩岛和南沙群岛部分岛礁划为菲律宾领土并得到菲总统签署，将中国的黄岩岛和南沙群岛部分岛礁划为菲律宾领土。接着，马来西亚政府向国会提交大陆架修正法案，作为向联合国提交专属经济区和大陆架划界案的法律基础。最后，马来西亚和越南联合向联合国大陆架界限委员会提交的200海里外大陆架“划界案”，此外，越南还单独向大陆架界限委员会提交南海“外大陆架划界案”。东南亚有关国家就其所占据的南沙岛礁和海域进行国内立法和向联合国大陆架界限委员会提交所谓的划界案并不能使它们的占领行为合法化，但通过这一行为，达到了将南海问题国际化的目的。

此外，东南亚有关国家在南海问题上联合对付中国的行为也时有出现，其中以越南为主。除了上述马来西亚和越南联合向联合国大陆架界限委员会提交的200海里外大陆架“划界案”外，越南和马来西亚还建立两国海军热线，提高两国在南海争议海域的合作进程，推动两国军事力量的互信与进一步协作。越南还和菲律宾进行“体育比赛”，轮流在南沙群岛的一些岛礁上举办，目的在于促进双边关系，加强安全与国防合作。

三、南海问题背后的域外大国身影

（一）美国：全力介入

美国是影响南海问题最大的外部因素，在不同的时期美国在南海问题上的政策、立场有不同的表现，而且与国际政治现实和中美关系的发展紧密地联系在一起。

从20世纪50年代南海主权问题初露端倪到中美和解之前，中美关系处于严重对抗状态。美国的战略重点虽然在欧洲，但东南亚及南海的广大地区是美国遏制苏联和中国的重要地段。为遏制中国，美国在东南亚和南海地区与有关国家签署双边军事同盟，编织出了遏制中国的条约网。这一时期美国根本无视南海主权归属，任由中国抗议，美国仍无所顾忌地在南海“自由航行”，把该海域变成事实上的国际公海。在整个越南战争时期，美国出于战争与遏制中国的需要，其军舰自由航行于南海。在美国的眼里，不存在有哪一国拥有南海主权这一概念。

中美关系实现正常化之后，由于苏联军事力量迅速扩充，走上了对外扩张的道路，打乱了美国的全球战略部署。同时，社会主义阵营分裂、中苏矛盾上升、中越反目，以苏联为主要对手的战略使美国在东南亚和南海地区遏制中国的意义已经不大，而且由于扩张过度，加上经济危机的影响，美国实力受损。于是，美国改弦易辙，缓和与中国的关系，进而同中国结成准战略同盟，共同对付苏联的扩张主义，美国在东南亚地区的扩张暂时放缓。美国总统尼克松发表被称为“关岛主义”的谈话，逐步撤出越南。由于在战略上有求于中国，美国在此一阶段对南海主权归属采取双重立场，一方面，公开场合不表态，即只要符合其与苏联争霸的总战略，南海主权暂时属于谁家都不重要。另一方面，美国私下里则对菲律宾与南越政府占领南海岛礁的行为予以鼓励和支持。20 世纪 70 年代初菲律宾与南越政府对南沙群岛部分岛礁的占领是与美国的支持分不开的。

冷战结束后，美国对南海争端的介入逐步深入。

随着国际形势的发展，特别是中国经济的快速增长，美国越来越认为中国是亚太安全的主要威胁。有美国学者认为，一个充满活力的亚洲必须建立一个包括华盛顿参加的新的安全网络，“才能遏制邓小平后时代中国的野心”。在“中国威胁论”潮流的推动下，美国对中国的防范与遏制越来越严密，南海问题作为美国牵制中国发展的一个重要地区重新进入美国的视野。

1995 年中菲美济礁事件爆发，美国政府针对南海问题多次发表声明，成为美国介入南海问题的转折点，而且还针对中国进行排兵布阵，正式改变冷战结束以来执行的削减在东南亚和南海地区美国军事力量的政策等。当然，美国对南海问题的政策与立场不是一夜之间改变的，它是一个长期的过程，中菲美济礁事件的发生促使美国公开表明其立场，这个立场就是明确站在菲律宾一边，支持菲律宾对南海提出主权以及海洋权益要求。而不是像此前，美国针对南海问题一般表态为美国对南海主权归属不持立场，反对使用武力，希望有关各方以和平方式解决争端等等，美济礁事件应该被看作是美国改变对南海问题的政策和立场的转折点。此后，美国政府要员也还就南海问题陆续发表过针对中国的措词强硬的表态，例如，1997年6月，美军太平洋部队司令普鲁赫称，当南海发生冲突时，美国将支援菲律宾。

此后，美国通过加强在南海及周边地区的军事存在，提升对中国的军事压力、以各种方式积极支持东南亚有关争端各国、加强与日本、印度的关系，协同在东南亚和南海地区的活动。

二战结束以来，美国一直是南海地区国际政治的主导者。美国在南海周边地区构建了众多多边、双边军事同盟，南海成为美国遏制社会主义阵营、遏制中苏、争霸世界的重要地区，南海问题只要不与美国的这一利益相冲突，美国并不关注南海岛礁主权和海洋权益的归属。冷战结束后，作为地区热点的南海争端凸显，美国虽然称对南海岛礁主权归属不表态，但对南海问题的态度发生变化，由所谓“中立”立场转为积极介入，其战略考虑在于利用南海问题牵制中国的发展。小布什总统上任之初则更进一步，将中国视为头号假想敌。中美的“战略伙伴关系”被小布什换成“战略竞争对手”，中国被美国看作危及其全球领导地位的潜在力量。南海地区是支撑美国全球领导地位的重要一环，介入南海争端以牵制中国发展、恶化中国周边环境、分散中国力量将是美国的重要政策选择。

奥巴马上台后，提出不做“世界第二”的口号，对美国实力的相对下降和中国国力的上升更为焦灼，担心失去全球领导地位，于是加大了“重返东南亚”的力度，加入《东南亚友好合作条约》，拉近与东盟的距离，解除对印尼军队的制裁，发展与越南的政治、军事关系，正式加入东亚峰会等等。特别是在2010年的东盟地区论坛上，美国国务卿希拉里·克林顿主动挑起南海问题，较为系统地就南海问题阐述了美国的政策立场，称美国在南海的领土争端中不偏向任何一方，希拉里提出，对南海提出主权要求的各方按照《联合国海洋法公约》而不是以胁迫方式寻求解决争端。她尤其要求南海问题“多边化”，称美国支持《南海各方行为宣言》，美国愿意促进与该宣言一致的倡议和建立信心的措施，鼓励各方就一项全面的行为准则达成协议，与此同时，美国政府高官、军方要员利用各种场合就南海问题大发议论，营造出一副山雨欲来的架势。2010 年南海问题急剧升温与美国在该问题上的兴风作浪是分不开的。之所以如此，说到底，美国是为了保住其“世界第一”的位置。

（二）日本：积极关注

南海问题在冷战结束后成为地区热点问题，作为在东南亚和南海地区有重大利益的日本，在冷战结束后对南海问题的关注程度之深不逊于争端当事国。1995 年 7 月，日本外务省称对南沙问题感到“头痛”，认为南沙群岛周围海域的稳定对亚洲的稳定不可缺少。

虽然如此，在南海问题发展的不同时期，日本对南海诸岛主权归属态度前后有所不同。二战结束，日本战败投降，自然也就退出了其所占的南海诸岛，并与美国等西方国家缔结《旧金山对日和约》，又和台湾当局在 1952 年签订《日华和约》，其中规定：“兹承认依照公元一九五一年九月八日在美利坚合众国旧金山市签订之对日和平条约第二条，日本国业已放弃对于台湾及澎湖列岛以及南沙群岛及西沙群岛之权利、权利根据与要求。”考虑到当时日本不承认中华人民共和国，而承认逃往台湾的国民党政权为中国中央政府，因此，1952 年日本和台湾国民党政权签署的和约说明日本承认上述岛屿主权属于中国。此外，日本外务大臣冈崎胜男签字推荐的 1952 年日本出版的《标准世界地图集》中的“东南亚”地图，将南沙群岛标注属于中国。20 世纪 60 年代日本出版的中国地图都把南沙群岛标注在中国版图内。

1972 年，中日两国建交时，日本政府声明遵守《波茨坦公告》关于归还其侵占中国领土的规定，《波茨坦公告》及其所包含的《开罗宣言》的基本内容都是要求日本归还其侵占的包括南沙群岛在内的中国全部领土。这些都说明，在二战结束到 20 世纪 70 年代初这一时期，日本承认南海诸岛主权属于中国。

南海问题是 20 世纪 70 年代后凸显的，冷战时期特别是冷战后期日本并未主动就南海问题表明什么态度或立场，但这不表示日本不关注南海问题。恰恰相反，日本非常关注南海问题的发展对日本的影响。只是在冷战时期东亚地区国际政治格局、日本所处的国际地位与实力及其侵略南海的历史等因素使日本暂时未就南海问题表明立场。冷战刚刚结束，南海问题成为地区热点时，日本就开始积极关注南海问题，且偏向东南亚有关国家。

首先，日本是从东亚地区主导权的角度来关注南海问题的。日本学者认为，若南海主权归属中国，将对亚太地区的战略体制产生不容忽视的影响，这种态势将使中国能有效地威胁日本的“海上生命线”，日本对地区主导权的争夺更是无从谈起。

冷战结束后，由于苏联威胁消失、美国在东南亚一定程度的撤退、自身经济实力的上升等原因，日本对地区主导地位的觊觎迫切起来。从日本对冷战后国际政治、经济秩序的构想以及对军事安全的考虑，东南亚和南海地区都是日本谋求地区主导权的重中之重。然而，日本随即进入“失去的十年”。而与此相反，冷战结束后中国经济迅速发展，国际地位快速上升，使日本担忧中国与其争夺地区主导权。有日刊指出，和日本一样，或者说比日本有更大的可能性参加争夺亚洲主导权的国家是中国。中国若再加上香港并同台湾和东南亚的华人合作，就会成为更加巨大的亚洲大国。如果中国再同东盟国家保持协调关系，也许就能足够向美国在亚太的主导权提出挑战。在这种情况下，中国对抗日本也并非是件难事。

其次，途经南海的所谓日本“海上生命线”是日本关注的重中之重。日本扩大、加强在东南亚和南海地区的影响和渗透，是日本地缘政治环境发展的结果，是日本地区外交的必然选择，经南海到日本本土的“海上生命线”则强化了日本对这一地区的敏感和关注。

再次，钓鱼岛争端也是促使日本关注南海问题的重要因素。钓鱼岛列岛是中国台湾岛的附属岛屿，日本在中日甲午战争前后将钓鱼岛列岛据为己有。日本战败后，把台湾归还中国，却把台湾的附属岛屿钓鱼岛列岛私自交给美国托管。1971 年美国交还冲绳，连同钓鱼岛列岛一并“归还”给日本。日本趁机一步步加强了对钓鱼岛列岛的实际控制，对在钓鱼岛列岛海域作业的中国渔民进行监视和驱逐，修建直升机机场等，形成中日钓鱼岛争端。

从中日钓鱼岛主权争端的发展来看，与南海问题无任何关联。但日本将南海问题与钓鱼岛争端联系起来，意图利用南海问题向中国施压，以利于它在钓鱼岛问题上渔利。

在介入南海问题的方式上，日本主要是加强军事力量建设，突破和平宪法的限制，强化在东南亚和南海地区的军事影响；以各种方式支持东南亚有关国家在南海争端中的立场，包括舆论炒作、偏向东南亚有关争端国、加大对东南亚地区石油业的投资、与东南亚有关国家加强军事安全关系、争取参与南海争端解决框架及地区安全机制的构建等；加强与美国、印度等区域外大国的合作以加强介入南海问题的力度等。

日本介入南海问题，无疑增加了南海问题的复杂性和解决的难度。日本为维护“海上生命线”安全，争夺地区主导权，以南海问题牵制中国的发展、分散中国力量、离间中国与东南亚有关国家的关系成为日本的政策选择。

此外，日本借南海问题加强了对中国的整体牵制，使中国面临的战略压力增大。冷战结束以来，在日本，无论是新闻舆论、学者研究还是官方意见，南海问题与朝鲜半岛、钓鱼岛主权争端、东海争端、台湾海峡等问题都是同中国紧密地联系在一起并且不可分割的一个整体。南海问题成为地区热点以及每一次的激化都会立刻就使日本联想到朝鲜半岛、台湾海峡、钓鱼岛主权争端等问题，从而相应地需要加强对中国的防范措施，使中国面临的战略压力增大。

（三）印度：“向东看”与南海问题

冷战结束以来，印度经济、军事实力都有很大的增长。在20世纪90年代初“向东看”政策的指导下，印度“利益范围”不断扩大，印度影响力不断渗入东南亚和南海地区。2000年4月印度国防部长费尔南德斯称：“从阿拉伯海的北面到南海，都是印度的利益范围。”而几乎同时，印度外长贾斯万特·辛格称：“印度的安全考虑参数已明显超越南亚地理定义的范围，南亚经常是定义印度安全一个含糊范畴，就印度的面积、地理位置、贸易联系和经济规模而言，印度关注的安全环境以及潜在的安全考虑包括从海湾到马六甲的印度西边、南边和东边地区，西北边的中亚，东北亚的中国和东南亚。”[①] 正如美、日声称东南亚与南海地区与它们的利益和安全“攸关”从而介入南海问题那样，印度“向东看”政策将其利益与安全“范围”扩展到东南亚和南海地区，则其必然会以某种形式影响南海问题的发展。

印度自独立后很早就发展与东南亚和南海地区国家之间的联系，但印度真正大规模向东南亚和南海地区扩展影响则是冷战结束后开始的。

冷战结束后，苏联解体，国际形势发生了深刻的变化，印度调整了冷战时期一直奉行的亲苏政策，推行全方位外交，积极发展与美国及其他西方国家的关系，使印度和东盟之间对抗的战略因素淡化，双方关系得以缓和。

同时，印度开始经济改革，急需吸引外资和寻找市场。在此情况下，印度开始了“向东看”。1992 年 10 月，印度邀请东盟国家与印度海军在印度洋举行联合军事演习，此后的各种场合，印度积极发展与东南亚各国的关系。1996 年印度加入东盟地区论坛，正式成为东盟的“对话国”。此后，印度“东进”步伐呈大踏步前进的态势，与东南亚各国的关系得到迅速发展，东南亚各国的领导人一个接一个造访印度，双方互访不断。21 世纪初以来，印度的“向东看”政策跨入新的发展阶段，与东盟关系以及与区域外大国合作得到全面发展。

印度热衷于“向东看”，一是推行大国战略的需要。印度自独立以来就自视为大国，并以此为指导开展外交。20 世纪 90 年代开始的经济改革和国际形势的变化使印度把目光投向了东南亚和南海地区，企图藉加强对东南亚和南海地区的影响，通过对域外事务的参与，推进其大国战略。

① 王历荣：《印度“东进”南中国海：方式及影响》，《东南亚南亚研究》2010 年第 3 期，第 47—48 页。

二是借“向东看”牵制、平衡中国的发展。中印本是友好邻居，但自中印边界战争之后，印度一直把中国看作威胁，因而印度也要选择某个区域对中国进行威胁与遏制，南海地区很自然地进入印度的视野。

三是借“向东看”获得经济利益。冷战结束后的1991年印度拉奥政府迈出了经济改革的步伐，国内经济环境大为改善，成为世界10大主要新兴市场之一。同一时期的东南亚地区经济也一直处于飞速发展状态，这为印度积极发展与东南亚各国的经贸关系提供了有利的条件。

印度“东进”所要获得的经济利益不仅仅是贸易与投资，南海地区丰富的能源也是印度觊觎的重要对象。印度是一个能源相当短缺的国家，需要寻求稳定、可靠、廉价的进口能源。而东南亚和南海周边地区各国，如越南、缅甸等国有较为丰富的石油资源，且运输距离印度较近，加强与这些国家的关系，对缓解印度的能源紧张状况，促进经济发展具有重要意义。

“东进”已成为印度对东南亚与南海地区的一项长期战略，不会因一时一事而发生改变。应该说，冷战后的印度“向东看”是印度国力提升的结果，是冷战后国际形势和国际格局变化的产物。但印度“向东看”并非如此简单，在“向东看”方式上，印度采取的是加强在南海的军事存在、以销售军火为媒介加强与东南亚国家的关系、与美日联手等，在目的上，印度把东南亚与南海地区作为其大国战略的基础与“试验田”，看作其利益范围甚至是势力范围，这是与冷战后世界各国致力于发展经济、维护和平的潮流格格不入。

在南海问题上，印度也有意对东南亚有关国家提供支持，冷战结束前夕，印越双方曾保证在与中国的领土争端中互相支持各自的领土要求，这清楚地表明了印度的意图。另外一个迹象是印度始终觊觎越南的金兰湾港口，从20世纪90年代初以来印度就有此意图，进入21世纪后印度又几次向越南提出印度海军使用金兰湾。虽然越南未直接同意，但印越关系的发展使印度获得了丰厚的战略利益，越南支持印度加强与东盟合作、参与东亚事务。在这种情况下，印度“向东看”为部分南海争端国拉拢区域外大国介入南海争端、牵制中国的战略提供了除美、日之外的又一个选择。

四、中国关于南海问题的立场与主张

在南海问题上，中国一直主张对南海诸岛及其附近海域拥有无可争辩的主权。中国是最早发现、命名，并且最早开发经营和持续对南海诸岛行使主权管辖的国家。因而，中国有充分的历史和国际法依据，国际社会也长期予以承认。虽然如此，鉴于南海问题的复杂性，数十年来，中国政府和人民为维护南海诸岛主权和相关海洋权益，也为了维护地区和平、稳定，为促使南海问题的和平解决作出了不懈的努力。

现代南海问题始于20世纪60年代末70年代初。新中国刚一成立，就面临着南海问题，主要表现为美英主导的对日和约草案有关南海诸岛的规定、菲律宾和南越当局对南海诸岛主权的侵犯和占领、美国在南海肆无忌惮地“自由航行”和对南海岛礁主权的侵犯。

针对这一时期菲律宾、南越当局以及美国对南海诸岛主权的侵犯，中国主要采取外交斗争维护南海诸岛主权。1951年8月，中国外交部长周恩来的声明中提出了中国有关南海诸岛的立场与主张。

1951年7月，美国和英国在华盛顿和伦敦同时公布对日本和平条约草案，美国发出召开旧金山会议的通知，准备单独对日媾和。对此，中国政府声明，由美国政府强制召开、公然将中华人民共和国排斥在外的旧金山会议是一个背弃国际义务基本上不能被承认的会议，美英两国政府所提出的对日和约草案是一件破坏国际协定基本上不能被接受的草案。对于和约草案中有关南海问题的规定，中国政府也作出了严正驳斥，认为和约草案破坏了开罗宣言、雅尔达协定和波茨坦公告，故意规定日本放弃对南威岛和西沙群岛的一切权利而亦不提归还主权问题。实际上，西沙群岛和南威岛正如整个南沙群岛及中沙群岛、东沙群岛一样，一向为中国领土，在日本帝国主义发动侵略战争时虽曾一度沦陷，但日本投降后已为当时中国政府全部接收。中华人民共和国中央人民政府于此声明：中华人民共和国在南威岛和西沙群岛之不可侵犯的主权，不论美英对日和约草案有无规定及如何规定，均不受任何影响。

20世纪70年代后，南海问题逐渐突出起来，东南亚有关国家纷纷对南海诸岛及相关海域提出权利要求，形势日益严峻，中国加强了维护南海权益的力度。1974年，针对南越当局的侵略，中国政府采取了武力反击的方针，将南越当局驱逐出了西沙群岛，1988年，中国海军又在南沙海域打击越南海军，遏制越南在南沙群岛的侵略势头。

进行外交斗争，揭露、抨击东南亚有关国家对南海诸岛主权及相关海域的侵犯仍然是这一时期中国在南海问题上的主要斗争方式。外交斗争的形式包括向有关国家的侵略行为提出抗议，搜集、宣传中国拥有南海诸岛主权的历史依据和国际法依据。

冷战结束后，南海问题上升为地区热点，东南亚有关国家掀起一股争夺南海岛礁和海域的高潮。形势表明，此前中国政府应对南海问题的政策、主张已经难以适应形势发展的需要，为更好地维护南海诸岛主权和相关海洋权益，中国加强了海洋立法。

1995年，中国批准了《联合国海洋法公约》，宣布享有200海里专属经济区和大陆架的主权权利和管辖权，1998年通过《中华人民共和国专属经济区和大陆架法》，明确规定中国在毗连区与专属经济区的权利与利益，这是中国在与他国发生争端时进行交涉的法律依据，是捍卫南海权益的举措。

确立解决南海问题“搁置主权，共同开发”的原则主张。冷战结束之初，中国总理就表示，中国希望在适当的时候以友好的方式同有关国家就存在的分歧进行协商，在这之前先将南海问题搁置一下。1992年中国外交部长参加东盟外长会议，正式向东南亚有关国家阐述了中国关于解决争端的“搁置争议，共同开发”的主张。自此，“搁置争议，共同开发”成为中国处理南海问题的基本原则主张。

2005年，中菲越三家石油公司在菲律宾签署《在南中国海协议区三方联合海洋地震工作协议》，规定菲律宾国家石油公司、中国海洋石油总公司与越南石油和天然气公司联手合作，在三年协议期内，收集协议区内定量二维和三维地震数据，并对区内现有的二维地震线进行处理。该协议得到了有关各方的高度评价，既是《南海各方行为宣言》的后续动作，也是“搁置争议，共同开发”主张的初步体现。

近些年来，中国还加大了在南海的维权力度。派遣海上执法力量定期或者不定期巡航南海，维护海洋权益，保护渔业资源和在南海进行生产活动的渔民的生命财产安全，更重要的是宣示主权。

在南海问题的处理方式上，中国一贯主张有关各方在南海问题上保持克制、冷静，维护地区和平、稳定以及途经南海海域国际航道的安全、畅通，根据公认的国际法和现代海洋法通过双边和平谈判的方式解决南海问题。同时，中国也认为，南海问题是中国与东南亚有关国家之间的问题，外部势力的介入只能导致南海问题的复杂化。2011年11月18日，温家宝总理在第十四次中国一东盟（10＋1）领导人会议暨中国一东盟建立对话关系20周年纪念峰会上发表讲话时谈及南海问题，阐明中方立场。他强调，本地区有关国家在南海存在的争议，是多年积累下来的问题，应由直接有关的主权国家通过友好协商和谈判予以解决；中方将设立30亿元人民币的中国一东盟海上合作基金，从海洋科研与环保、互联互通、航行安全与搜救、打击跨国犯罪等领域做起，逐步将合作延伸扩大到其他领域，形成中国一东盟多层次、全方位的海上合作格局。11月19日，在第六届东亚峰会上，温家宝再次重申中国有关南海问题的立场。南海争议应由直接有关的主权国家通过友好协商和谈判、以和平方式解决，这是《南海各方行为宣言》的共识；希望各方都能从维护地区和平稳定的大局出发，多做增进互信、促进合作的事情。

南海问题牵涉到中国、中国台湾、越南、菲律宾、马来西亚、文莱五国六方，美、日、印等区域外大国基于自身利益考虑程度不同地介入其中，关系到中国领土主权、海洋权益、周边环境、大国外交，关系到地区和平、稳定。中国在南海问题上的立场和主张既要维护国家领土主权和海洋权益，又要营造一个和平稳定的周边环境，发展与周边国家的友好关系。一直以来，中国在南海问题上的立场与主张以及处理南海问题的方式都是围绕着这些目标在进行，也反映了这些目标，2010年中国外长在东盟地区论坛上有关南海问题的讲话也全面反映了这些内容。但东南亚有关国家和区域外大国为各自的利益考虑，相互配合，或觊觎南海岛礁主权和海洋权益，或着眼于全球领导地位与地区主导权的争夺，占据岛礁，分割海域，开采资源，宣示“主权”，推动南海问题国际化。对于东南亚有关国家以及区域外大国这些不利于南海问题和平解决的行径，中国要有清醒的认识，要从国家总体外交的角度来应对南海问题。

第四章
印巴争端与南亚地区形势

◎ 秦治来

南亚是亚洲和世界政治舞台上的一个重要地域单位。印度与巴基斯坦之间的争端引起数次严重冲突和较大规模战争，威胁到南亚乃至亚洲的安全与稳定。南亚的重要性不断凸显，国际社会的关注度明显上升。当前一段时间，南亚地区局势总体稳定，区域合作深入发展。同时，南亚仍存在不少影响地区稳定的现实问题和深层次矛盾。

一、印巴相煎何太急

印巴争端是包括领土、民族、宗教和军备之争的综合性、长期性矛盾与冲突。本是同根生，相煎何太急！引发印巴争端的原因是多方面的，既有领土、民族、宗教等历史根源，也有国际形势变迁的现实影响。其中，印巴分治对印巴两国的矛盾和冲突带来更加深远的影响。

（一）印巴争端的历史原因

印巴多次爆发宗教信仰、领土冲突，与英国的分化和挑拨密切相关。英国推行“分而治之”的政策，直接导致印巴陷入分裂。1947 年，最后一任英国驻印总督蒙巴顿公布了《印度独立方案》，即《蒙巴顿方案》。该方案的核心内容是：印度分为印度教徒的印度和穆斯林的巴基斯坦两个自治领，英国分别向两者移交政权。同年 8 月 14 日和 15 日，巴基斯坦、印度先后宣布独立，成为英联邦内两个自治领。至此，英国在印度长达190年的殖民统治宣告结束。令人遗憾的是，这个以宗教信仰（而不是语言、文化或民族）划线的“分治方案”，不仅进一步加剧了穆斯林与印度教徒的冲突，也给未来的印巴关系留下了隐患。由于宗教信仰不同，印度分成了国大党和穆斯林联盟，两大党派在印度建国问题上存在分歧。随着两国相继宣告独立，巴基斯坦与印度立即展开对王公土邦的争夺。

印巴分治给印巴关系带来一系列恶果，其中包括：割断原有的经济联系，造成两国经济的畸形发展；引发两国政治上的不睦，酿成多次冲突；造成宗教仇杀，大批难民相继逃到对方国家。尤其是，印巴分治给巴基斯坦带来的“人为隔离”，对印巴关系产生破坏性影响。巴基斯坦被印度一分为二，东、西两部分相距约2000公里。维系东巴、西巴合二为一的基础只有伊斯兰教，容易受到外部形势的干扰。两地居民的文化和民族不尽相同：东巴人绝大部分属孟加拉族，操孟加拉语；西巴人分属信德、旁遮普、俾路支等几个民族。这种地理上的相互隔绝，民族、文化和语言的巨大差异，为印巴之间此起彼伏的争端埋下伏笔。

(二) 印巴争端的边界因素

克什米尔归属问题是印巴对抗的主要症结。克什米尔问题即克什米尔的归属问题，是指印度和巴基斯坦对查谟和克什米尔地区主权纷争而引发的一系列问题。克什米尔是“查谟和克什米尔”地区的简称，位于印度、巴基斯坦、中国、阿富汗之间，面积约为22万平方公里。克什米尔成为印巴冲突的种子，起源于英国推行的“分而治之”政策。按照《蒙巴顿方案》的规定，印度教徒占据多数的地区划归印度斯坦，穆斯林占多数的地区归属巴基斯坦。克什米尔居民中近80%是穆斯林，该土邦应该加入巴基斯坦。但是按照土邦的王公决定原则，克什米尔（其王公是印度教徒）优先考虑加入印度。这两个相互矛盾的归属原则为克什米尔的分裂埋下了祸根，使查谟和克什米尔的归属问题成为悬案。印巴两国独立后，立即围绕克什米尔问题兵戎相见。

印巴围绕克什米尔归属问题的武装冲突几乎从未中断，让人不寒而栗。印巴分治时，土邦王公宣布加入印度并要求印方派军队进入，致使50万穆斯林越境逃入巴基斯坦。印度伞兵部队镇压“自由克什米尔”义军，引爆第一次印巴战争。克什米尔问题的背后折射出印巴均有浓厚的克什米尔情结：前者将克什米尔视为“皇冠”，后者将克什米尔视为“咽喉”。只要克什米尔争端这个“结”解不开，全面改善印巴关系就是“纸上谈兵”，印巴争端永远不会解除。

（三）印巴争端的民族宗教因素

印巴在宗教、跨界民族和移民等问题存在冲突。按照宗教因素实行的分治，既未实现建立单一宗教国家的目的，也未解决次大陆的宗教矛盾和冲突。印巴分治在改变南亚次大陆的政治版图的同时，引发印度教和伊斯兰教之间严重的宗教冲突和仇杀。1947年8月至1948年春，1000多万人从家乡分别逃往印巴，死亡60万人，造成次大陆空前惨案。印度著名的“非暴力不合作运动”领袖甘地于1948年1月30日遭到印度教极右分子刺杀。印巴分治后，在印度仍然有3800多万伊斯兰教徒，而在巴基斯坦留下的印度教徒也足有1000万人。不管巴基斯坦还是印度，一旦发生印度教与伊斯兰教徒之间的冲突，往往立即引起连锁反应，进而上升为两国关系问题。

印巴跨国民族问题也是两国争端的原因。跨界民族是指那些因传统聚居地被现代政治疆界分隔而居住于毗邻国家的民族。旁遮普（Punjab）是横跨印度和巴基斯坦的大片地区。巴基斯坦境内的旁遮普人多信伊斯兰教；印度境内多信印度教和锡克教，旁遮普邦的主要居民是“锡克人”。锡克教是一个十分独特的教派，试图把印度教和伊斯兰教教义融为一体。锡克教历史上与伊斯兰教和印度教都发生过冲突。1984年6月，印度女总理英迪拉·甘地下令政府军冲进锡克教圣地金庙，引发全国性局势紧张（其中有646人死亡，4712人被拘捕）。同年10月，英迪拉在总理府被两个她的锡克教警卫开枪刺杀身亡，掀起了反锡克教徒的全国性暴动。只要锡克教教徒一直争取更大的权益和认同，印度就会面临“锡克人”谋求独立的分离主义运动的考验。

(四) 印巴争端的国际因素

美苏介入南亚地区事务，是造成印巴长期对峙的外部原因。面临宗教矛盾和领土争端的压力，印巴双方积极寻求战略合作伙伴用以威慑对方。随着美苏冷战的全面展开，美巴结盟与印苏亲近几乎同时发生。二战后，美国的南亚政策受到英国政府的极大影响，最初采取“不干涉英联邦问题”的态度。例如，美国与英国一起在印巴纠纷中采取平衡政策，使印度对华盛顿的期望值大大减低。1947 到 1954 年间，美国曾经试图拆散印苏准同盟关系，但是由于尼赫鲁的不结盟政策未能如愿。万隆会议后，印度公开反对美国组织军事联盟和扩大在亚洲的势力范围。美国转而采取“重巴轻印”的南亚政策，密切同巴的关系以其作为南亚战略的平衡力量。1954 年 5 月美巴签署《相互防御条约》，同年 9 月巴基斯坦加入《东南亚集体防御条约组织》，次年 9 月加入《巴格达条约》。美国将巴基斯坦视为“亚洲最密切的盟国”。同样道理，南亚也是苏联向第三世界渗透与扩张战略中的重要组成部分。印度自独立后，苏联打着支持民族独立运动的旗号，加强与印度的良好关系。1953 年 12 年，印苏两国签署了五年贸易协定。苏联在印度第三个五年计划期间提供的贷款共计 7.86 亿美元，是第二个五年计划苏联所提供贷款的 4 倍。即使在印度同邻国的争端中，苏联也明显偏向于印度。1959 年 8 月在中印边境发生第一次武装冲突后，苏联发表塔斯社声明，对中印边境冲突表示“遗憾”，公然袒护印度。1970 年，英迪拉·甘地政府与苏联签署为期 20 年的带有军事同盟性质的双边条约。这样一来，美苏在南亚各自支持一家，为印巴矛盾的深化提供了源源不断的动力。

二、印巴争斗几时休

半个多世纪以来，印巴关系跌宕起伏，对抗格局未有根本转变。印巴仇怨根深蒂固，曾爆发三次较大规模战争。20 世纪 90 年代以来，印巴争端出现一些不同以往的变化，例如，印巴争端在某些时期存在升级的迹象。

(一) 印巴战争的历史回顾

印巴战争是二战后南亚地区发生的一场较大规模的局部战争。第一次和第二次印巴战争围绕克什米尔归属而发生，不仅并未能消除两国之间的争端，反而使矛盾趋于激化。第三次印巴战争导致孟加拉国的建立，印度最终确立在南亚的霸主地位。

第一次印巴战争也称第一次克什米尔战争。1947年10月，土邦查谟—克什米尔因归属问题爆发武装冲突，引发第一次印巴战争。战火延续15个月，几乎使用了当时世界上所有常规武器。印军在战争中逐渐掌握主动权，实现战场上的反败为胜。1948年8月和1949年1月，联合国印巴委员会先后通过关于克什米尔停火和公民投票的决议，印巴双方表示接受。1949年7月29日，印度与巴基斯坦签署协议，划定克什米尔地区的停火线。停火后，克什米尔划分为巴控区（2/5）和印控区（3/5）。但是，印度和巴基斯坦从各自利益出发都拒绝撤出军队，使协定几乎变为一纸空文。此后，印巴在克什米尔地区摩擦不断，其归属问题成为两国间的“死结”。

第二次印巴战争也称第二次克什米尔战争。1965年4月，印巴之间因库奇兰恩地区的边界纠纷发生冲突。库奇兰恩位于印度河入海口附近的盐碱沼泽地，面积约1.8万平方千米的。令人意想不到的是，这块不毛之地竟然是第二次印巴战争的首张“多米诺骨牌”。印巴于7月初签订《库奇兰恩停火协议》，但是这场有限冲突却大大加重了两国在领土问题上的矛盾。印度把边界冲突扩大到克什米尔，越过1949年7月划定的停火线，向巴占克什米尔地区挺进。巴基斯坦正规部队于8月中旬卷入克什米尔地区冲突。9月6日凌晨，印度不宣而战，向巴基斯坦发动大规模的武装进攻，第二次印巴战争达到高潮。随后，印巴战争一度陷入僵局。9月20日，在联合国的调停下，双方宣布停火。经过苏美两国施压，联合国秘书长吴丹从中斡旋，双方于1966年1月签订《塔什干协定》，各自退回1965年8月前的控制线，同意互不干涉内政和用和平手段解决争端。

1971年11月，因东巴基斯坦独立问题爆发第三次印巴战争。战争在东巴和西巴两个战场展开。12 月 16 日，巴基斯坦在东巴的守军向印军投降，东巴战场的作战结束。在西巴战场，双方以空战为主，均未取得决定性战果。12 月 17 日，印度宣布，在西巴地区实行“单方面停火”。巴基斯坦接受了印度的停火建议，西巴战场的作战行动也随即结束。这次战争使巴基斯坦遭到肢解，大大增强了印度在南亚次大陆的竞争力。1972 年 7 月，印巴签署《西姆拉协定》，同意尊重 1971 年双方停火后形成的实际控制线。在第三次印巴战争期间，美国担心苏联在南亚起到支配作用，因而在战争中采取了偏向巴基斯坦的政策。当然，美国在南亚地区的战略收缩在某种程度上刺激了苏联实施南下印度洋战略，为后来苏军进入阿富汗做了铺垫。

(二) 冷战结束以来的印巴争端

冷战结束后，印巴关系的改善呈现出不同以往的特点。印巴关系的改善效果越来越明显地受制于国内政局的变化。例如，印巴于 2004 年开始展开和平谈判，由于巴方政局持续动荡，谈判进展缓慢。另外，外部主要大国对南亚政策的调整，也会给印巴和平进程的推进带来新变化。

一是克什米尔仍是世界上最危险的热点地区之一。冷战结束后，印巴对抗一度升级，其中最突出的表现还是围绕克什米尔的争夺。克什米尔地区接连发生暴力冲突，并集结印巴百万重兵，令国际社会忧心忡忡。克什米尔的总体局势以和平为主，但冲突时有发生。例如，1999 年 5 月至 6 月，克什米尔爆发大规模冲突。巴基斯坦军队和克什米尔穆斯林游击队越过停火线，渗入印度一边的卡吉尔（Kargil）地区，印度军队随之进行反击。在历时两个月的武装冲突中，双方动用了军用飞机等重型武器，死伤人数近千人。这场军事冲突几乎酿成第四次大规模印巴战争。

除了归属以外，克什米尔问题也承载了其他内容。进入 20 世纪 90 年代，克什米尔的冲突日益恐怖主义化。“9·11 事件”后，印度不遗余力地用“跨界恐怖主义”问题来替代克什米尔问题，指责巴向印控区渗入和支持穆斯林极端组织，以争取国际社会增加对巴压力。2008 年 11 月，印度孟买发生恐怖袭击事件，再度成为印巴关系恶化的导火索。印度政府指责，袭击孟买的恐怖分子在巴控克什米尔地区受训，将国内各州以及边境的警戒提高到“战争水平”。巴基斯坦对印度的反恐企图心知肚明，坚决反对任何可能导致将克什米尔穆斯林武装纳入恐怖主义组织的提法。“越境恐怖主义”的泛滥，给克什米尔问题的解决造成新的障碍。

二是核试验加剧印巴关系的紧张。1998 年 5 月，印巴相继进行核试验。面对国际社会的压力，印度毅然做出拒签《全面禁止核试验条约》的决定。核试验以后，印度根据巴基斯坦的核能力及自身安全环境的变化，加速进行导弹试验和完善核威慑战略。1999 年 4 月，印度外长贾斯万特·辛格首次公开提出“最低限度可靠核威慑”的概念，以发展洲际弹道导弹和核动力潜艇作为提升核威慑的重点。印度发展核军备的战略考虑之一，是诱使巴基斯坦与印度进行核军备竞赛，最终从经济上拖垮对方。在印度军备计划的刺激下，即使巴基斯坦不愿盲目跟进，也会有选择地提升战略威慑水平，防止在核军备竞争中处于不利地位。如此一来，印巴核军备竞赛有可能长期陷入恶性循环之中。

三是印巴在反恐问题上争执不休。“9·11 事件”后，恐怖主义持续猖獗，成为国际社会的第一大公害。令人遗憾的是，少数西方国家绕开联合国，以反对恐怖主义为名推行霸权战略，使得恐怖主义滋生、发展与蔓延的土壤空前“肥沃”。在这种背景下，作为恐怖主义肆虐的重灾区，印巴时常为各种各样的安全难题所困扰。如何有效展开反恐合作，是新时期影响印巴关系波动的一个复杂因素。当今世界，印度可能是遭受恐怖袭击最多的国家之一。2007 年 9 月 1 日，印度外交部长慕克吉表示，恐怖主义是南亚地区发展道路上的“最大障碍”。2008 年 11 月 26 日至 29 日，孟买发生长达 59 个小时的恐怖袭击事件，导致 195 人死亡，近 300 人受伤。印度一直强调对恐怖分子进行“穷追不舍”，但是它不得不面临“不反不行，越反越恐”的尴尬局面，孟买恐怖袭击仅仅是印度当年的第十起恐怖袭击事件。尽管如此，印度还是希望能够与巴基斯坦共同寻求方案，以解决包括跨境犯罪、恐怖主义和毒品走私等地区安全问题。令人关注的是，此次孟买袭击为印度采取进一步行动提供了证据。印度指责巴基斯坦境内的恐怖组织“虔诚军”策划了这起血腥暴力袭击，要求巴基斯坦边境部队搜捕参与印度孟买袭击事件的恐怖分子。巴基斯坦反驳印度的相关指责是完全不负责任的，强调印度境内的恐怖暴力事件与巴政府无关。巴基斯坦表示对巴境内的恐怖分子实施“零容忍”政策，同时警告印度如果借反恐名义越境打击恐怖分子将遭到武力反击。除了“口水战”不断升级，印度针对巴基斯坦采取了一系列行动，例如，不断加强在克什米尔边境的军事设施。面对自身国家安全受到威胁，巴基斯坦也不甘落后做出相应的军事行动。可以预见，随着越境恐怖活动增多，印巴关系必将日趋紧张。有舆论认为，印巴在反恐问题上的争执有可能成为引发新一轮战争危机的导火索。

四是印巴对抗的外部环境有所缓和。冷战结束后，国际关系重新洗牌，大国关系发生重大调整。大国短期内发生直接对抗的可能性越来越小，理性合作成为大国关系发展的主要趋势。由“印苏——巴美”四国双双对抗的格局为新一轮的印巴单一对抗所代替，域外大国积极推动印巴关系不断改善。近年来，主要大国提高了对印度的重视程度。例如，美国的南亚政策从过去对印度和巴基斯坦相对平衡的政策，调整为“重印轻巴”的政策，将印度视为推行其亚洲战略的一个重要环节。主要大国重视印度的主要原因有二：一是经济利益的驱动，印度是西方看好的十大新兴市场之一。二是战略上的考虑，印度是西方看好的最大民主国家，西方可以利用印度来防范和遏制中国。当然，主要大国的“轻巴”趋势并不等于“弃巴”。随着美国发动的国际反恐战争不断深入，印巴竞相向美国示好，希望通过对美关系，借助美国来压制对方。

（三）印巴争端的发展前景

印巴关系不断呈现和解迹象，令人对南亚和平充满期待。现实地看，印巴双方已经达成和平解决争端的共识，并且为和谈解决分歧建立起了一系列对话机制。2003 年 11 月，两国在克什米尔“实际控制线”一带实现停火。双方同时表示，希望停火永久持续下去。2005 年 2 月 16 日，印巴一致对外宣布：两国同意在 4 月 7 日开放克什米尔控制线。两国决定开放克什米尔地区，可谓是印巴关系走向和解进程的重要标志。同年4月，巴基斯坦总统穆沙拉夫对印度进行为期两天的非正式访问。双方同意共建贸易协会促进经贸合作，克什米尔分离组织将纳入和谈进程。印巴两国发表联合声明，强调印巴和平进程“不可逆转”。2008年10月21日，印巴正式恢复两国在克什米尔实际控制线的双边贸易，结束了两国长达60年的边境不通商历史。进入2011年，印巴关系出现积极变化，例如，3月印邀巴领导人看板球，7月印巴和谈机制恢复，11月印巴两国总理在马尔代夫会晤，12月印巴举行两国军事的互信会谈。这些都是印巴局势进一步趋缓的具体体现，表明了印巴为增进相互了解、加快实现和解的愿望日趋强烈。

起伏跌宕的印巴关系走向缓和，是大势所趋。一方面，这是印巴两国人民总结历史经验的结果。三次印巴战争表明，使用武力不能解决争端，只能使两国间的积怨雪上加霜。历史的经验也表明，外部势力直接干预地区冲突，往往造成“剪不断、理还乱”的麻烦局面。这显然是印巴双方都不愿意接受的。在经历了太多的战火与动荡后，期盼和平成为印巴两国人民共同的心声。另一方面，这也是南亚诸国以及国际社会寄予厚望并积极斡旋的结果。从当今世界的发展潮流来看，和平、合作、发展乃时代主流。只有坚持和平对话，印巴和解道路才能充满希望。世界各大国一直呼吁和劝说印巴双方保持克制，通过和平手段化解危机。正是以上积极因素，使得印巴关系总体上斗而不破、收放有度，游走于战争边缘而保留回旋余地。推动和平进程不仅对印巴两国，而且对整个南亚地区都有重要意义。

然而，和平的希望与和平的实现并不是一回事。如同坚冰融化需要时间一样，印巴矛盾的化解将是一个漫长的过程。印巴解开长达五十余年的死结，显然不可能仅靠一些和平建议和积极态度就能冰释，也不可能寄希望于“毕其功于一役”。抛开历史恩怨不谈，困扰印巴关系发展的现实因素也是不胜枚举，例如，重大恐怖事件的“不期而遇”，克什米尔问题的“随时发作”，巴基斯坦局势的动荡不安。自2004年印巴启动和平对话以来，印巴关系的发展屡遭多事之秋，实现和平的道路举步维艰。甚至，有分析指出，与中东问题相比，印巴之间并未开启真正意义上的和平进程。种种迹象表明，印巴之间的“冷和平”将继续维持下去。

三、印巴争端对地区形势的影响

在南亚地区形势的发展过程中，印巴关系的影响最为关键。印巴围绕克什米尔问题爆发几次大规模战争，使南亚成为当今世界上最不稳定的地区之一。印巴处于敌对状态，严重威胁到南亚地区的安全与稳定。改善印巴关系不仅有利于南亚，而且有利于亚太地区的和平、稳定与发展。

（一）克什米尔问题对南亚地区冲突的影响

目前，克什米尔问题“坚冰”依然难以打破。经过长期的较量，印巴双方在克什米尔问题上已经陷入了多重困境。克什米尔问题的症结有四：一是印巴为争夺克什米尔，展开军备竞赛，形成南亚地区极其严重的“安全困境”。印巴制定安全战略和部署军事行动的基本判断，是彼此视对方为自身安全的主要威胁。克什米尔争端在增添核威慑因素之后，更具复杂多变性。二是克什米尔问题历来是印巴国内政治斗争的焦点之一。对于印度和巴基斯坦而言，执政党和反对党都要利用克什米尔问题捞取政治资本。印巴领导人绝不会轻易在克什米尔问题上向对方妥协，以避免遭到骂名并影响自身得来不易的政权。无论谁执政，如果在这一问题上表现软弱，或进行妥协让步，必将遭到在野党的猛烈攻击，甚至危及其统治地位。三是克什米尔争端与民族宗教矛盾交织在一起。三次印巴战争大大加深了克什米尔民族、宗教的隔阂与矛盾。在一定程度上，狭隘民族主义可以说是印巴解决克什米尔问题的最大障碍。克什米尔的民族宗教争端是当代历时最久、冲突最激烈的冲突之一，很容易为国际恐怖主义势力所利用。令人担忧的是，克什米尔的暴力恐怖和军事冲突互相刺激、互相助长，为暴力恐怖活动的泛滥提供了广阔平台。四是印度坚决反对第三方介入克什米尔争端，国际社会难以有更大作为。更何况，外部大国参与克什米尔问题的解决，既可能产生推动作用，也可能带来多种不确定的影响。例如，美国扮演调停者的角色，其作用明显具有双重性。

印巴在克什米尔问题上的立场根本对立。一方面，印巴对待克什米尔问题的性质存在差异。印度认为，克什米尔并不是一个唯一的、中心的问题，印巴可以先谈“跨边界恐怖主义”、贸易与核扩散等问题。解决克什米尔问题，必须以彻底解决“越界恐怖主义”问题作为前提条件。巴基斯坦认为，克什米尔是印巴分治后待解决的历史问题，是决定两国关系的“核心问题”。不解决克什米尔问题，其他问题无从解决。另一方面，印巴两国的谈判策略不同。作为一个正在“崛起”的国家，印度日渐拥有南亚格局的决定权，能够担得起“搁置”克什米尔问题的代价。相对而言，巴基斯坦难以承受在经济发展、国际地位上与印度越来越大的距离，希望尽早稳妥解决克什米尔问题，似乎有些“只争朝夕”的味道。

通向克什米尔的和平之路将是荆棘丛生。克什米尔争端是南亚地区的领土、民族、宗教等方面的矛盾与冲突的集中反映，顺利解决的难度确实很大。克什米尔在相当长的时期内仍将是南亚乃至亚太地区的一大热点。任何解决克什米尔问题的简单方案都是行不通的，有些方案甚至会适得其反。从实践的角度看，三次战争和多次武装冲突给双方造成了重大的损失，这表明非和平方式是不可取的。特别在印巴“拥核”的情况下，企图通过武力方法解决克什米尔问题只能是两败俱伤。《西姆拉协定》和《拉合尔宣言》都明确规定，双方应以和平方式解决分歧，但是缺乏现实基础。印巴双方在克什米尔地区部署了大量的军队，都十分看重该地区的地理位置具有的战略意义。通过国际调解和斡旋解决的可能性几乎也不存在。作为一个多部族、多宗教国家，印度担心国际社会介入克什米尔争端有可能导致印度的“巴尔干化”，因而始终反对巴基斯坦将克什米尔国际化的做法。有迹象表明，妥善处理“实控线边界化”，可能是一种现实选择，尽管存在不合理性。这就要求印巴双方本着友好合作的态度，以创造性思维探索兼顾历史和现实的解决途径。在具体步骤方面，印巴双方应遵循先易后难的原则，在恢复印控克什米尔地区的和平的基础上，适当给予克什米尔人民高度自治权，力图超越克什米尔问题改善双边关系。全面改善印巴关系，将有利于克什米尔问题的最终解决。

如同阿以冲突，印巴在克什米尔问题上的对抗也是一场跨世纪的地区冲突。在全球范围内许多地区热点已经降温的情况下，克什米尔仍然是一块名副其实的“危机区”或者“潜在事发地”。印巴两国于1999年在印控克什米尔的卡吉尔地区爆发的边境冲突格外引人注目，这不仅是因为其一次性渗透的人数之多前所未有，也是因为印巴两国都是拥有核武器的国家，双方兵戎相见已突破了以往次大陆武装对抗的模式，几乎使南亚地区爆发人类历史上的第一次核战争。克什米尔争端长期得不到解决，过去是，现在和将来仍然是印巴关系紧张和地区冲突的根源。长远的看，顺利解决克什米尔问题，与南亚地区形势缓和密切相关。

（二）印巴核扩散对南亚地区安全的影响

印巴核对峙使原本险象环生的南亚安全形势更具不稳定性。印巴双方的核武器如同一柄“达摩克利斯之剑”，对南亚地区的防扩散努力而言是一种致命打击。国际社会在防止南亚核扩散方面要想取得预期效果，关键是印巴两国的务实合作态度。印巴拥有核武器，在改变双方常规军事力量不平衡状态的同时，也造成了一种新的核恐怖平衡。一旦地理上毗邻相接的印巴突然面对危急时刻，其决策层可能根本无暇“三思而后行”，稍有不慎都将会演变成可怕的核灾难。克林顿曾警告说，南亚是“世界上最危险的地方”。迄今为止，印巴双方没有应对核危机的成功经验，也没有控制紧张局势升级的有效机制。在印巴缺乏足够战略互信的情况下，人们担忧印巴接近核灾难的边缘不无道理。

印度的核政策走向对地区安全的影响值得关注。尼赫鲁执政时期，印度奉行和平利用原子能的政策，反对发展核武器。20世纪70年代以来，印度改变核政策，开始谋求核武器，直至公开进行核试验。早在20世纪80年代，巴基斯坦开始呼吁印巴共同放弃发展核武器。巴基斯坦倡导建立无核区的呼吁依然如故，但是它也将“以核制核”作为确保国家安全的重要手段。穆沙拉夫先后于2000年9月、2002年1月发出“南亚无核区”倡议，却均被印度以“印度主张全球核裁军，印巴非核化无意义”为由公开拒绝。2003年5月，印度总理瓦杰帕伊再次拒绝巴基斯坦外交部发言人阿齐兹关于“南亚无核化”提议的重申，明确表示不接受巴方关于共同放弃核武器的主张。在印巴关系露出缓和曙光的微妙时刻，瓦杰帕伊的表态的确耐人寻味。印度连续拒绝巴基斯坦“南亚无核区”提议的背后，自有更深层次的战略考虑。在历届印度领导人心目中，通过发展核武器提高“国家威望”的信念根深蒂固，即核武器是国家实力的象征。核试以来，印度虽然受多方面原因的影响，但是其综合国力和国际地位未降反升，这无疑坚定了印度政府“核弹强国”的信心。只要印度积极追求成为世界重要一极，必然会善于打好“核牌”。面对印度发展核武器的强烈愿望，巴基斯坦自然不甘落后，也会尽全力做到“拥核自强”。在发展核武器的同时，印巴也在加紧研制各种类型的导弹。在印巴“联动效应”的推动下，一场水涨船高的核、导弹军备竞赛将会无休止持续下去。

（三）印巴争端对南亚经济合作的影响

南亚区域经济合作进展相对缓慢。与其他地区合作组织迅猛发展并带来巨大经济效益相比，成立于 1985 年 12 月的南亚区域合作联盟（南盟）成就甚微。南亚经贸合作存在无限潜力，如人口众多，市场广阔。然而，现实中的南盟经济合作与预期目标尚存差距，有时甚至处于半停顿状态。据统计，从 1991 年到 2005 年，南盟成员国之间的贸易量占南盟对外贸易总量的比重始终徘徊在 3％至 5％；2005 年，南盟成员国间的贸易额仅为 170 亿美元。即使与“邻居”东盟相比，南盟也是落后很大一段距离。

印巴关系时紧时松，是南盟发展“不顺畅”的重要原因。印度和巴基斯坦是南盟的两个主要角色，其双边关系状况直接影响南盟发展成果。印巴长期不和，致使本地区局势反复动荡，破坏了各自的投资环境。尤其是，印巴争端直接导致南亚区域经济合作进程缓慢。例如，南盟取得的最大合作成果是“南亚特惠贸易安排（SAPTA）协定”的签署和实施（该协定于 1995 年 12 月 8 日起正式实施）。而推动 SAPTA 进程面临的最大挑战，是印巴在关税减让方面的冲突。印方指责巴方未按 SAPTA 要求对除消极清单以外的所有商品实施关税减让，双方争执不下。再如，南盟首脑会议常常因印巴矛盾而推迟，这显然不利于推进南亚区域经济合作的深入发展。维护地区稳定与和平是保障南盟合作与发展的关键。一个稳定成熟的印巴关系，无疑将大大促进南亚地区的和平与稳定，也将对南亚区域合作联盟的团结合作产生巨大的推动作用。

（四）印巴争端对亚太地区安全的影响

从地缘政治的角度看，印巴对抗是亚太安全中的突出问题。南亚属于广义上的亚太地区，印巴对抗的发展方向和最终结果对整个亚太安全产生重要影响。作为两个拥有核武器的国家，印巴一再濒临战争的边缘，使亚洲和世界和平受到严重的威胁。随着自身力量的迅速发展，印度奉行“东向”战略，不断密切印度与亚太地区的联系。为了改善外部安全环境，印度争取全力融入亚太地区事务，力争与美日等亚太国家修好。同时，为了加大对巴基斯坦的战略挤压，印度努力将传统的南亚安全范围向东南亚、东亚以及印度洋方向扩展。在亚太地区保持总体稳定的情况下，与朝核问题相比，由来已久的印巴对抗对亚太地区安全的影响更为深远。

从亚太大国关系的角度看，美日中等大国都重视与印巴发展关系。大国对印巴关系的重视，反映了印巴对抗在亚太安全中的重要地位。冷战结束以来，美国等大国通过诸多国际场合推动印巴和平解决克什米尔问题。印巴核试后，大国共同努力防止印巴爆发核冲突。“9·11事件”后，印巴对抗在美国亚太安全战略中的地位更加显著。美国虽然未直接介入印巴争端，但美国的反恐布局和对印巴政策的调整将对印巴对抗产生间接影响。为防止印巴对抗打乱其反恐战略部署，美国一方面敦促巴基斯坦打击恐怖主义活动，另一方面劝说印度与巴基斯坦开启和平对话。随着印度与亚太大国关系的密切，印巴对抗的地区色彩逐渐变浓，印巴对抗逐渐从南亚安全变成亚太安全的一个热点问题。

（五）关于印巴核战争对地区形势影响的再认识

印巴争端对南亚地区安全的消极影响不应估计过头。客观地说，印巴对抗爆发全面战争的可能性很小。不少分析专家认为，核武器的出现，能迫使印巴任何一方都不敢轻言战事，如同冷战时期美苏的核均势遏制世界大战爆发一样。从理性分析的角度看，印巴核战争得以避免的理由有二：

一是印巴双方“不真想”发动核战争。不管是核大战还是有限核战争，其破坏性都会造成超过常规战争数倍，这决定了使用核武器需要慎之又慎。在核武器发展历史上，只有美国对日本的广岛、长崎使用过原子弹。核武器对那些没有能力进行核战争的国家来说，确实是一种可用的政治权力。但是，对于那些有能力进行核战争的国家而言，核武器不再是一种可用的政治权力，因为它会被同样的威胁抵消。与常规武器不同，核武器主要被视为一种威慑对方的“武器”。美苏核竞赛的一个重要结果，是造成“恐怖平衡”，反而使得新的世界大战难以发生，其关键理念就是“相互确保摧毁”。“核冬天”理论的提出，产生了极大的社会效应，把核战争的严重后果更加鲜明地摆在了人们面前，有助于印巴双方认识核战的毁灭效应。如果发生核战争，印巴几十年间的建设成就将毁于一旦，甚至将可能导致整个地区走向灭亡。此外，印巴不想迷恋核战争的深层次原因也有民族宗教方面的考虑。印巴在民族和宗教方面具有难以割舍的亲缘关系。核战争的沉重代价，远远超出了印巴双方的承受范围。目前，印巴均将国内经济建设和恢复放在首位，“无暇”可能也“无心”忙于核战争准备。

二是国际社会“不允许”印巴进行核战争。任何一场战争都必须考虑到国际因素，印度和巴基斯坦也不例外。更何况印巴要发动一场影响甚广的核战争！首先，周边国家极力反对。鉴于距离太近，印巴使用核弹势必殃及周边国家。其次，西方大国不希望。印巴与阿富汗战场相隔咫尺，是美国、北约企图控制从南亚经中亚到巴尔干走廊的战略要地。虽然西方大国不能彻底消除印巴对抗，但可以缓和双边关系和南亚紧张局势，使得印巴在核竞赛问题上的敏感神经松弛下来。最后，联合国决不会容忍印巴进行核战争。在现代文明社会，没有联合国授权的战争通常是非法的战争。如果印巴贸然挑战联合国权威，将会自食其果，遭受国际社会的严厉制裁和打击。例如，2002 年 11 月 8 日，安理会经过将近两个月的辩论通过 1441 号决议，警告伊拉克如再不履行决议或不与联合国充分合作，将面临

“严重后果”。作为享有一定声誉的政治家，印巴领导人不太可能冒天下之大不韪，公然挑战国际法的权威。

四、南亚地区形势的多重透视

南亚是国际社会关注的热点地区之一。冷战结束以来，南亚地区形势总体稳定，地区热点和争端有所降温。同时，南亚局部持续动荡，主要体现为国家内部政局更迭，国际恐怖势力活动猖獗，大国介入引发新问题。维护和平，促进合作，是未来南亚地区形势发展的基本趋势。

（一）理解南亚地区形势的几个因素

一是地缘政治的深刻影响。南亚地区形势的发展受制于两个重要的地缘因素，一是喜马拉雅山脉使南亚与亚洲本土在地理上隔绝起来，二是印度洋给南亚主要大国提供天然通道，进可以走向广阔的海洋，退可以据守次大陆和印度洋的运输通道。南亚七国在地理上呈现以印度为中心的放射性分布，其他六国没有共同边界。由于印度在次大陆的独特地位，使其他南亚国家在考虑地区形势的时候都不免要将印度的地位作为重要参照系。例如，近代以来，印度国家安全战略一直在以北方陆地还是以南方海洋为国防重点的两难中选择。印度前外长贾斯万特·辛格在《印度的防务》一书中认为：失去对印度洋的控制是印度近代亡国的重要“分水岭”。在英国统治时期，锡金、不丹、尼泊尔等小国基本上沦为英属印度的被保护国，这直接影响到这些国家独立后与印度的关系。从取得独立起，南亚国家之间就存有许多错综复杂的地缘政治问题，如克什米尔问题、俾路支斯坦问题等。

二是印度与周边国家的关系。作为南亚地区力量最强的国家，印度对周边国家奉行怎样的外交政策，是影响南亚地区形势的根本因素。印度在南亚次大陆具有威慑所有其他南亚国家的地位和力量，这必然对其他南亚国家产生巨大的压力。有分析认为，印度“中心主义”在南亚的被容忍和接受程度与南亚国际体系的形成是一种正比关系。印度独立之初，认为英国殖民统治时的地区安全战略构想并未过时，于1948年、1949年强迫南亚小国续签和平条约，甚至后来直接军事占领锡金。1991 年 5 月，印度爆发严重的国际收支危机，迫使印度政府从大国梦中惊醒。为修复在周边邻国咄咄逼人的形象，印度提出被称为“古杰拉尔主义”的睦邻政策。“古杰拉尔主义”包含五项原则，其核心内容是向邻国提供真诚帮助而不要求相应回报，将与邻国关系的重点更多地放在了合作上，力求创造一个友善的周边环境。在印度与南亚小邻国实力悬殊的背景下，印度的单方面让步或许更容易博取南亚邻国的信任，使印度与南亚邻国的关系有了相当大的改善。尤其是，影响南亚地区安全的最大因素是印巴关系。印巴关系牵动南亚战略格局的演变，向来是南亚地区和平稳定的关键。半个多世纪以来，印巴关系时紧时缓，直接反映了南亚地区形势的实际状况。印度和巴基斯坦的关系能否真正改善，攸关南亚地区形势的发展走向。

三是外部势力的作用。大国势力是否逐步退出南亚地区或降低对南亚地区主要国家的影响，是考察南亚地区形势的重要因素。南亚是深受冷战政治影响的地区之一。在很多重要的时刻，域外大国是决定南亚局势发展的关键。例如，20 世纪 50 年代，美国希望联合印度来遏制共产主义的扩张，但是这不符合印度坚持的不结盟政策，遭到尼赫鲁的拒绝。相反，巴基斯坦主动加入《东南亚条约组织》、《中央条约组织》，借助美国力量与印度抗衡。再如，1947—1972 年，巴基斯坦的外交政策经历了从不结盟政策到结盟政策，再从结盟政策向不结盟政策的调整，这种调整明显带有冷战对抗的时代背景。冷战结束后，美苏两个超级大国争夺南亚地区主导权的直接对抗不复存在。随着外部主要大国不断调整其南亚政策，再加上各大国对印巴政策有所区别，南亚地区形势发展越来越复杂多变。

四是南亚国家的内部局势。南亚各国的经济社会改革往往被民族、教派冲突所困扰。保持政治稳定，是南亚各国实现国家发展战略的基本前提。一些国家政局动荡使南亚形势更为堪忧。例如，1978 年“泰米尔伊拉姆猛虎解放组织”成立以来，30 年多间与政府军不断作战，造成 6 万多人丧生。再如，2007 年穆沙拉夫宣布中止宪法，全国进入紧急状态以来，巴基斯坦国内政局跌宕起伏，社会矛盾激化，恐怖袭击活动不断升级，尤其是西北边境省及部落地区的安全局势几近失控。

（二）当前南亚地区形势发展的主要特点

近些年来，受全球化和国际反恐形势等因素的影响，南亚在政治、经济、安全和外交诸多领域经历广泛而深刻的变革。求和平，促发展，已成南亚各国的共同愿望，同时地区安全环境的不确定性以及政治形势的脆弱性仍然十分突出。具体来说，当前南亚地区形势呈现如下主要特点：

第一，“政治民主化”进程喜忧参半。南亚国家大多实行议会民主制度，政党数目繁多。进入 20 世纪 90 年代，南亚政治民主化进一步发展，但是政局蕴含新的动荡，党派斗争屡见不鲜。印度政坛在结束国大党“一党执政”的同时，却迎来了令人纠结的“战国”时代——议会选举的政治诉求多元化，任何政党难以获得单独组阁所需议席数。孟加拉国自 1991 年实施多党民主政治以来，政府由民族主义党和人盟轮流坐庄，各党在议会选举问题上对抗激烈。

第二，对话与合作成为南亚地区形势发展的基本潮流。虽然印巴争端还有深刻的民族、宗教、历史、心理上的背景，但是“9·11”以后，印巴关系从紧张走向对话。即使面临 2008 年爆炸袭击的威胁，印巴修复双边关系的努力也没有停止下来。2010 年 4 月，南盟峰会期间，印巴总理举行会晤，就重启对话达成一致。同时，在强烈的发展愿望推动下，南亚国家普遍重视加快经济改革，致力于经济发展。印度已跻身新兴大国之列，成为世界上发展最快的国家之一。根据“十一五”计划（2007 年至 2012 年），印度力争保持国民经济 10％的高速增长，创造 7000 万个就业机会，将贫困人口减少 10％。斯里兰卡、孟加拉国经济发展也成为不小的“亮点”，2010 年的增长率分别达到 8％和 6.4％。南亚国家已经逐渐认识到，要实现和平与发展，必须加强各国间的合作，走团结自强之路。南亚国家除了加强双边经贸合作以外，还积极以南盟为平台推动南亚区域内合作。2004 年第 12 届南盟峰会通过《南亚自由贸易区框架协定》，各国从 2006 年 1 月 1 日起开始逐步降低关税，7 年至 10 年内从当前的 30％左右降至 0％—5％。南盟区域合作和对外开放步伐加快的同时，也不断扩大合作的范围以及领域。2010年第16届南盟首脑会议在不丹首都廷布举行，与会领导人强调环境保护与可持续发展的重要性，同意为“建立一个绿色和幸福的南亚”加强合作。

第三，南亚国家之间发展不平衡。从经济发展水平的角度看，南亚地区两极分化的现象十分严重，既有世界最贫穷的国家，也有发展迅速的新兴发展中国家。其中，印度的崛起与其他南亚国家在发展道路上步履维艰形成了鲜明的对比。从力量对比的角度看，南亚地区逐渐形成了印巴“一大一强”的地区格局，其他南亚国家日趋边缘化。从地区结构的走向看，核试不仅加快了印度追求军事大国地位的步伐，也巩固了印度作为地区主导国家的地位。美印签署民用核能协议，迅速提升了印度的国际地位，使本来脆弱的南亚地区战略平衡格局彻底被打破。需要指出的是，南亚经济抵抗金融风暴的能力较弱，例如，印度经济受2008年国际金融危机的影响导致增长速度从9%到6%的严重下滑。由于南亚各国均面临程度不同的经济困难，甚至有时自顾不暇，自然会削弱它们对推动南盟一体化进程的兴趣。

南亚七国国家实力对比表（以2008至2011年的数据为主）

国家	面积（万 km^2）	人口（亿）	国内生产总值（亿美元）	进出口贸易（亿美元）	外汇储备（亿美元）	国防预算（亿美元）
印度	298	12.1 (2011)	10070.1 (2010/2011)	4552.55 (2009/2010)	2973 (2011年3月)	360 (2011/2012)
巴基斯坦	79.6	1.7	1685 (2009/2010)	525 (2008/2009)	183.1 (2011年7月)	52 (2009/2010)
孟加拉国	14.7	1.6	993.6 (2010)	377 (2010)	107.5 (2010)	12.14 (2009)
尼泊尔	14.7	0.27	162 (2009/2010)	40.29 (2009/2010前8个月)	36 (2009年7月)	20.7 (2010)

续表

国家	面积（万 km²）	人口（亿）	国内生产总值（亿美元）	进出口贸易（亿美元）	外汇储备（亿美元）	国防预算（亿美元）
不丹	3.8	0.0069	12.65 (2009)	10.24 (2009)	8.2 (2009)	由印度提供
斯里兰卡	6.5	0.2	419.8 (2009)	172 (2009)	51 (2009)	15.4 (2009)
马尔代夫	9（陆地 0.03）	0.003	8.83 (2009)	10.2 (2009)	2.61 (2009)	0.45 (2005)

根据外交部网站国家（地区）栏目及其他网站提供的数据绘制，资料来源

http：//www.fmprc.gov.cn/chn/pds/gjhdq/gj/

http：//intl.ce.cn/gjzx/yz/nbr/jjsj/200807/08/t20080708_16089531.shtml

http：//mil.news.sohu.com/20110728/n315471505.shtml

http：//news.10181.com/xiaoxi/201104/25819.shtml

http：//zh.wikipedia.org/wiki/

第四，南亚地区安全形势不容乐观。南亚地区不乏历史和现实问题的考验，如克什米尔争端。这些问题不仅与种族、民族、教派等矛盾纠缠不清，也与外部势力的渗透和争夺遥相呼应，使得不同层次和领域的地区热点问题层出不穷。特别是，非传统安全问题已经成为影响南亚社会稳定和经济发展的主要威胁。其中，恐怖主义势力有蔓延趋势，给南亚地区的和平稳定带来严峻挑战。仅以印度为例，1995 至 2005 年已有 5 万多人在恐怖事件中丧生（包括 2.4 万名恐怖分子，近 2 万名平民，7300 多名军警），这一数字居全球之首。即使拉登在巴基斯坦北部城市阿伯塔巴德被美军特种部队击毙，也没有使得当前南亚安全局势明显降温。巴基斯坦随后连续发生的多起恐怖袭击事件充分表明，南亚在“后拉登时代”的反恐斗争形势仍然相当敏感。南亚也是全球地震、洪水、台风等自然灾害多发地区。例如，2010 年 7、8 月份，巴基斯坦发生特大洪灾。洪水淹没了巴基斯坦近 1/5 的土地，波及约 2000 万居民，近 200 万人无家可归。此外，非法移

民、跨国犯罪、经济安全等诸多非传统安全问题，将继续对南亚地区形势带来冲击。鉴于传统安全威胁和非传统安全威胁相互交织，南亚地区的安全形势仍将错综复杂。

第五，大国外交格外活跃。进入21世纪，印度在实现“有声有色的大国”的战略目标方面取得重要进展，先后与主要大国建立了各种类型的伙伴关系。同时，外部大国仍然在南亚地区事务上具有形式多样的影响，例如，中俄印“战略三角”、美日印“新三角”、中印日“稳定三角”等多种大国关系相互博弈。“9·11事件”及其后续发展促使美国明显加大对南亚地区的关注，将印度与巴基斯坦的关系视为自己实施反恐军事行动必须考虑的重要因素。为此，美国既巩固了与巴基斯坦的传统关系，又提升了与印度合作的战略层次。巴基斯坦在西北侧与阿富汗有长达2640公里的边境线，处在打击恐怖主义和宗教极端势力前沿，在美国的国际反恐布局中具有重要战略地位。同时，美国积极拉拢印度，将之打造成美国亚洲战略的“支轴”和“桥头堡”。2006年小布什实现美国总统首次访印后，奥巴马总统于2010年对印度展开对单一国家出访时间最长的国事访问，与印度领导人就深化“美印全球战略伙伴关系”达成多项共识。此外，如果美国从阿富汗完成撤军计划，那么南亚形势是否会留下权力真空，引发国际社会的广泛关注。

第五章 中东问题与中东大变局

5

◎ 高祖贵

中东自第二次世界大战以来一直是国际政治的重要“热点”。中国学术界所使用的“中东”概念，一般指西亚、北非地区，即欧、亚、非三大洲的结合部，包括土耳其、塞浦路斯、伊朗、阿富汗、叙利亚、黎巴嫩、以色列、巴勒斯坦、约旦、伊拉克、科威特、沙特阿拉伯、巴林、卡塔尔、阿联酋、阿曼、也门、埃及、苏丹、南苏丹（于 2011 年 7 月 19 日独立）、利比亚、突尼斯、阿尔及利亚、摩洛哥、毛里塔尼亚等 25 个国家或地区。下面所使用的正是上述广义的“中东”概念。

中东问题极其复杂，既发生过战争和武装冲突，如四次中东战争、黎巴嫩战争、海湾战争和伊拉克战争；又长期存在民族宗教矛盾和领土争端，如库尔德人问题、什叶派与逊尼派的矛盾、塞浦路斯问题；并涉及到伊斯兰极端主义、恐怖主义和大规模杀伤性武器的扩散，如中东建立无核区的问题；还有世界主要力量对该地区的政策和实践，如美英法卷入利比亚战乱等。

一、中东问题的特点

中东问题具有国际战略地位重要、多种矛盾错综复杂、大国争夺激烈三个重要特点，这些特点决定了中东问题对世界局势发展和国际安全变化具有重要影响。

（一）国际战略地位重要

中东问题在国际战略格局中的重要地位，主要由地缘战略位置和战略资源两个因素所决定。从地缘战略位置看，中东位于欧、亚、非三大洲交接处，地处黑海、地中海、红海、阿拉伯海、里海之间，因此被称为“五海三洲之地”；它控制着博斯普鲁斯海峡、达达尼尔海峡、曼德海峡、霍尔木兹海峡、苏伊士运河等重要海运通道，是沟通大西洋、印度洋、太平洋的国际交通枢纽要地。从西欧经苏伊士运河进入印度洋和太平洋的航线比绕道好望角缩短5000－8000公里；世界60％以上的石油和1/4左右的贸易从黑海－地中海－红海－波斯湾－印度洋－马六甲这条海上黄金通道经过。从战略资源看，中东蕴藏着极为丰富的石油资源，素有“世界石油金库”之称。仅波斯湾沿岸的沙特、伊拉克、阿联酋、科威特、伊朗五国，就集中了全球近25％的石油产量，以及近65％的世界探明石油储量。国际石油价格越是在高位波动，中东问题对世界经济政治和国际局势的影响就越突出。

（二）矛盾错综复杂

中东问题的高度复杂性是多种矛盾盘根错节交互作用的结果。这些矛盾大致分为三类：一是民族矛盾，即阿拉伯人、波斯人、土耳其人、库尔德人、犹太人等主要民族之间在历史和现实斗争中产生和积淀的深刻矛盾。例如，阿拉伯人与波斯人的历史恩怨曾经是引发伊拉克与伊朗之间战争（1980－1988年）的原因之一；库尔德人问题则是影响土耳其、伊拉克、伊朗、叙利亚等国边界安全及其相互关系的重要因素。二是宗教纠纷，即犹太教、基督教和伊斯兰教这三大世界主要宗教之间及其内部各种教派之间的思想和利益纠纷。例如，基督教徒与穆斯林之间的矛盾曾导致黎巴嫩陷入多年内战；希腊人与土耳其人的冲突致使塞浦路斯长期陷入南北分裂状态；以伊朗为核心的什叶派国家和以沙特为核心的逊尼派国家之间的矛盾。三是国家之间在领土、资源等方面的现实利益争端。例如，埃及与苏丹之间有关尼罗河水的争端；伊拉克与科威特在边界地区石油资源的争端；沙特阿拉伯与也门在阿西尔、纳季兰、吉赞等地区的争端。这些矛盾具有很高的普遍性，都不同程度地存在于大多数国家之间。其中，阿以冲突作为民族、宗教、领土、水资源等多种矛盾复杂交织的结果，就是典型例证。

（三）大国竞相角逐

中东历来是大国争夺之地。这块土地上产生的波斯帝国（公元前558年—公元前330年）、阿拉伯帝国（公元8世纪—公元1055年）、奥斯曼帝国（公元1290—1922年）曾经盛极一时；区域外的古希腊和罗马帝国曾把中东部分地区纳入其疆域，并留下不少宗教争端故事和文明遗迹。近代以后，欧洲殖民主义和帝国主义为了战略资源、贸易市场瓜分中东。第一次世界大战后，中东成为英国、法国、意大利、西班牙、俄罗斯等国的势力范围。第二次世界大战后，美国在中东的势力逐步扩大，并与苏联进行了近半个世纪的争夺。冷战后，虽然美国经过1991年海湾战争取得了独霸中东的地位，欧盟、俄罗斯、日本等国与中东国家的关系仍继续发展。这种大国争夺增添了中东问题演变的复杂性。

二、阿以冲突与和平进程的发展

阿以冲突是第二次世界大战后中东社会最基本的矛盾之一，也是20世纪持续时间最长、矛盾最为复杂的国际问题。它的产生既有深刻的历史、宗教、民族根源，也是地区外大国介入的结果。犹太复国主义和以色列在巴勒斯坦地区建国是导致阿以冲突的历史原因；宗教分歧是引发犹太教徒和穆斯林一系列冲突的深层原因；以色列国与阿拉伯世界争夺生存空间以及英、法、美、俄（苏）等争夺势力范围是造成阿以矛盾的直接原因。

阿以冲突的核心是巴勒斯坦与以色列的冲突，同时涉及以色列与埃及、叙利亚、黎巴嫩等国分别在西奈半岛、戈兰高地、黎巴嫩南部的领土和安全争端。巴以冲突与和谈的焦点集中于巴勒斯坦建国及其相关的巴以领土划分、耶路撒冷的主权归属、犹太人定居点的拆除与兴建、巴勒斯坦难民的回归、水资源分配等问题。阿以冲突的演变围绕巴以、埃以、叙以、黎以冲突展开，推动阿以和平进程需要逐步解决这些冲突。阿以冲突与和平进程的演变经历了四个阶段：

（一）全面对抗（20世纪40年代末至70年代末）

1947年11月联合国通过“分治决议”，1948年5月以色列国建立以及随之爆发的巴勒斯坦战争，揭开阿以全面对抗的序幕。阿以双方先后进行过四次中东战争，即“巴勒斯坦战争”，1948年5月14日爆发；“苏伊士战争”，1956年10月29日爆发，英、法联合以色列向埃及发动进攻；“六·五战争”，1965年6月5日爆发，以色列在美国支持下进攻埃及、叙利亚和约旦；“斋月战争”、“十月战争”或“赎罪日战争”，1973年10月6日爆发。经过四次大规模战争，以色列国不仅存在下来，而且实际控制的土地面积由建国时联合国分治决议规定的14000多平方公里，扩大为27800平方公里（包括巴勒斯坦全境和叙利亚戈兰高地），几乎增加了一倍。

（二）阿以冲突部分解决（20世纪70年代末至90年代初）

1978年和1979年埃及和以色列先后签订《戴维营协议》和《埃以和平条约》，打破阿拉伯国家和以色列长期对抗、拒绝谈判的局面。阿以冲突由此进入冲突与谈判交织的曲折发展阶段。其间以色列于1982年入侵黎巴嫩，再度引发大规模武装冲突，又称第五次中东战争。阿拉伯国家采取了比较现实灵活的态度，愿意在联合国第242号和第338号决议基础上和平解决冲突；以色列自恃拥有强大的军事力量和美国的袒护，继续坚持强硬立场，不仅不愿放弃占领阿拉伯领土，而且对阿拉伯国家进行武力威胁，并侵占了黎巴嫩南部地区。在这一阶段，除埃及和以色列单独和谈外，其他各方仅限于提出各种和平解决方案，并未进行全面的直接谈判。

（三）阿以冲突曲折走向和解（20世纪90年代初至90年代末）

1991年10月，中东马德里和会召开标志着阿以冲突进入全面和解阶段。1993年9月，巴勒斯坦和以色列本着“以土地换和平”的基本原则，签订《奥斯陆协议》（即《临时自治安排原则宣言》），中东和平进程取得历史性突破。1994 年 5 月 4 日巴以签署《开罗宣言》，双方朝着和平共处与互相合作的方向再迈进一步。1994 年 7 月 25 日，约旦和以色列签署《华盛顿宣言》，结束两国长期冲突和交战状态。1994 年 10 月，约以签署《和平条约》并建立正式外交关系。1995 年 9 月 28 日，巴以签订《以色列—巴勒斯坦西岸和加沙地带过渡协议》，和平进程再进一步。1997 年 1 月 15 日巴以签署《希伯伦协议》，但随后和平进程就多次陷入严重危机。1998 年 10 月 15—23 日，以色列总理内塔尼亚胡和巴解民族权力机构主席阿拉法特在美国马里兰州怀伊种植园达成“临时和平协议”（也称《怀伊种植园备忘录》），双方表示将履行已经达成的协议。由于以方拒绝执行协议和沙龙闯入清真寺，1999 年和平进程再次陷入僵局。

（四）阿以和平进程在“9·11”事件后出现新变化（2001 年 9 月 11 日至今）

“9·11”事件促使美国积极推动阿以和平进程发展。2002 年 6 月 24 日，布什政府提出第一个最为详细具体的巴以和平方案。这个方案除继续坚持对以色列的偏袒政策之外，主张巴以实现共同繁荣与和睦相处，把巴勒斯坦民族权力机构实现民主政治改革（即建立由选举产生的新总理而非阿拉法特所领导，以实现权力制衡的宪法为依据，以宽容和自由精神为基础的务实、廉洁、负责的民主政府）并打击恐怖主义，作为美国支持和平进程的重要前提。其实质就是以“民主改造”来促进和平事业。2002 年 9 月，美国、欧盟、俄罗斯和联合国组成的中东问题“四方”举行会谈并发表联合公报，明确提出在 3 年内分三个阶段解决巴以冲突问题的设想。2003 年 4 月 29 日，巴勒斯坦民族权力机构组建以阿巴斯为总理的新政府，基本满足了布什政府推动巴以和平进程的条件。4 月 30 日，美国驻以色列大使和中东问题“四方”特使，分别向以色列和巴勒斯坦递交中东和平“路线图”。巴方随即表示无条件接受，以方在提出 15 条修改意见并经内阁激烈辩论之后也予以接受。6 月 3 日，美国总统布什、以色列总理沙龙、巴勒斯坦总理阿巴斯在红海沿岸的埃及城市亚喀巴举行首脑会晤，宣布正式启动中东和平“路线图”。该“路线图”“以行动为基础，以目标作驱动”，规定了明确的阶段和时间安排，以及双方在政治、安全、经济、人道主义和机制建设等方面所应该采取的措施。

然而，“路线图”一开始实施就不断面临挫折和考验。其中最主要的原因是以色列沙龙政府2003年11月提出并执意推行的“单边行动计划”。根据该计划，以色列将单方面撤离加沙地带17个定居点和约旦河西岸北部4个定居点；并在约旦河西岸巴勒斯坦控制区与以色列控制区之间，沿1967年确定的停火线修建一条长达360公里左右的“隔离墙”，与巴勒斯坦实现分离。2004年11月11日，巴勒斯坦民族权力机构主席阿拉法特在法国巴黎去世，巴勒斯坦民族解放事业进入后阿拉法特时期，内部权力斗争加剧。2005年9月，以色列正式实施“单边行动计划”，结束了对加沙地带长达37年的占领统治。2006年1月，为推动巴以和平而退出利库德集团另组前进党的以色列总理沙龙因中风而提前结束政治生命；巴勒斯坦方面反以立场强硬的激进派“哈马斯”赢得立法委选举并上台组阁，美欧以等不予以承认并对“哈马斯”政府实施经济制裁。巴以重起冲突，和平进程再度受阻。2007年6月，巴方内斗加剧，形成“哈马斯”和法塔赫分别占据加沙、约旦河西岸的分治局面。11月，美国布什政府加大介入力度，在美国马里兰州安纳波利斯召集了中东和平国际会议，邀请50多个国家和国际组织代表出席，力求借助各方力量在2008年底之前促使巴以达成一揽子和平协议，但未有进展。

奥巴马政府上台后，明确表示美国将“比以往任何时候都更加努力确保以巴冲突的持久解决，让两个国家共同生活在和平和安全之中”；他要为美国在争取中东和平和安全方面的“持久领导地位”“付出耐心努力和做出个人承诺”。2009年6月，他在开罗发表的有关改善美国与伊斯兰世界关系的讲话再次强调了推动巴以和平进程意愿。随后，美国中东问题特使米歇尔多次穿梭于有关各方之间，力图推动和平进程前行。

但由于以色列新上台的内塔尼亚胡政府对巴方采取强硬政策，与美国的分歧扩大，以及巴方内部“哈马斯”与法塔赫两派迟迟未能达成和解协议，从2010年9月巴以进行短暂的直接和谈后，中东和平进程一直处于停滞状态。

进入2011年，从突尼斯和埃及开始的动荡给巴以和谈带来新变数。不同寻常的乱象背后，是中东新旧力量交替和地区霸权争夺的暗流涌动。面对阿拉伯国家反以情绪日益高涨，置身于地区乱局的以色列如履薄冰，担心丧失谈判主动权。巴勒斯坦为争取谈判主动，试图跳出和平进程的老框架。9月，巴勒斯坦申请加入联合国和加入联合国教科文组织，引起以色列采取了严厉的反制行动，例如，加快在东耶路撒冷和约旦河西岸地区的定居点建设。以色列的反制，使得巴以关系进一步恶化。2012年1月25日，巴以在约旦首都安曼举行一月之内的第六轮直接对话还是无果而终，双方立场仍然大相径庭。种种迹象表明，巴以关系在短期内实现突破的可能都微乎其微。

三、伊拉克战争与战后重建

伊拉克1930年从英国的委任统治下独立建国。它凸显成为对中东乃至国际局势具有重要影响的焦点问题始于海湾战争。伊拉克问题的核心是伊拉克萨达姆政权与美国的矛盾，其部分根源是全球霸权与地区霸权的冲突，开始于1991年的海湾战争。

（一）从遏制到武力改变政权

1990年8月伊拉克入侵科威特；1991年1月美国在联合国安理会授权下率领多国部队，以战争迫使伊拉克退出科威特，由此美国与伊拉克开始了长达12年的遏制与反遏制的较量。海湾战争后，美国对伊拉克推行“全面遏制”政策，近期目标是将萨达姆“囚禁在笼子里”，并销毁其大规模杀伤性武器；远期目标是通过秘密行动和支持反对派将其推翻。为此，美国一方面推动和借助联合国通过一系列决议，对伊实行经济制裁和武器核查，以削弱其经济、军事实力；另一方面联合英国，以保护库尔德人和穆斯林什叶派的安全为由，在伊南北部分分别划定“禁飞区”和“安全区”，使伊政治版图实际上呈一分为三的局面；此外不时实施规模大小不等的军事打击，以及暗中支持伊境内外各种势力的反政府活动。“全面遏制”基本剥夺了伊拉克萨达姆政府研发大规模杀伤性武器的能力，并严重削弱了其政权基础。但随着形势发展，美国对伊拉克的政策面临选择：一是采取更为强硬的政策推翻萨达姆政权；二是从“全面遏制”转向“有限遏制”，即集中力量威慑萨达姆政权。到2001年小布什上台时，虽然主张推翻萨达姆政权的力量日益上升，但美国国内争论尚未得出明确结论，美国对伊总体政策正从“全面遏制”向“有限遏制”转变。

“9·11”事件改变了小布什对“萨达姆制造伤害的能力”的认识；民众对恐怖袭击的反应为“鹰派”推行改变政权的政策提供了有利条件。小布什认为，萨达姆是个“狂人”，“他在过去曾经使用过大规模杀伤性武器，并给所在地区造成了令人难以置信的不稳定”；“他一切可怕的特点都变得非常具有威胁性，继续把他困在笼子里看来越来越不可行”；如果在伊拉克问题上继续“玩遏制游戏”，那么政策选择将“比较有限”。2002年1月29日，布什在首份国情咨文中将伊拉克列为“邪恶轴心”国之一，使之与恐怖主义联系起来。阿富汗塔利班政权被推翻之后，伊拉克作为美国“反恐战争”第二阶段的打击目标的可能性和紧迫性进一步凸显。2002年10月11日，美国会众参两院通过决议，授权总统“在必要时”以“必要且合适的方式保卫美国的国家安全免受伊拉克的持续威胁，执行联合国安理会所有相关决议”。

美国决意改变萨达姆政权是基于多重考虑。从历史渊源看，伊拉克问题可谓老布什的“政策错误”的政治“遗产”。小布什推翻萨达姆政权，让人感到有洗刷父亲政治“遗憾”和“污点”并报复萨达姆曾经图谋暗杀老布什之意。当年参与海湾战争的切尼（时任国防部长）等人对伊始终怀有“一种深切的未竟事业的感觉”。就对外战略而言，既有小布什政府反复阐明的“反恐”、防止恐怖主义与大规模杀伤性武器扩散相结合等直接原因，也有更为深远的战略考虑。包括：改变萨达姆政权并重建其政治、经济和社会，彻底消除它利用大规模杀伤性武器威胁美国的可能性；控制伊拉克储量居世界第二位的石油资源，借此减小美国对沙特石油的依赖，削弱欧佩克的影响力等；为解决阿以冲突、伊朗核开发等中东其他问题创造契机和动力；为在“大中东”乃至伊斯兰世界扩展民主树立“灯塔”和建造“引擎”，鼓励阿拉伯世界希望摆脱衰落而图强的力量；巩固和强化美国的世界主导地位，使其能够真正自由地推行对外政策议程上的其他项目；全面入侵的风险“可以承担”，而且战争费用可以从伊拉克的石油收入中得到部分补偿，国际社会在外交上也不会坚决一致反对。据此，2003年3月19日，美国总统布什宣布对萨达姆政权发动代号为“伊拉克自由行动”的战争。5月1日，布什在“林肯”号航空母舰上宣布为期42天的伊拉克战争主要战事结束。

（二）战后重建

伊拉克主要战事一结束，美国的任务随即转向占领和重建。重建大致分为安全、政治、经济、社会四个方面：

第一，努力恢复社会安全秩序。主要战事结束后，美国加紧清剿萨达姆政权的忠实追随者、为攫取政治权力而斗争者、恐怖分子等，以增进民众的安全感，为政治和经济重建提供稳定的环境。2003年12月13日，美军在巴格达郊区一个地窖里抓获萨达姆，结束了一个时代，却未能使伊拉克安全形势明显好转。各种抵抗力量使用游击战、自杀性恐怖袭击等不对称手段袭击美英联军。社会失序，治安状况恶化，偷盗、抢劫、绑架、刺杀等案件频繁发生，民众的不安全感显著上升，对“联军临时管理当局”和“伊拉克管理委员会”的不满和抱怨大幅增多。美英联军除了不断对抵抗者实施小规模打击之外，被迫加快“伊拉克化”进程，即招募、培训和组建伊拉克人组成的武装力量来维护伊境内安全。到2004年中期，伊拉克组建了警察部队、民兵、新的军队、边境巡逻部队、设施保安队等主要安全力量。

第二，彻底废除萨达姆时期的权力机构，构建新的政权体系。早在2003年3月20日，美国防部就组建简·加纳领导的“重建和人道主义援助办公室”，为战后伊拉克的人道主义援助、重建和民事管理等事务做准备；同时聘请一些伊拉克学者和政治活动家，组成“伊拉克重建与发展委员会”，为管理者提供建议。2003 年 5 月 22 日，美国促使联合国安理会通过第 1483 号决议。决议承认美英作为占领者的地位，并“授权”联军负责管理被占领土，直至组成合法的、有代表性的伊拉克政府。2003 年 6 月 1 日，由最高文职长官布雷默领导的“联军临时当局”接替“重建和人道主义援助办公室”，成为伊境内最高权力机构，负责管理过渡阶段的各种事务。“联军临时当局”首先连续发布一系列命令，宣布解散复兴社会党，没收党产，禁止党员进入新政府；解散国防部、内务部、控制政治信息和通讯的信息部，遣散约 38.5 万人的正规军和共和国卫队、28.5 万人的警察和国内安全部队、约 50 万人的总统特别卫队和总统直接领导的所有特殊安全机构等。同时，“联军临时当局”在三个层次上建立新的政治秩序：在地方，通过选举和任命建立新的省、市、镇委员会及省长等官员；在国家机构方面，改革或重新组建管理教育、人权、环境、妇女事务的部门；在国家主权方面，于 2003 年 7 月 13 日建立由 25 个席位组成的“伊拉克管理委员会”。该委员会按种族、教派和宗教信仰划分，由主要派别的领导人组成，其政治地位处于顾问机构与政府之间，在起草临时宪法或管理国家事务等方面发挥重要作用。

2004 年 6 月 1 日，以亚瓦尔为总统、阿拉维为总理的伊拉克临时政府产生。2004 年 6 月 28 日，布雷默比预计时间提前两天向临时政府移交主权；“联军临时当局”结束使命并解散。美国对伊拉克的政治重建取得标志性进展。2004 年 8 月 15 日，伊拉克千人国民政治大会选举产生 81 名代表，并与之前解散的管理委员会 19 名成员共同组成临时国民议会。2005 年 1 月 30 日，伊拉克选举产生过渡国民议会、18 个省委员会和库尔德斯坦地方议会。3 月 28 日，伊过渡政府正式成立，总统、总理、议长分别由库尔德人塔拉巴尼、什叶派贾法里、逊尼派哈桑尼担任，各部部长也基本按民族和教派比例分配。10 月 15 日，伊拉克对宪法草案举行全民公决。2006 年 1 月伊拉克预计正式选举产生新的永久性政府。

第三，恢复基础设施，建立自由市场经济体制。首先，“联军临时当局”对伊拉克经济全面进行自由市场化改造，包括对政府所有的产业实行私有化；解除对金融和价格等领域的管制；促进贸易自由化发展；改革就业市场；鼓励外国资本在除能源以外的领域进行投资等。其次，“联军临时当局”和“伊拉克管理委员会”加紧恢复因长期失修和战争损害而破败不堪的水、电、交通、医院、学校等基础设施，为民众提供正常生活的基本条件。但是，各种势力的蓄意破坏，使经济重建面临四个主要难题：①石油产业作为影响重建的重要因素，不仅设施安全难以保障，收入也远不能满足重建所需要的费用，实施私有化改造还可能激起“石油民族主义”。②重建全国基础设施需要庞大开支，有人预计在1500－1700亿美元之间。这笔费用在短期内难以借助石油收入，也难以依赖国际援助。③私营经济基础非常薄弱，私营的工业、银行、商业中心数量有限，缺少适应自由市场经济条件的企业家阶层。④萨达姆政权留下高达1700亿美元的巨额债务。2003年秋，美国国会拨款186亿美元，用于经济重建，特别是改善民众生活条件和扩大就业。2004年9月，布什政府建议国会再拨款34.6亿美元，主要用于水、电和其他重建工程。但经济形势好转缓慢。

第四，培育利于民主发展的公民社会。萨达姆政权结束标志着一个集权、统一和同质化的社会瓦解，伊社会内部的力量充分释放。各种社会团体和组织迅速涌现，到2003年7月，伊拉克18个省出现140多个团体，舆论界出现170多家出版周期不同的报纸和杂志。一些秘密武装组织和社团也借机泛起。各种力量和因素并存、互动、碰撞，重构着伊拉克的社会和政治结构。美国通过“国际开发署”、“全国民主捐赠基金会”等机构，有针对性地向各种公民社会组织提供资金和技术帮助，支持它们扩大民主参与，积极推进民主化进程。“联军临时当局”还通过一些培训项目，帮助新兴政党增强组织和动员社会的技巧、手段等。

（三）伊拉克重建的前景

美国对伊拉克的重建前期进展缓慢，遭遇重重困难。从2004年到2007年上半年，伊拉克安全局势不断恶化。2007年上半年，美国布什政府不顾国内要求撤军的压力，逐步增派兵力，并采取借助伊拉克宗教领袖和部落长老的力量、促使逊尼派温和力量回归政治进程、推动政治和民族和解、加大经济和社会重建力度等措施，努力改善伊拉克局面。直到 2008 年底，伊拉克安全局势才开始出现比较明显的改善。发生的暴力恐怖袭击总体上比 2007 年初下降了 80%，种族和部落冲突减少了 90%，汽车和自杀性炸弹袭击已经从 2007 年 3 月的 130 起下降到 2008 年 7 月的 40 起，驻伊美军的死亡人数从 2007 年初的每月 70 人减少到 2008 年 7 月的 13 人，同期伊拉克安全部队的伤亡人数也下降了一半。新逃离家园的伊拉克人越来越少。新建立的民主政治架构逐步走入正常运转轨道，什叶派、逊尼派和库尔德人等各派力量更多地寻求通过政治途径解决问题，政治环境发生一些重要变化。经济形势也开始有所改善，重新开张的市场和商铺不断增多，对外经济往来尤其是能源合作恢复展开。2008 年 12 月 14 日，美伊签署驻军协议和战略框架协议，规定驻伊美军将在 2009 年 6 月 30 日前由伊城镇和乡村撤回到自己基地，并在 2011 年 12 月 31 日之前撤离伊拉克。英国、澳大利亚等国相继宣布将在 2009 年 7 月底之前从伊拉克全部撤军。

2009 年 1 月奥巴马政府上台之后明确表示，"为了重振美国在世界上的领导地位"，"必须首先负责任地结束伊拉克战争，并把注意力重新集中到范围更为广阔的中东。"2 月 27 日，奥巴马明确宣布，根据美国和伊拉克在 2008 年 11 月达成的《美伊安全协定》和《战略框架协定》，在 2010 年 8 月 31 日前撤出驻伊美军主要战斗部队，剩余的 3.5—5 万名美军也将于 2011 年年底前撤离。随后，奥巴马政府开始落实撤出作战部队的计划。第一个步骤，2009 年 6 月 30 日，美军按计划从伊拉克主要城镇撤回军事基地，把相应的安全任务主要职责交给伊方，这为之后的进一步撤离和"伊人制伊"奠定了基础。2010 年 3 月伊拉克举行国民议会选举，之后由于选举中占前两位的马利基领导的"法治国家联盟"和阿拉维领导的"伊拉克人名单"难以就政治权力分配达成妥协，新政府迟迟未能组建，安全局势持续混乱，直至 2010 年 9 月。第二个步骤，2010 年 8 月 31 日，驻伊美军最后一批作战部队离开伊拉克进入科威特境内，美国在伊拉克长达 7 年多时间的作战任务宣告结束，从 2003 年开始的"自由伊拉克行动"被"新曙光行动"取代。第三个也是最后一个步骤在 2011 年底完成。2011 年

12月16日，美国军方在巴格达举行仪式，正式向伊拉克移交最后一处军事基地艾德营地。至此，美军已完成撤离伊拉克的整个计划。

随着驻伊美军按照上述步骤逐步撤离伊拉克，伊拉克的重建也不断取得进展。但据此前瞻，伊拉克政府和美国未来仍面临不少挑战。第一个挑战是伊拉克安全力量能否确保相对稳定的安全局面。随着驻伊美军大幅度减少和把安全任务移交伊方，包括24.8万名军人在内的67.5万人的安全部队的能力面临考验。马利基政府的国防部长认为伊现有力量尚不具备维护安全的能力。2010年8月特别是2011年中东大变局发生以来，伊拉克境内连续发生的一系列恶性暴力恐怖袭击就是例证。第二个挑战是伊拉克新的政治框架能否持续正常运转。从2005年全民公决通过新宪法到2010年举行第二次国民议会选举，之前的权力重组尽管伴随各派暴力和非暴力的较量，最终都达成妥协。2010年3月选举之后，新政府历经半年才在各方的博弈中逐步搭建起来，这也显示了未来伊拉克国内的政治和解进程深入发展可能面临的困难。第三个挑战是美国在伊拉克的利益能否得到保障。随着伊重建的“伊人制伊”新阶段向前推进，伊内部不同派别纷纷寻求周边外部力量支持。伊周边的一些国家“应邀”利用各自渠道扩大影响，美国用4000多名军人的生命代价所换来的伊拉克这个“战略资产”可能相对缩水，其在伊拉克的利益能否得到保障将面临考验。

美国国务院2012年计划在伊拉克投放62亿美元，其中38亿美元用以支持外交团队运作（如继续扩大美国使馆规模），其余用于对伊拉克民事援助和军事项目。也许正是认识到伊拉克反复受到暴力袭击、政治内斗的折磨，美国专家普遍对国务院在美军撤出后的伊拉克外交前景表示担忧。

四、伊朗崛起与核问题

伊朗是一个历史悠久的波斯国家。它成为对地区和国际局势具有重要影响的焦点问题始于与美国交恶。伊朗问题的核心是伊朗政教合一政权与美国的矛盾，其根源部分是伊斯兰复兴主义与美国保守主义之间意识形态的冲突，这个矛盾开始于1979年伊朗伊斯兰革命。

（一）伊斯兰革命后美国对伊朗的遏制

美国与伊朗关系交恶源于伊斯兰革命。1979 年 2 月，流亡巴黎的霍梅尼返回德黑兰，发动伊斯兰革命，建立政教合一国家。霍梅尼政府提出“不要东方，也不要西方，只要伊斯兰”的对外政策纲领，将斗争主要矛头指向美国。11 月，数百名穆斯林学生占领美国大使馆并将 60 多名使馆人员扣为人质。卡特政府停止向伊朗提供军事装备和购买伊朗石油，并冻结伊朗在美国的财产。1980 年 4 月 7 日，美国宣布与伊朗断绝外交关系，并对伊实施经济制裁。1989 年霍梅尼去世为美国调整对伊政策提供了可能性。但是，克林顿政府凭借海湾战争后美国在中东获得的有利态势，于 1993 年正式提出“双重遏制”政策，对伊朗和伊拉克同时加以遏制。1995 年克林顿签署“行政命令”，宣布对伊朗采取新的经贸制裁措施，包括断绝两国间一切投资和贸易关系，严禁美国石油公司及其海外分公司同伊朗进行任何交易。1996 年 8 月，美国参众两院通过并经总统批准实施《伊朗—利比亚法案》（又称《达马托法》），对与伊朗进行石油和天然气交易的外国公司进行制裁。1998 年 1 月，伊朗新总统哈塔米在接受美国“有线电视新闻网”（CNN）采访时，呼吁与美进行“建设性对话”和“文化交流”，主张双方采取措施打破“猜疑之墙”。[①] 美国对此迅速做出积极反应。同年，克林顿政府呼吁与伊朗就共同关心的双边和地区问题进行正式对话；2000 年 3 月，时任国务卿的奥尔布赖特宣布美国取消对进口伊朗地毯和一些食品的制裁；7 月，哈塔米称赞美国在对伊关系上有了“新的转变”。克林顿政府由此开始微调遏制伊朗的政策，对发展国内民主、缓和对外关系等“得体的行为”加以“迎合”；对“违反国际法的行为”，则联合其他盟国进行惩罚。但克林顿政府依然坚持，如果伊朗在支持国际恐怖主义、谋求获得大规模杀伤性武器、反对中东和平进程等问题上不改变立场，美国就不会取消主要制裁措施；而哈塔米政府同样坚持，如果美国不

---

① Philip D. Zelikow and Robert B. Zoellich, America and the Muslim Middle East: Memos to a President, The Aspen Institute, 1998, p. 137.

放弃在经济制裁、归还伊被冻结财产等问题上的原有立场，伊朗也不会改变对美基本政策。因此，美伊关系虽有所缓和，却始终没有实现重大突破。

（二）“9·11”事件后伊朗逐步崛起及其核问题日渐突出

“9·11”事件后，小布什政府重新考量对伊政策。2002年1月29日，布什在首份国情咨文中将伊朗列为“邪恶轴心”国之一，认为包括伊朗在内的“邪恶轴心”“寻求获取大规模杀伤性武器，构成日益严重的威胁；它们可能把这些武器提供给恐怖分子，使恐怖分子具有与其邪恶性质相匹配的手段；它们可能袭击美国的盟友或试图讹诈美国；无论是何种情形，忽视这种威胁的代价都将是灾难性的”。因此，“美国决不容许世界上最具威胁的政权使用世界上最具破坏性的武器来进行威胁”，将采取包括先发制人的军事打击在内的“一切必要手段”加以还击，甚至在威胁显现之前就予以铲除。阿富汗战争期间，伊朗对美提供情报支持、封锁伊阿边界以防塔利班和“基地”组织逃窜等积极合作，但美国仍认为伊朗没有也不一定准备尽其所能抓捕“基地”组织成员等，因此两国关系没有由此开始改善。

2003年美国发动战争推翻伊拉克萨达姆政权，由此带来“出乎意料的结果”就是为伊朗快速崛起创造了有利条件。伊朗抓住这一历史性重要机遇加快核开发进程，在地区内外不断扩展影响力，直接挑战美国的关切和利益。美国对伊朗支持“真主党”、“哈马斯”和“吉哈德”等组织及破坏阿以和平进程的担心明显增加，同时倍加提防伊朗在伊拉克重建进程中“捣乱”或“破坏”。特别是小布什政府根据其情报和国际原子能机构的发现，感到伊朗的核开发计划似乎比预料的规模更大、速度也更快，解决这个问题的紧迫感明显增强。美国负责不扩散事务的助理国务卿约翰·沃尔夫明确指出：“伊朗构成的可能是《不扩散核武器条约》所面临的最具根本性的挑战。”据此，小布什政府着眼于解决伊朗核开发、支持恐怖主义和反对巴以和平进程等问题，既以制裁和先发制人的军事打击施加强大压力，又通过有限接触争取合作；既强调单方面的强势压迫，又调动多边联合施压；既从外部以压促变，又指望伊朗人民的“民主运动”从内部实现重大突破。

美国这些政策及其实践，使伊朗感到自身面临的威胁和孤立在日益增大。伊朗国内的主流观点认为，地区形势的重大变化需要伊朗和美国在共同关心的问题上实现妥协，但妥协必须通过谈判而非单纯屈服于美国的权势来达成。据此，伊朗一方面努力在地区范围内保持克制，与欧盟和广大阿拉伯国家全面实现关系正常化，尤其是推行独立的对外政策，加强与沙特、土耳其、俄罗斯、印度等重要国家的关系，保持强大的军事力量，进而争取更大的国际回旋空间。另一方面，在美国敏感的问题上采取比较谨慎的立场，避免发生非常激烈的冲突。在伊拉克问题上，外长哈拉奇表示“没有任何伊朗官员建议在伊拉克组建伊朗式的政府”。在核问题上，伊朗虽然一致认为核能力是威慑其首要战略威胁美国和以色列的惟一手段，但也清楚地意识到核武器的存在将损害它与其他国家的关系甚至可能导致国际孤立。因此，经过与英、法、德及国际原子能机构反复谈判，伊朗2003年10月21日决定签署《不扩散核武器条约》的“附加议定书”，并宣布单方面暂停铀浓缩活动。在巴以冲突问题上，伊朗虽然没有也不可能放弃对巴勒斯坦方面的政治和道义支持，但若巴以签署和平条约并得到其他阿拉伯国家的广泛支持，伊朗也会接受这个决定。对于叙利亚“真主党”等组织，哈塔米访问黎巴嫩时既表达了继续与叙利亚加强“团结”的愿望，又力图避免给人以鼓励暴力甚至支持“恐怖主义”的印象。在“基地”组织问题上，伊朗也展示了更多的合作姿态。

然而，到2004年2月，随着保守派在议会选举中获胜，哈塔米领导的改革派遭受重大挫折，伊朗对美政策转趋强硬，核问题也一波三折。2004年9月1日，国际原子能机构（IAEA）披露一份长达11页的秘密报告，指责伊朗近期计划加工37吨粗铀并重新启动离心机。该机构据此认为需要对伊展开更多也更严格的调查，以确证伊在1995年和2002年间是否使用P—2离心机进行铀浓缩试验。伊朗政府反复申明其铀浓缩活动完全用于和平目的。2004年9月18日，国际原子能机构通过英、法、德三国提交的决议，要求伊暂停与铀浓缩有关的一切活动，尽快澄清与核计划有关的悬而未决的问题。美国威胁说，如果伊朗不遵守国际原子能机构11月的“最后期限”，该问题将被提交联合国安理会处理。9月19日，伊朗最高国家安全委员会秘书鲁哈尼表示，任何企图迫使伊中止铀浓缩活动的决议都是无法接受的，中止此类活动完全是伊自愿行为，只能通过“协商”而绝对不可能通过“决议”来促成；如果国际原子能机构最终将伊朗核问题提交联合国安理会，伊将停止履行《不扩散核武器条约》“附加议定书”中规定的条款，停止允许联合国核查人员对一些关键地点实施突击式核查；伊将在自愿基础上中止浓缩铀的提炼，但离心机的组装和试验等工作很可能继续下去。9月21日哈塔米表示，即使最终导致与国际原子能机构核查人员的合作破裂，伊朗也将继续推进其用于和平目的的核计划，但决不研制核武器；并且暗示伊准备为核计划付出外交代价。2005年9月，保守派内贾德当选伊朗总统，并在核开发等问题上采取更为强硬的立场，稍有缓和的美伊关系再度陷入紧张状态，双方围绕核问题的角力不断加剧。2006年2月，在美欧共同压力下，国际原子能机构做出将伊朗核问题报告联合国的决议，使之纳入安理会解决框架。之后，安理会从2006年7月到2008年相继通过第1696号、第1737号、第1747号、第1803号、第1835号五个决议，要求伊朗暂停所有与铀浓缩相关的活动，否则将面临经济制裁。在此过程中，由美、英、法、俄、中、德六国组成的5+1机制，多次提出旨在解决伊核问题的谈判方案，核心内容是用美欧不追加新的制裁和经济等领域的鼓励措施换取伊朗暂停铀浓缩活动，并不断推动谈判。但由于伊朗不断扩大和加快核开发，有关制裁也逐渐加重，通过政治和外交途径解决问题一直没有取得进展。2011年12月15日，内贾德总统高调宣布，伊朗已经利用碳纤维自行制造发展出新一代的离心机，可生产纯度20%的浓缩铀和核燃料棒。此举提升了西方各国对伊朗发展核武器的顾虑。继美国提出制裁后，欧盟27个成员于2012年1月达成一致，确定制裁伊朗石油产品的具体细则及时间表。为反抗美欧制裁，伊朗除了继续推进核计划，也在其他方面做出强烈回应，如密集安排军演。2011年12月27日，伊朗第一副总统穆罕默德·礼萨·拉希米表示，如果伊朗的石油出口遭到制裁，伊朗将禁止运输石油的船只通过霍尔木兹海峡。作为对美欧制裁的报复措施，伊朗可能封锁霍尔木兹海峡，令海湾地区地缘政治局势趋于紧张。

（三）美国奥巴马政府软硬两手强化应对伊朗核问题

2009年1月，奥巴马上台之后，美国对伊朗核问题一方面基本延续小布什政府对伊朗的“大棒加胡萝卜”的双轨政策框架，另一方面从小布什政府偏重使用“大棒”发展为“大棒”和“胡萝卜”并重，软硬两手都持续强化。早在2008年11月18日，奥巴马领导班子就通过专门网站宣布，将“以实在的激励措施和压力做后盾”，防止伊朗获得核武器。奥巴马在题为《重振美国的领导地位》撰文中明确指出，“全世界必须努力制止伊朗的铀浓缩计划，防止伊朗获得核武器，让核武器掌握在激进的神权国家手里实在是太危险了”。为此，美国将“建立一个强有力的国际联盟来防止伊朗获取核武器”，向伊朗进一步坚决表明谋求核武器可能招致的严重后果，也就是把“红线”划得更加清楚，“从而让伊朗为继续其核计划付出更大的代价”。同时，美国也可能会逐步加大与伊朗对话的力度和提升对话层级，“向伊朗特别是伊朗人民说明改弦易辙可以获得的好处：经济往来、安全保证和外交关系”，进而促使伊朗放弃寻求核武器。2009年6月，奥巴马在埃及开罗大学就美国与伊斯兰世界关系发表讲话，就伊朗核问题表示，美国“有勇气、用正气、有决心向前迈进”，“愿意在没有先决条件的情况下基于相互尊重向前迈进”。2010年5月，奥巴马政府在《国家安全战略》报告第三部分“促进美国的利益”宣布，“将在伊朗领导人改变现有方针，采取行动重获国际社会信任并承担其国际责任后”，采取“与伊朗接触”这个“现实选择”，否则伊朗“将面临更严重的孤立”。

从软的一手看，奥巴马政府把通过外交和政治途径解决问题作为首选，将“5+1”（联合国安理会五个常任理事加上德国）机制扩大为“5+1+1”机制，即五常和德国直接与伊朗面对面谈判，促使俄罗斯更多地向美国的立场靠近，并对中国施加更大压力以求得到更多配合，甚至对伊朗、土耳其和巴西达成的核原料交换协议以及伊朗布什尔核电站在俄帮助下开始运转都采取开放态度。从硬的一手看，奥巴马政府在推动联合国安理会于2010年6月9日一致通过包含制裁内容的第1929号决议的同时，自己单方面推出一系列新的制裁措施，并促使其加拿大、欧盟、日本、澳大利亚等西方盟友强化对伊制裁，以及帮助以色列和沙特等国提升应对伊朗威胁的军事能力，加强对伊军事遏制措施。2011年12月31日，奥巴马签署法案规定，与伊朗央行有任何商业往来的国外金融机构，将被禁止在美国运营。美国冻结伊朗政府和金融机构在美国境内的所有资产，是美国围绕核争端对伊朗采取的最新举动。此外，奥巴马政府还利用伊朗总体选举等时机，设法影响伊朗国内政局发展。

然而，奥巴马政府对伊朗政策这种“软的更软”和“硬的更硬”，都尚未取得比较明显的效果。伊朗一方面表明自己仅仅是捍卫作为《不扩散核武器条约》成员国的和平利用核能的权力，没有谋求核武器，并且愿意通过对话解决问题，没有完全关闭谈判和接触的大门；另一方面则顶着美国不断加大的压力，扩大外交影响和回旋空间，大力加强军事力量，持续加快核开发进程。这种态势进一步发展将使美国主张通过政治和外交途径解决问题的声音遭受主张通过包括军事在内的强硬手段的声音挑战，进一步压缩奥巴马政府现行对伊政策软硬两手转换的空间，考验该政策的持久力。

五、大变局重塑地区形势

正当上述三个问题的发展各自面临新形势之时，2011年始于突尼斯的动荡诱发了中东地区翻天覆地的社会和政治海啸。变革大潮迅速横扫北非和西亚，荡涤也门、约旦、巴林、阿尔及利亚、利比亚、叙利亚、摩洛哥、阿曼、科威特、沙特和伊朗等21个国家，波及近5亿人，大有导致多国政局变动并向更广泛地区扩散之势。

有迹象表明，中东乱局正在持续发酵，越来越诡异。也门总统萨利赫在2011年11月23日（当地时间）晚间在沙特首都利雅得正式签署交权协议，成为此次变革中继突尼斯前总统本一阿里、埃及前总统穆巴拉克和利比亚前领导人卡扎菲之后第四位下台的中东领导人。虽然上述四位中东强人的下台为各自国家的发展带来转机，但是这些国家依然存在许多变数，前途如何让人难以预料。例如，11月，埃及上千抗议者与军警发生暴力冲突（被不少媒体称作“二次革命”），折射出了埃及在穆巴拉克倒台后政治生态的脆弱性。而且，也有国际舆论认为，瞬息万变的中东局势正在逼近地区性大乱的边缘。尤其是，从2011年3月爆发冲突以来，叙利亚局势持续紧张。叙国内多地武装冲突不断，美欧对叙进行制裁，阿盟不断施压，巴沙尔政权出现严重危机。2012年1月4日，联合国安理会表决叙利亚问题决议草案，俄罗斯、中国两个安理会常任理事国行使否决权。叙利亚动荡是中东局势的最大变数之一，甚至会影响未来世界政治格局的演变趋向。国际社会普遍担心，叙利亚危机是否会很快进入一个转折点，是否能够爆发继利比亚战争后的又一场地区性战争。如果叙利亚政权垮台，西方是否会全面发力，借势推翻伊朗现政府，一时间引发各种猜想。其他国家在这场大变局的冲击和裹挟之下，无论是否可能被更替，都不同程度地在政治、经济、社会乃至外交等方面实施变革和调整，未来发展还可能遭遇多种曲折。

在这一轮变局中，土耳其、伊朗、沙特、阿盟、非盟等地区性力量的影响力明显上升，而且程度不同地与美国拉开了距离，脱美趋势可能进一步发展。这不仅体现在土耳其加强与伊朗、“后穆巴拉克时代”的埃及等国的关系，而且体现在伊朗通过什叶派网络和伊斯兰主义网络扩大影响力和进一步崛起，还体现在阿盟和非盟在利比亚等问题上的主张所受关注上升。特别是黎巴嫩的“真主党”、巴勒斯坦的“哈马斯”和埃及的“穆斯林兄弟会”等所谓“伊斯兰主义”的力量，凭借它们的社会基础和政治适应能力，势必在各国的变革进程中发挥更大作用，进而推动各国进一步与美国拉开距离。“伊斯兰马格里布基地组织”、“阿拉伯半岛基地组织”和利比亚“伊斯兰战斗团”等反美激进组织和恐怖组织更是将利用这轮变局带来的动荡壮大力量，对美等西方国家及其在中东地区的盟友实施攻击。

这种事态加上美欧内部面临经济重振乏力、社会政治矛盾深化、选举政治制约因素上升等诸多因素，削弱了美欧按照其意愿重新打造该地区的动力，使得它们进行干预的意愿和努力变得勉强，追求的目标和策略摇摆多变。美欧急于解决利比亚问题即可视为例证。同时，法英美意等国对利比亚实施的军事打击，无疑将被视为对广大穆斯林的侵犯和侮辱之后，伊斯兰世界反美反西方力量尤其是激进力量势必对西方特别它们在中东的利益存在加以报复，阻止其在中东的进一步介入和重塑。

在此背景下，以色列在地区范围内面临的安全形势恶化，在巴以和谈、黎以关系以及伊朗核问题上采取更加强硬的政策。巴勒斯坦民族权力机构主席阿巴斯宣布放弃谋求连任，巴内部法塔赫与“哈马斯”达成和解协议，着手组建联合政府，并积极寻求联合国大会支持建立巴勒斯坦国。巴以和谈由此面临新的形势，黎以再度爆发冲突的可能性上升。伊拉克总理马利基也宣布不再谋求连任，一些激进势力力图借机扩大影响，暴恐事件不断。伊朗在核问题上的立场趋于强硬，进一步加快核开发进程。由此，整个地区将进入新的动荡、转型和重塑的时期，政治版图将在一定程度上被改写，各种地区分野组合和美欧俄等外部力量的折冲消长都将不同程度地发生变化，各种关系调整和局势发展更显错综复杂。

第六章
后危机时代的国际金融格局

6

◎刘　东

1971年形成的国际货币体系至今已经运作了41年，不可兑换的美元加上浮动汇率所构成的运行框架并不稳定。在20世纪70年代，世界就经历了比以前更高的通货膨胀，各国的中央银行逐渐意识到，他们不仅需要一个浮动的汇率，而且更需要一个货币体系稳定的机制。肇始于2008年的金融危机给世界经济造成重创，促使国际货币基金组织、世界银行纷纷进行改革，推动二十国集团发挥更大作用。正当引发国际金融危机的矛盾和问题有所缓解，市场信心有所增强之际，一场波及欧美发达国家的主权债务危机不期而至，主权债务风险已成为对全球金融稳定和经济复苏的威胁。当前，全球金融稳定形势仍比较脆弱，金融市场处于巨大变化之中。这样一来，人们纷纷关注国际金融格局是否很快就能发生改变。

一、扑面而来的金融海啸探源

2008年金融危机百年一遇，影响之大，实属难以预料。由于美元的特殊地位与影响，危机迅速波及了整个世界并对世界经济造成了巨大的冲击。国际货币基金组织发布的《世界经济展望》认为，2009年全球经济增长率预计为-1.1%，遭遇二战以来的首次负增长，其中发达经济体为-3.4%，发展中经济体为1.7%。经济合作与发展组织和国际劳工组织曾预测，受世界经济增速放缓等因素的影响，2009年全球失业人数将达到创记录的2.1亿。2010年全球经济走出衰退并进入缓慢且不稳定的复苏期。即使世界经济开始回暖，也不足以引起人们的兴奋与欢愉。一方面世界经济增长“冷热不均”，呈现区域性差异。亚洲引领全球经济复苏，以中印为代表的新兴市场和发展中国家经济增长强劲，内需增长空间较大。美日等发达经济体增长乏力。另一方面受金融危机的影响，世界经济必然面临一轮较长时间的衰退。世界银行将2012年和2013年全球经济增速预测从2011年6月的3.6%调低至2.5%和3.1%。

对于这次大萧条以来最严重的金融危机，各国经济界都从不同角度对其成因进行反思。金融危机的原因是多方面的，但美国自身的金融泡沫、世界经济的长期失衡、美国长期的金融霸权地位和不完备的国际货币金融体系是其中主要的原因。

（一）美国经济方面的原因

一是经济自由主义、金融深化过度导致泡沫太多。20世纪30年代世界经济大萧条促成了凯恩斯主义横空出世，罗斯福新政标志着国家干预主义开始大行其道。三十年河东三十年河西。20世纪70年代世界经济滞胀过后，80年代里根政府上台，经济自由主义又东山再起，集中体现为所谓的“盎格鲁－撒克逊模式”。进入21世纪，金融衍生产品标新立异，场外交易日新月异，而监管者却“无为而治”，无所事事。

现在美国巨大的流动性主要由衍生产品支撑，美联储无法完全控制。在对冲基金和私人资本的冲击下，市场有效性值得怀疑。前几年网络股泡沫破灭、“9·11”事件导致美国银行利率一降再降，又加剧了流动性泛滥。流动性可以掩盖一些问题，但并没有真正化解这些问题，一旦集中爆发，后果更加严重。虚拟经济距离实体经济越来越远，监管又跟不上，金融危机迟早会爆发，没有次贷作导火索，也会有其他事件成为导火索。

二是“两房”的国有化模式导致发行次级债太多。20世纪经济大萧条之后，美国政府为了让更多人拥有自己的房子，先后组建了“房利美”和“房地美”两家住房贷款证券化经营机构。政府刻意从制度上拔高，迫使私人银行放宽房贷的审核条件，而让两房来承诺购买那些高风险的房贷。两房作为一家“政府支持企业”，发债有政府担保，等同于美国国债，所以它用几百亿美元的资本金，收购高风险房贷进行证券化，发行了 5 万多亿美元的次级债，占美国市场的一半以上。在房地产市场出现下滑、无法偿还贷款的现象剧增的条件下，两房以及由此波及的私人金融机构就陷入了危机。所以说，政府支持的两房约束软化，发债太多，是危机的直接源头。

三是华尔街投行的高杠杆模式导致发行 CDO（担保债务凭证）太多。20 世纪经济大萧条之前美国商业银行和投资银行混业经营，短期货币资本长期化使用，被认为导致了经济危机。1933 年美国出台《格拉斯—斯蒂格尔法》，实行分业经营。投资银行只提供中介服务，从事代理交易、承销、咨询等业务，基本上没有大的风险。但是随着市场传统业务饱和，投资银行开始从事利润率更高的自营业务，设计并发行了太多的 CDO 等衍生产品。由于投行本身资本金不高，自营又需要大量资金，所以只能提高杠杆率，以持有的衍生品为抵押，向商业银行等机构融资，风险继续蔓延。所以，华尔街模式的外在表现就是高杠杆率，华尔街投行的崩溃就是高杠杆模式的重创。现在次贷危机爆发，美林、贝尔斯登被商业银行收购，高盛和摩根士丹利转型商业银行，混业经营曾经被认为是导致危机的罪魁祸首，又摇身一变成了化解危机的一大功臣。

（二）世界经济结构失衡方面的原因

20 世纪后半叶，“研发核心一制造业基地一原材料基地”为主要特征的全球分工体系逐步确立，形成了“美国消费，亚洲生产，俄罗斯、巴西和中东诸国提供资源”的全球经济运行模式。这一分工体系确立了美国的经济霸主地位，以美国为代表的发达国家具备了扩张信用、透支消费的条件；同时带动了东亚人口密集国家的制造业的发展，解决了这些国家的就业问题。在这个过程当中，美国国内储蓄率越来越低，国际贸易逆差不断扩大，成为了越来越大的债务国家；而亚洲国家国内储蓄率居高不下，国际贸易持续累积经常项目顺差，债权主体地位不断深化，造成严重失衡。

除了贸易的失衡，国际金融市场还存在着另一个“失衡”。即美国不断设计并发行各种美元债券；而中国、日本和石油输出国等顺差国，又用巨大的外汇储备购买这些债券，把钱借给美国。美国拿借到的钱继续购买债主的东西，更有甚者，其中一部分借来的钱，又通过华尔街的中介作用，回流到债主国家，以外资的方式帮助这些债主进行生产。所谓借你的钱，买你的东西，帮着你生产这些东西，这进一步扩大了失衡。

（三）国际金融格局失调方面的原因

金融霸权地位、缺乏有效制衡导致美国对风险长期漠视。二战以来美国处于金融霸权地位，美国控制了主要国际金融组织，美元是世界主要储备货币，金融霸权给国际金融体系带来相对稳定的同时，也隐藏了巨大的风险。现在60%美元在美国之外流通，50%以上美元资产由外国人持有，政府赤字高企、举债度日，居民储蓄率低、超前消费，整个国家负债过高，产生了全球性的风险，而且由世界所分担。

首先一方面是美国金融霸权权力过大。现在美国经济实力并不占超过半数意义上的绝对优势，GDP占全球23%左右，但它用1/4的经济实力，撬动了2/3的金融资源，美国控制了主要国际金融组织，美元充当了世界主要储备货币。所以，美元既是美国的货币，又是世界的货币；美联储既是美国的中央银行，也是世界的中央银行。金融霸权集中体现为货币发行的权力，由此攫取铸币税的权力。

另一方面是美国金融霸权义务过少。霸权义务主要体现为货币监管，保持币值稳定，提供一个相对稳定的国际货币环境。由于美元不再与黄金挂钩，美国动辄就通过滥发美元的方式来解决其国内问题，造成美元泛滥、贬值，全球资产遭受损失，全球财富向美国再分配。美联储却不会由于疏于监管而向全世界承担责任，也不需要向世界各国资产发生的损失予以“补偿”。

二、动荡不休的债务风暴

综观近现代世界历史，重大的金融事件往往会产生较为广泛的国际影响。这次发端于美国的国际金融危机对世界经济增长、国际金融市场、全球经济治理模式持续造成重大冲击，其深远影响还在进一步显现之中。

总体看，金融危机导致世界经济进入调整期，长远表现为世界经济分工格局的调整。虽然亚洲国家依靠“世界工厂”、资源国家依靠出口能源迅速发展起来，但是，美国凭借制度和技术优势垄断着研发核心地位，依然是控制力最强的经济制高点。危机发生后，美国可能被迫释放出部分战略资源的控制权和市场控制权，长远看来，其他国家可能会提升世界分工中的链条地位，甚至趁机抢占一些高端地盘。调整期更直接的是表现为世界经济增长速度的下降。自“9・11”以来，世界经济经过短暂调整后，GDP增长经历了20世纪70年代之后最强劲的一个增长期。本轮全球经济的强劲扩张周期呈现出全球普遍增长、全球经济失衡、高增长伴随低通胀、资产泡沫严重等重要特征。以金融危机为标志，本轮世界经济增长已经进入调整期，预计全球经济放缓，风光不再。

金融危机对世界经济的一个重要影响是，债务危机的隐患迅速膨胀。面对金融危机带来的消费和投资增长乏力，发达经济体纷纷采取量化宽松货币政策，导致财政赤字和主权债务大幅上升，达到了前所未有的高度。国际货币基金组织预测，发达国家公共债务占其国内生产总值的比重将在2011年首次突破100%，到2016年进一步上升到107%，其中美国、欧元区和日本分别达到112%、86%和250%。发达经济体的巨额债务已成了严重阻碍世界经济复苏的绊脚石。发达国家过度举债不仅未能拉动需求和提升就业，反而容易陷入“以债养债”的恶性循环。未来一段时间，主权债务风险将是发达国家挥之不去的梦魇。

2009年末以来，欧洲主权债务危机成为各方关注的焦点。此次欧洲债务危机的导火索是2009年12月全球三大评级公司将希腊主权评级下调。这一举措直接导致希腊陷入财政危机，由此引发欧洲的爱尔兰、葡萄牙等国相继爆发债务危机。2010年欧元区各主要国家债务与GDP比值，都远超当初设定的60%警戒线，有关数据如下：希腊124.9%，意大利116.7%，比利时101.2%，欧洲平均值84%，爱尔兰82.9%，法国82.5%，德国76.6%，奥地利73.9%，马耳他70.9%，西班牙66.9%，荷兰65.6%。虽然2011年欧元区财政赤字水平总体缩小，但是，除德国以外，其他欧元区成员国家的公共债务将继续增加。例如，截至2011年10月，希腊公共债务总额达到3472亿欧元，占其国内生产总值的159.1%。欧盟委员会2011年9月12日公布的公共财政报告预测，到2012年欧盟公共债务占国内生产总值的比重将达到83.3%，比2007年的水平高出约20个百分点。2012年是欧元区国家债务到期高峰期，葡萄牙、意大利、爱尔兰、希腊、西班牙五国债务到期规模将达到4061亿欧元，而五国长期债务合计高达4万亿欧元（其中欧盟第三大经济体意大利就有1.9万亿欧元）。如果欧元区主权债务危机仍将持续演变，其对世界经济和国际金融市场造成的冲击是可见一斑的。

欧元区债务危机还没有缓解，美国债务危机又唱起主角。欧债危机发酵的背后，不景气的经济数据也为美元甚至美国埋下定时炸弹。美国财政部数据显示，美国联邦政府到2011年5月16日已经突破14.29万亿美元的法定举债上限（以联邦公共债务14.29万亿美元计算，美国人口3.087亿，平均每个美国人负债约4.6万美元）。虽然后来美国国会两党达成协议同意提高债务上限2.4万亿美元，未来十年削减赤字1万亿美元，但是美国债务违约风险并未完全消除。与此同时，美国对外负债余额也在不断增长。2010年末，美国对外金融总资产、对外金融总负债和对外金融净负债均居世界第一位，分别达到了20.32万亿美元、22.79万亿美元和2.47万亿美元。作为世界最大经济体，美国债务违约对世界经济的冲击之大，远非欧洲主权债务危机所能比肩。

欧债危机的深化以及美债危机的发酵，使更多的投资者失去信心。欧债危机、美国经济疲软成为美联社“2011年年度商业新闻”的第一名和第二名。在债务危机阴云的笼罩下，欧美社会对经济萧条的恐惧之感以及极度缺乏信心，体现在罢工人群的呐喊声中。为了赢得欧盟和IMF的援助，希腊政府在2011年一年内进行了至少7轮紧缩，但同时也迎来了至少7轮全国性的大罢工。2011年11月30日，英国爆发了公营部门持续24小时的大罢工，超过200万人参与此次罢工，游行示威超1000起。据经济之声《天下财经》2012年1月30日的报道，欧盟统计机构的数据显示，欧元区17国失业人口已创纪录地达到1630万。在西班牙，有51.4%的16—24岁的青少年没有工作，希腊达43%，意大利为28%。2011年9月17日，美国民众发起了名为“占领华尔街”的和平示威活动。令人难以想象的是，始于华尔街的针对经济不平等性的抗议活动，从一场充斥愤怒的集会，很快成为一股席卷全球的风潮。在短短一个月内，“占领华尔街”运动演变成波及4大洲、82个国家、1500多个城市同步响应的全球性民众抗议活动。作为一场没有领袖的社会运动，“占领华尔街”是2008年金融危机和随之而来的债务危机的产物，是当前全球经济失衡的一个体现。

在欧美债务危机的夹击下，全球经济何去何从？更多的经济学者认为，从目前情况来看，虽然债务危机将是发达经济体长期面临的问题，但是只要有关国家能够积极携手有效应对，世界经济还是能够避免“二次探底”。此次债务危机不同于2008年金融危机。前者是政府债台高筑，后者则是消费者无力偿还债务。由于国家主权债务影响比次贷危机更具全球性，因此国际性和区域性金融组织在金融危机预警和救助方面能够发挥更加重要的作用。2011年5月，欧盟领导人同意通过一个仅限欧元区内的条约来筹建欧洲稳定机制。同年9月，德国国会批准扩大欧洲金融稳定机制的权限。这使德国成了欧元区17个国家当中，第11个赞同扩大该机制的国家——既同意给予拥有4400亿欧元（约7748亿新元）的机制更多基金，同时赋予它更多权限，如向有债务危机国家购买国债。总体看来，欧洲主权债务危机不会继续恶化，世界经济不太可能再次跌入低谷。

三、国际货币体系的改革

经济因素是决定国际货币体系的性质及其演变的基本因素，长远看来，国家之间经济实力对比发生变化，国际货币体系就会相应发生变化。但“国际制度不会彻底崩溃，它们很快得以重建，以适应经济和科技状况”；“国家间的权力发生变化，构成国际机制的规则随即发生变化”。[①]

（一）国际货币基金组织（IMF）在2008年国际金融危机中的作用

金融危机爆发以后，IMF对诸多国家积极施以援手。在IMF的救援历史实践中，救援方案的具体手段通常表现在要求受援国关闭没有清偿力的金融机构，使其被强有力的机构吸收，加强金融监管的制度建设，实施贷款分类和资本充足率标准，引进国际通行的会计程序及信息披露规则，引入存款保险制度，限制外币暴露头寸等；同时促进公司治理结构的改善，增强公司经营财务状况的透明度，对公司的本、外币债务进行重组，关闭资不抵债的企业，引入和加强破产法和市场退出机制，按照市场机制确定公共产品的价格等。由于IMF方案涉及金融部门重组、公司治理结构完善、社会保障体系完善、国内经济领域全面开放等各个方面，向IMF求援实质上是把本国经济事务置于IMF托管之下，这无疑形成对一国经济主权的现实挑战。

在本次金融危机中，IMF所实施的救援行动表现出了一些新特点。按照IMF正常贷款方式规定，IMF一般只向经济处于严重动荡的国家提供援助而且附加苛刻条件，比如按照IMF的要求调整国内政策，最高贷款额度一般也只是其向IMF缴款份额的3倍。但此次条件放宽了许多。首先，紧急贷款方案只适用于拥有良好记录的国家。其次，最高贷款金额为该国向IMF缴款份额的5倍。还款期为一年，利率约4％。再次，此次短期贷款项目并没有苛刻的附加条件，符合条件并选择申请贷款的国家将不会受到苛刻条件的约束。

在对巴基斯坦进行救援时，要求提高利率、紧缩财政开支，要求乌克兰减少经常项目赤字，要求匈牙利收紧财政等。但总体而言，IMF这一轮救援行动的附件条件并不算过于苛刻，在缓解被救援国经济困境的同时并未给被救援国带来沉重压力。

---

① ［美］罗伯特·基欧汉、约瑟夫·奈：《权力与相互依赖》（第三版），门洪华译，北京大学出版社2002年版，第41页、44页。

这些新特点背后有特定的动因。首先，形势所迫。全球经济危机形势在加剧恶化，IMF 当务之急即是尽快采取措施恢复市场信心；其次，与1997 年亚洲金融危机和此前的拉美金融危机不同，此次危机首先在发达国家爆发，然后波及全球。而亚洲金融危机时发达国家并未明显受损。因此，IMF 并不会如以往专门针对发展中国家提出各类苛刻条件；再次，此次 IMF 选择经济基本面较好的新兴市场国家采取救助行动，在一定程度上也是出于财力有限的考虑。

短期看来，IMF 的救援起到了一定的效果。短期内被救援国偿债能力增强，有助于其应对金融危机，并采取一系列措施来促进本国经济发展。但从中长期看来，IMF 的援助效力持续性有限，更多还是要依靠本国经济发展的内生力量来扭转困局。

（二）现行国际货币金融体系的弊端

准确讲，国际货币金融体系由国际货币体系、国际金融组织体系和国际金融监管体系组成。现行国际货币和金融体系的弊端主要体现在以下几个方面：

第一，美元在现行国际货币体系中的垄断与霸权地位。布雷顿森林体系初建之时，美国的经济实力，无论是以 GDP 还是进出口贸易或者以黄金储备等指标衡量，在世界上都处于绝对垄断地位，从而奠定了美元在国际货币体系中的垄断和霸权地位。然而，经过 60 多年的发展，现在美国实体经济在全球中的比重已大幅度下降，但美元依然占据着在国际货币体系中的垄断和霸权地位。这种垄断霸权地位使得全球流动性的松紧基本操持在美联储手中。在世界主要中央银行中，货币政策的目标绝大多数是单一的，即物价稳定，而美联储仍实行多目标制，包括经济增长、充分就业和物价稳定等。从历史上看，经济增长具有内在的周期性特征，美联储货币政策也是周期性地放松和收紧，导致美元周期性地贬值和升值，而在每一轮美元升贬的周期中，总会伴随着或大或小的金融危机。

第二，现行国际货币金融组织体系由少数国家（G7）居于主导地位，既与当前各国在世界经济中的地位不相称，又缺乏对储备货币发行国行为的制衡机制，造成现行国际金融组织的决策难以反映大多数成员的利益。以 IMF 为例，其存在的问题主要包括：其一，决策的独立性和权威性受到挑战，制约了其作用的有效发挥。其二，过多地强调对发展中国家和新兴市场国家进行监督，而对重要发达国家的监督缺乏有效性，所以不能对系统性风险进行及时的预警和有效应对。这种歧视性的监督也导致了 IMF 与少数成员国之间一定程度的对立关系。其三，因其决策受少数大国控制以及缺少必要的资源和融资手段，故不能扮演国际最终贷款人角色，使国际货币金融体系缺少最后的保障——全球最终贷款人。

第三，国际金融监管体系存在严重缺失，金融机构经营活动的全球化与金融监管的国别化之间的矛盾日益尖锐。一方面，金融全球化、自由化和混业经营客观上需要全球有统一的监管标准和监管机构，以防止监管套利。另一方面，金融业一向被认为是一国经济的命脉，金融监管权力又是各国经济和金融主权的一个组成部分，所以现实中对金融业的监管都是由母国自主监管来进行，尚未建立有效的国际金融监管体系。现有的国际金融监管组织和论坛都存在一些难以克服的缺陷，不能担当全球监管者的重任。

（三）国际货币金融体系改革的方向和目标

这次金融危机提供了一个对国际货币金融体系进行改革的机会。危机虽然重创了美欧金融机构和它们的整体金融实力，但全球经济政治和金融实力的版图并未因此而发生根本性变化，所以不能寄希望在短期内对现行国际货币与金融体系进行根本性的改革，改革方向比较现实的可能是进行局部改良。总体目标应该是：推动持续改革，实现各国在国际货币和金融事务中权利与义务的均衡；坚持广泛参与，实现各国在国际经济和金融规则制定中权利的平等。在此基础上，围绕国际货币金融体系的各个组成部分，制定近期目标和长远目标，最终建立一个公平、公正、包容、有序的国际货币金融体系。

关于国际货币体系改革，近期目标是打破美元的垄断地位，推动实现国际货币的多元化；长远目标应该是建立一个统一的货币，这种货币应具有像黄金一样价值稳定的特点，其供给机制又能够满足全球经济和贸易增长的需要。

从近期看，美元的地位还没有任何货币可以替代，但这次金融危机对实现国际货币多元化将产生推动作用。国际货币多元化的好处是有可能在多元货币间建立合理有序的竞争机制，以市场选择的方式对这些国际货币发行国的政策形成约束。目前货币多元化的主要障碍是没有第三极货币，不能形成国际货币的竞争格局。日元、英镑和瑞士法郎等从其发展趋势看，都无法扮演与美元、欧元竞争的角色。对此，一个可以考虑的替代方案是，借鉴当年欧洲货币单位在政府债券市场和私人债券市场发展的经验和教训，研究改革特别提款权（SDR）的分配与发行规则，扩大其规模和使用范围，使其逐渐成为国际货币的一极。在这方面，应推动国际货币基金组织有所作为。

与此同时，应多途径推动人民币成为国际货币的一极。具体包括：第一，通过人民币区域化积聚竞争实力，迂回实现国际货币的目标。在中国资本账户还没有完全开放的制度约束下，应充分发挥香港国际金融中心的优势，抓紧将其建成人民币离岸金融中心，全面开展各类人民币资产负债业务及中间业务，培育和扩展境外人民币的供给和需求因素。第二，在人民币经常账户可兑换框架下，借鉴第二次世界大战后欧洲清算联盟的相关经验，由人民银行与有关国家中央银行签署双边协议，允许有关国家中央银行在人民银行开立人民币账户，在双边经常账户余额限度内进行人民币的买卖和与储备管理相关的投资活动，推动人民币在国际贸易和国际储备中的使用。第三，创造条件，推动人民币成为SDR篮子货币之一。人民币一旦成为SDR篮子货币之一，就意味着占据了其成为国际货币一极的制高点。

关于国际货币金融组织体系的改革，近期目标应该是打破G7的统治地位，改善国际金融组织的治理结构，提高透明度。长期目标应该是使国际货币基金组织成为最后贷款人，负责全球统一货币的发行和管理。

以国际货币基金组织为例，近期可从以下几个方面对其进行改革：第一，加快IMF的治理结构改革，重点是改革高层管理人员的产生机制，建立部长级的高层决策委员会，完善执行董事会和管理层的分工等。第二，更深地理解和参与IMF的决策和运行，推动以公平择优为原则选择管理层，向IMF输送更多、更专业和更具水平的人才，积极参与IMF的各项事务。第三，加强IMF监督的有效性和针对性，建立按国别分类的监督框架。对系统重要性的国家，重点监督其宏观经济政策的稳定性和外部溢出效应。对非系统重要性国家，重点监督其宏观经济政策的有效性和经济金融稳定性。第四，推动IMF扩大SDR的发行和使用，并为SDR在私人资本市场上的交易提供必要的支付结算等技术上的保障。

关于国际金融监管体系改革，近期目标应该是在扩大和深化国际合作的基础上加强母国监管。长期目标应该是建立统一的人市标准和资本要求，建立有全球性权威的单一或联合监管机构。

金融稳定论坛、巴塞尔委员会、国际证监会组织（IOSCO）等已经从各自专业领域提出了很多改进和加强金融监管的建议，各国监管部门应结合本国金融发展水平和金融机构状况研究和适当采纳这些建议，加强母国监管。从国际合作和制度建设角度，近期可从以下方面推动国际金融监管体系的改革：一是应尽快扩大和提高巴塞尔委员会、金融稳定论坛以及其他国际金融监管领域的专业性组织或委员会（如国际证监会组织等）的成员构成和代表性。二是按照“共同制定和共同实施”和“适当兼顾差异”的原则，重新修改制定有关国际标准和准则，增强其内容的普适性，促进实施的自觉性。可考虑按照金融机构国际化的程度分类建立不同的资本充足率标准等。三是成立联合机构（或赋予现有机构如巴塞尔委员会或金融稳定论坛相应的权力），加强对全球系统重要性金融机构、衍生金融产品市场、信贷评级机构、对冲基金行业以及国际金融中心的监督，在此基础上将母国监管与全球监管结合在一起。

（四）关于G20在全球金融治理中的作用

金融危机爆发以来，G20机制发挥了很大的作用，但各国步调始终也不一致。危机爆发之初，G20财长会议于2008年11月8日在巴西圣保罗召开。在有关国际货币基金组织改革问题上，不仅发达国家和新兴国家之间意见不一，而且在加强监管的具体方式上，欧盟与美国之间也存在意见分歧。欧盟主张，为强化国际货币基金组织的监管功能，需要创设新的监管机构，建立国际大银行的国际监管委员会。但美国不仅对此持保留态度，而且对大规模加强监管的主张本身就持消极态度。

随后G20领导人峰会在美国首都华盛顿举行。会议通过的《华盛顿声明》强调，在世界经济和国际金融市场面临严重挑战之际，与会国家决心加强合作，努力恢复全球增长，实现世界金融体系的必要改革。市场原则、开放的贸易和投资体系、得到有效监管的金融市场是确保经济发展、就业和减贫的基本因素。宏观经济政策缺乏连贯性、市场参与者过度追逐高收益、缺乏风险评估和履行相应责任、经济结构改革不充分等是本次金融危机的主要根源。

各国会前就有分歧：法国强烈希望改革现有的金融监管体系，中国也提出改革国际金融体系，加强全球金融监管；欧洲其他国家也曾提出建立新的布雷顿森林体系。作为东道主的美国，则希望在现有体系之下进行改良，重点则放在保护自由市场的原则、开放投资体系等方面。峰会是否成功的核心在于，能否挑战美国在全球金融体系中的地位，对美国无限度地扩张信用有所约束。从《华盛顿声明》来看，会议并没有充分讨论重构国际货币金融体系，基本上还是在美国希望的框架之内达成了一些全球协作的意向。比如，美国强调的市场原则、开放的贸易和投资体系，在声明中占有最重要的位置。关于对金融市场进行有效监管，峰会仅仅达成了一致意向，推出新的国际金融监管体系和监管标准暂时已不太可能。

随着经济逐渐复苏，各国更加难以协调一致，“共患难易、同富贵难”。可以预见的是，G20依然是发达国家主导的平台，美元将继续充当世界货币，浮动汇率继续实行；但储备货币多极化将进一步发展，美元作为主要储备货币权责趋于对称，各国之间合作与协调进一步加强。

四、国际金融格局及其展望

不可兑换的美元加上浮动汇率所构成的运行框架并不稳定，金融危机发生后，对国际货币金融体系进行改革的声音不绝于耳，但可以预见的是，国际货币金融体系近期不会根本改变，国际金融格局不会根本调整。

（一）布雷顿森林体系及其没落

1. 历史作用

布雷顿森林体系主要内容包括：一是美元与黄金挂钩，二是其他国家的货币与美元挂钩，三是实行可调整的固定汇率制，四是通过IMF调节国际收支。布雷顿森林体系实际上是一种国际金汇兑本位制，又称美元一黄金本位制。影响布雷顿森林协议实施的主要因素，不仅包括经济因素，而且包括冷战这个政治因素。

一是暂时结束了战前货币金融领域里的混乱局面，维持了战后世界货币体系的正常运转。固定汇率制是布雷顿森林体系的支柱之一，但它不同于金本位下汇率的相对稳定。在典型的金本位下，金币不仅本身具有一定的含金量，可以自由铸造，而且黄金可以自由输出输入，所以汇价的波动受到黄金点制约，波动界限是狭隘的。第一次世界大战后，各国通货膨胀严重，金市的自由兑换和黄金的自由移动受到阻碍，金本位制陷入严重危机。1929—1933年的资本主义世界经济危机引起了货币制度危机，导致金本位制崩溃，使世界的货币金融关系失去了统一的标准和基础，它是世界货币体系的第一次危机。各国先后组成了相互对立的货币集团，加强外汇管制，实行外汇倾销，进行激烈的货币战，国际货币金融关系呈现出一片混乱局面。而以美元为中心的布雷顿森林体系的建立，则使国际货币金融关系又有了统一的标准和基础，混乱局面暂时得以稳定。

二是在相对稳定的情况下扩大了世界贸易。美国以其丰富的黄金储备为背景，通过赠与、信贷、购买外国商品和劳务等形式，向世界散发了大量美元，客观上起到扩大世界购买力的作用。同时，固定汇率制在很大程度上消除了由于汇率波动而引起的动荡，在一定程度上稳定了主要国家的货币汇率，这有利于国际贸易的发展。据统计，世界出口贸易总额年平均增长率，1948—1960年为6.8%，1960—1965年为7.9%，1965—1970年为11%；世界出口贸易年平均增长率，1948—1976年为7.7%，而战前的1913—1938年，平均每年只增长0.7%。国际货币基金组织要求成员国取消外汇管制，也有利于国际贸易和国际金融的发展，因为它可以使国际贸易和国际金融在实务中减少许多干扰或障碍。

三是国际货币基金组织和世界银行的活动对世界经济的恢复和发展起了一定的积极作用。一方面，国际货币基金组织提供的短期贷款暂时缓和了国际收支危机。战后初期，许多国家由于黄金外汇储备枯竭，纷纷实行货币贬值，造成国际收支困难，而国际货币基金组织的贷款不同程度地解决了这一难题。1947—1969年，国际货币基金组织贷款总额为202亿特别提款权。另一方面，世界银行提供和组织的长期贷款和投资不同程度地解决了会员国战后恢复和发展经济的资金需要。世界银行成立初期，贷款也主要集中于欧洲国家，总数约5亿美元。后来，世界银行的贷款方向主要转向发展中国家，以解决开发资金的需要。

2. 缺陷及其崩溃

布雷顿森林体系运转之后，一方面各国政府有相当大的自由去确定和实施其国内经济目标，另一方面又防止了各国为了一国获利使货币竞相贬值的混乱局面，即使一国陷入危机，国际货币基金组织又会提供援助。所以有人为之欢呼说，布雷顿森林体系已经使“国家和市场成功地结合成一体了”。[①] 但后来运行结果却证明远非如此。

美国对布雷顿森林体系有两个基本的责任：第一，要保证美国按固定官价兑换黄金，维持各国对美元的信心；第二，要提供足够的国际清偿力即美元。然而信心和清偿力是有矛盾的，美元供应太多就会有不能兑换黄金的危险，从而发生信心问题；而美元太少则又会发生清偿力不足的问

① ［美］罗伯特·吉尔平：《国际关系政治经济学》，杨宇光译，上海世纪出版集团2006年版，第155页。

题。它表明要满足世界经济和国际贸易增长的需要，国际储备必须有相应的增长，而这必须由储备货币的供应国——美国的国际收支赤字才行。但是各国手中持有的美元数量越多，则对美元与黄金之间的兑换关系越缺乏信心，并且越要将美元兑换成黄金。这个矛盾终将使布雷顿森林体系无法维持。20世纪60年代，美国国际收支存在逆差，各国信心下降，大规模抛售美元，抢购黄金。但美国的短期债务已经超过黄金储备额，美元信用基础发生动摇。

这就是所谓的“特里芬难题”，即布雷顿森林体系下美元所处的两难困境。20世纪50年代美国经济学家罗伯特·特里芬对布雷顿森林体系研究后指出，以美元为中心的体系必将崩溃，因为美元同时承担了相互矛盾的双重职能：为世界经济增长和国际贸易发展提供清偿能力；维持美元的币信，保持美元同黄金的汇兑比例。为了满足各国对美元储备的需要，美国只能通过对外负债形式提供美元，即国际收支持续逆差，而长期逆差将导致国际清偿力过剩、美元贬值，无法维系对黄金的官价；如果要保证美元币值稳定，美国就必须保持国际收支顺差，这又将导致美元供应不足，国际清偿手段匮乏。

其实布雷顿森林体系还有另一个固有的制度性缺陷，即“n－1效应”。即由于世界各国货币都选择了钉住美元，美元作为该体系的第n种货币——本位货币，失去了运用支出转换政策调整国际收支的能力。即，只有其他n－1国家同意将其货币在新的水平上钉住美元，美元的汇率变动才会有效。

此外，由于美元的特殊地位，美国可以利用美元负债来弥补其国际收支赤字，从而使持有美元储备的国家的实际资产资源向美国转移。这种现象称之为“铸币税”或货币发行利益，即货币面值与造币费用之间的差额。因此，面对持续性的国际收支赤字，美国绝对不会像其他国家那样必须为此付出调整国内经济的代价。所以，布雷顿森林体系的瓦解，也是美国滥用这一体系为自己的政治经济利益服务的结果。等到体系的作用完全发挥完毕，美元已经充斥到世界各个角落，回流美国的铸币税盆满钵溢，

“美国一手炮制的布雷顿森林体系的衰落也是根据美国的意愿”。[①]

(二) 牙买加会议之后

布雷顿森林体系崩溃以后，国际金融秩序又复动荡。直至1976年1月，国际货币基金组织理事会“国际货币制度临时委员会”在牙买加首都金斯敦举行会议，讨论国际货币基金协定的条款，经过激烈的争论，签订达成了“牙买加协议”。同年4月，国际货币基金组织理事会通过了《IMF协定第二修正案》，从而形成了新的国际货币体系。

1. 主要内容

一是实行浮动汇率制度的改革。牙买加协议正式确认了浮动汇率制的合法化，承认固定汇率制与浮动汇率制并存的局面，成员国可自由选择汇率制度。同时IMF继续对各国货币汇率政策实行严格监督，并协调成员国的经济政策，促进金融稳定，缩小汇率波动范围。

二是推行黄金非货币化。协议作出了逐步使黄金退出国际货币的决定。并规定：废除黄金条款，取消黄金官价，成员国中央银行可按市价自由进行黄金交易；取消成员国相互之间以及成员国与IMF之间须用黄金清算债权债务的规定，IMF逐步处理其持有的黄金。

三是增强特别提款权的作用。主要是提高特别提款权的国际储备地位，扩大其在IMF一般业务中的使用范围，并适时修订特别提款权的有关条款。

四是增加成员国基金份额。成员国的基金份额从原来的292亿特别提款权增加至390亿特别提款权，增幅达33.6%。

五是扩大信贷额度，以增加对发展中国家的融资。

2. 实施途径

一是储备货币多元化。与布雷顿森林体系下国际储备结构单一、美元地位十分突出的情形相比，在牙买加体系下，国际储备呈现多元化局面，

---

① [英] 苏珊·斯特兰奇：《赌场资本主义》，李红梅译，社会科学文献出版社2000年版，第4页。

美元虽然仍是主导的国际货币，但地位明显削弱了，由美元垄断外汇储备的情形不复存在。西德马克（现德国马克）、日元随两国经济的恢复发展脱颖而出，成为重要的国际储备货币。目前，国际储备货币已日趋多元化，ECU也被欧元所取代，欧元将来可能成为与美元相抗衡的新的国际储备货币。

二是汇率安排多样化。在牙买加体系下，浮动汇率制与固定汇率制并存。一般而言，发达工业国家多数采取单独浮动或联合浮动，但有的也采取钉住自选的货币篮子。对发展中国家而言，多数是钉住某种国际货币或货币篮子，单独浮动的很少。不同汇率制度各有优劣，浮动汇率制度可以为国内经济政策提供更大的活动空间与独立性，而固定汇率制则减少了本国企业可能面临的汇率风险，方便生产与核算。各国可根据自身的经济实力、开放程度、经济结构等一系列相关因素去权衡得失利弊。

三是多种渠道调节国际收支，主要包括：第一，运用国内经济政策，改变国内的需求与供给，从而消除国际收支不平衡。比如在资本项目逆差的情况下，可提高利率，减少货币发行，以此吸引外资流入，弥补缺口。第二，运用汇率政策，经常项目赤字时，本币趋于下跌，出口竞争力增加，项目赤字减少或消失。相反，在经常项目顺差时，本币币值上升会削弱进出口商品的竞争力，从而减少经常项目的顺差。第三，国际融资，IMF的贷款能力有所提高，更重要的是，伴随石油危机的爆发和欧洲货币市场的迅猛发展，各国逐渐转向欧洲货币市场，利用该市场比较优惠的贷款条件融通资金，调节国际收支中的顺逆差。第四，加强国际协调，以IMF为桥梁，各国政府通过磋商，就国际金融问题达成共识与谅解，共同维护国际金融形势的稳定与繁荣；七国首脑会议合力干预国际金融市场，主观上是为了各自的利益，但客观上也促进了国际金融与经济的稳定与发展。

3. 作用评价

牙买加体系开创了货币体系的新时代。浮动汇率制度的广泛实行，使各国政府有了解决国际收支不平衡的重要手段，即汇率变动手段；各国采取不同的浮动形式，欧盟是联合浮动，日元是单独浮动，还有众多的国家是盯住浮动，这使国际货币体系变得复杂而难以控制；各国央行对汇率实行干预制度；特别提款权作为国际储备资产和记帐单位的作用大大加强；美元仍然是重要的国际储备资产，而黄金作为储备资产的作用大大削减，各国货币价值也基本上与黄金脱钩。

牙买加体系的积极作用，一是多元化的储备结构摆脱了布雷顿森林体系下各国货币间的僵硬关系，为国际经济提供了多种清偿货币，在较大程度上解决了储备货币供不应求的矛盾。二是多样化的汇率安排适应了多样化的、不同发展水平的各国经济，为各国维持经济发展与稳定提供了灵活性与独立性，同时有助于保持国内经济政策的连续性与稳定性。三是多种渠道并行，使国际收支的调节更为有效与及时。

牙买加体系的缺陷也是非常明显的。一是在多元化国际储备格局下，储备货币发行国仍享有“铸币税”等多种好处。同时，在多元化国际储备下，缺乏统一的稳定的货币标准，这本身就可能造成国际金融的不稳定。二是汇率大起大落，变动不定，汇率体系极不稳定。这就增大了外汇风险，从而在一定程度上抑制了国际贸易与国际投资活动，对发展中国家而言，这种负面影响尤为突出。三是国际收支调节机制并不健全，各种现有的渠道都有各自的局限，牙买加体系并没有消除全球性的国际收支失衡问题。

总之，美元与黄金脱钩和各国实行浮动汇率制，标志着世界货币彻底虚拟化。当前，流动性由衍生品支撑，各国央行无法控制；汇率由交易决定，不再由主权国家决定；主权基金和私人资本主导的资金流动的冲击下，市场有效性不复存在。浮动汇率是金融衍生工具市场的温床；同时衍生工具也是调整各国汇率的市场机制。如果说在布雷顿森林体系下，国际金融危机是偶然的、局部的，那么，在牙买加体系下，国际金融危机就成为经常的、全面的和影响深远的。所以，也有人认为现有的国际货币体系只是一种过渡性的不健全的体系，需要进行彻底的改革。

（三）危机之后的国际格局

本次危机到底对美国的杀伤力有多大？20世纪70年代后，虽然美国金融危机不断，泡沫连连，但总体上美国是在“带沫生存”，得大于失，增长率比较平稳，而且比较快。危机之后美国霸权的走向，目前主要有三种观点。

第一种观点是美国将迅速衰落。认为美国军事上“过度扩张”，经济上“过度消费”，可以得出结论，美国霸权已经透支，所以美国将会迅速衰落。比如美国用世界1/4的经济实力，撬动了全球2/3的金融资源，是否过分？美元地位需要降低到与之相称的1/4左右。

第二种观点是美国将再上一层。认为不能被美国战略表象所蒙蔽，危机之前，占领制高点，保证“质”，而放弃“量”，即保证高端产品、核心技术的生产，而放弃了大量一般加工业产品。前者由美国生产，但它又不愿出口；后者由亚洲国家生产，却又大量进口，所以才导致了贸易逆差。危机之后，在救市的过程中，又利用危机打击对手，自伤八百，损敌一千。所以危机之后，美国可能通过制度改进与技术创新顺势走出经济困境，各国摆脱美国霸权更加任重道远。

前两种观点都有一定的道理。美国霸权衰落是一个趋势，但目前其制度、技术、实力尤在，衰落不会那么快。美国战略相对比较成熟，但也不至于每次都是未卜先知、或者“蓄意阴谋”，再次全面复兴的可能也不大。而新兴市场国家迅速崛起，地位持续上升，将会拥有越来越多的话语权。所以，国际货币金融体系近期不会根本改变，国际金融格局不会发生大的调整。

G20虽然发挥了很大的作用，新兴市场国家地位有所上升，但依然是在发达国家主导之下。有人认为，由20国集团而不是8国集团来决定金融危机的应对，标志着开创了新纪元。如果新纪元理解为国际格局的新纪元，这种观点还是言之过早，操之过急了。

第七章 复杂多元的国际核不扩散进程

7

◎ 孙东方

核不扩散与全球核安全是当前国际政治领域的重大问题，直接关系到世界的和平与发展。第二次世界大战后，在世界各国人民反对战争、要求和平的强大潮流的推动下，核不扩散与核安全问题的解决取得了一定的进展，达成了一系列的条约与协议，极大地改善了全球核安全状况。但与此同时，由于经济、政治、文化、安全等因素的制约，该领域仍面临着许多的问题和挑战。《不扩散核武器条约》生效四十多年来，核不扩散依然成为国际社会关注的焦点，人们对全球核安全的担心和忧虑仍无明显改善。甚至，有舆论认为，核热点层出不穷，使得全球范围内的核安全威胁呈现与日俱增之势。

一、国际核不扩散进程的历史回顾

（一）冷战时期美苏核军控谈判

冷战时期，美苏两个超级大国为争夺全球霸权，展开了人类历史上最大规模的核军备竞赛。在近半个世纪的激烈竞争中，双方投入了数万亿美元的资金，发展了从地面到海洋、从空中到空间的庞大的核武器系统，其总威力已经达到可以相互摧毁若干次的程度，成为对世界和平与安全的最大威胁。

冷战时期，美苏核军控谈判同它们之间的核军备竞赛一样，经历了旷日持久的过程。美苏核军控谈判与核军备竞赛是对立统一的一对矛盾，二者既相互排斥，又相互作用，共同为美苏各自的国家安全目标服务。美苏核军控谈判大致经历了五个发展阶段：

第一阶段：垄断与反垄断阶段（1945－1949 年）。这一时期，美国独家垄断着核武器，并试图保持其核垄断地位，苏联则针锋相对，力图打破美国的核垄断。美苏虽尚未开始正式的核军控谈判，但在联合国原子能委员会范围内进行了第一次交锋。

为了维护核垄断地位，美国代表巴鲁克于 1946 年 6 月 14 日在联合国原子能委员会第一次会议上提出了一项建议，即“巴鲁克计划”，要求先对各国原子能的发展、利用进行国际管制，然后再处理现存核武器。这明显有利于美国保持核垄断地位，而不能确保销毁现存核武器。对此，苏联断然拒绝。1946 年 6 月 18 日，苏联代表葛罗米柯提出了一项反建议，即“葛罗米柯计划”。此后，美苏两国围绕“巴鲁克计划”和“葛罗米柯计划”进行了激烈的争论。双方争论的焦点是：苏联主张先禁止和销毁原子武器，然后再对和平利用核能活动进行国际管制。美国则要求先对所有国家的原子能研究、开发和生产进行有效的国际监督和管理，然后再销毁美国的核武器。由于美苏对上述问题的观点尖锐对立，会谈毫无进展。1949 年初苏联退出了联合国原子能委员会。同年 8 月，苏联爆炸了第一颗原子弹，从而打破了美国的核垄断。

第二阶段：争取核均势（20 世纪 50 年代初－20 世纪 50 年代末）。这一时期，美苏都倾其全力发展自身的核力量，而美国仍然处于绝对的核优势地位。正是凭借这种优势地位，美国一再对苏联和其他社会主义国家进行核讹诈。在整个 20 世纪 50 年代，美国推行“大规模报复”战略。该战略的作战设想是：依靠一支庞大的战略报复力量，用美国选择的武器，在美国选择的地方进行报复。要么不打，要打就是全球核大战。美苏在战略核武器力量对比上形成 1049 件比 340 件的态势，美国处于全面领先的地位。

这一时期，美苏核军控谈判主要在联合国裁军委员会范围内进行，但双方针锋相对，没有就核军控问题达成任何协议。其原因主要在于，美苏核力量对比悬殊。美国力求通过核军控谈判来维持美苏战略力量的不平衡关系，苏联则企图通过核军控谈判削弱美国的核优势。但到50年代后期，随着核军控谈判的不断深入，美苏开始从空泛的议论发展到讨论一些现实问题，从而为以后美苏达成某些核军控协议打下了一定的基础。①

第三阶段：部分核军控阶段（20世纪60年代初－20世纪60年代末）。这一时期，美苏双方开始大量生产和部署洲际导弹，都具备了对另一方进行大规模核攻击的能力，双方相互进行核威慑的局面逐步形成。美国开始收敛核讹诈态度，以“灵活反应”战略取代“大规模报复”战略。苏联则开始实行火箭核战略，强调在未来战争中火箭核武器将起到决定性作用。②与此同时，国际战略格局发生变动，中苏关系恶化，美苏关系缓和，中法等国发展自己的核力量。在这种背景下，美苏核军控谈判取得一定进展，以减少美苏间爆发核战争的危险，同时阻止其他国家进行核试验和拥有核武器，其内容主要包括：一是限制核试验，防止核扩散。如1963年7月美、苏、英三国签署《部分禁止核试验条约》，1968年7月美苏共同签署《不扩散核武器条约》。二是为美苏核军备竞赛制定某些规则。如美苏等12个国家签署《南极条约》，第21届联合国大会通过《关于各国探索及利用包括月球和其他天体在内的外层空间的原则条约》。三是为减少美苏间爆发核战争签定的军控条约。如1963年6月美苏在日内瓦签署《美苏关于建立直接联系的谅解备忘录》。

应该说，这一时期，美苏核军控谈判达成的协议、条约对于核不扩散、限制核试验是有一定作用的。但其主要目的还是为了限制其他国家，特别是这些协议、条约都只涉及美苏核军控的外围问题，对于美苏核武器的数量和质量问题并没有涉及，因此对于美苏之间愈演愈烈的核军备竞赛

---

① 张明明：《当代国际政治热点问题研究》，中国城市出版社2002年版，第42页。

② 王仲春：《核武器核国家核战略》，时事出版社2007年版，第92页。

没有形成直接的约束力。

第四阶段：限制核武器数量阶段（20世纪70年代初一20世纪70年代末）。这一时期，美苏在战略核武器方面基本形成均势，双方都具备了进行“第二次打击”的核能力。与此同时，国际战略格局深度调整，呈现美守苏攻的基本态势，中美关系缓和，中苏处于严重的军事对立。在这种背景下，美苏核军控谈判取得相当进展。一是限制战略核武器数量。1972年5月，美苏在莫斯科签署《美苏关于限制反弹道导弹系统条约》和《美苏关于限制进攻性战略武器的某些措施的临时协定》，即《第一阶段限制战略武器条约》。1979年6月，美苏又在维也纳签署《美苏关于限制进攻性战略武器条约》，即《第二阶段限制战略武器条约》。二是进一步降低美苏核战争的危险。1971年9月，美苏签署《美苏关于减少爆发核战争危险的措施的协议》，1973年6月两国又签署《美苏关于防止核战争协定》。三是限制核试验。1974年7月，美苏签署《美苏限制地下核武器试验条约》，1976年5月两国又签署《美苏和平利用地下核武器爆炸条约》。四是限制某一领域的核军备竞赛。1971年2月，美、苏、英三国签署《禁止在海床洋底及其底土安置核武器及其他大规模毁灭性武器条约》。

应该说，这一时期，美苏核军控谈判取得了一定的进展，已由限制其他国家为主转向相互限制为主。特别是在战略核武器控制方面，呈现“向上平衡”的特点，第一阶段和第二阶段限制战略武器条约规定了双方战略武器增长的限额。尽管这些最高限额均高于当时美苏实际拥有的数量，但毕竟双方开始就数量进行规定。

第五阶段：减少核武器数量阶段（20世纪80年代初一1991年）。1979年苏联入侵阿富汗后，美苏核军控谈判一度陷入僵局。20世纪80年代中期后，美苏之间开始出现新的缓和局面。这一时期，美苏拥有的核武器总数相当于1945年美国投在广岛的原子弹的100万倍，足以毁灭人类若干次。美苏这种巨大的“毁灭”力量，使双方明确意识到再在核武器数量上进行竞争已经没有实际意义，更多的是将重点转向发展高技术常规武器、研制反导弹防御系统和提高核武器质量上来。与此同时，美苏双方核战略思想也发生了重要变化。苏联1985年后提出“核战争无胜败论”、“合理足够论”、“绝对防御论”和“低水平战略均势论”等核战略思想。美国也认为“核战争打不赢，也绝不应该打”，并主张以“相互确保生存”状态取代20世纪60年代以来美苏之间形成的“相互确保摧毁”状态。[①] 在这个背景下，美苏核军控谈判取得了较大的进展。1987年12月，双方签署《美苏关于销毁中程和中短程导弹条约》（简称《中导条约》）。该条约规定，双方要在条约生效后的三年内销毁全部中程导弹，一年半内销毁全部中短程导弹，并规定双方有权进行有效的现场核查，以确保条约执行的可靠性。苏联要销毁的中程导弹为826枚，中短程导弹为926枚，核弹头约为2500枚。美国要销毁的中程导弹为689枚，中短程导弹为170枚，核弹头约为1320枚。[②] 1991年7月，美苏又在莫斯科签署《关于削减战略武器条约和限制进攻性战略武器条约》，即《第一阶段削减战略武器条约》（START Ⅰ）。根据条约规定，双方承诺在条约生效后七年内分三个阶段把进攻性战略武器削减约30%。届时每一方所拥有的陆基洲际弹道导弹、潜射弹道导弹、重型轰炸机的总数不得超过1600件，其所携带的核弹头不得超过6000枚。2001年12月5日，俄罗斯和美国宣布已经按照START Ⅰ条约的规定完成了最后阶段的削减任务。

这一时期，美苏核军控谈判呈现出鲜明的特点：在限制核武器数量上由“向上平衡”转向“向下平衡”，即由原来单纯规定核武器的最高限额转向向下削减核武器的数量。与此同时，削减核武器的范围也进一步扩大，不仅签署了消除全部中程和中短程弹道导弹的《中导条约》，而且在削减被作为美苏核力量基石的战略核武器上也签署了条约。当然，美苏核军控谈判取得以上重要的进展仍然具有很强的局限性，并没有影响到核武器毁灭人类的能力。

由此可以看出，冷战时期美苏核军控谈判具有多重目的，既争夺又勾

---

① 潘振强：《国际裁军与军备控制》，国防大学出版社1996年版，第102页。

② 潘振强：《国际裁军与军备控制》，国防大学出版社1996年版，第103页。

结。一方面，不遗余力地争夺核优势；另一方面，为了维护双方在军事实力和军事技术方面对其它国家的垄断或优势地位，不得不在争夺中寻求妥协，在对抗中寻求合作，在竞赛中制定规则，以便使它们的核军备竞赛在不危及各自安全的情况下“稳定”地进行下去。

（二）冷战后国际核军控取得的进展

1991年底，以美苏对抗为特征的冷战格局结束。国际局势的变化带来国际核军控局势的变化。首先，苏联解体后，以美苏对抗为特征的两极格局已不复存在，世界爆发核大战的可能性越来越小。其次，世界多极化趋势不断发展，各国竞相将竞争的重点转到发展综合国力方面。国际核军控目标由冷战时期重点防止美苏之间爆发核大战转变为重点防止大规模杀伤性武器的扩散。第三，与世界格局向多极化方向发展相适应，国际核军控格局也在向多极方向转变，其主要标志是多边国际核军控谈判的地位上升，但美俄依然是国际核军控谈判的两个最重要的国家。在上述背景下，国际核军控领域取得了一系列的重要进展，主要体现在以下几个方面：

关于核不扩散问题。核不扩散作为一个国际议程，开始于20世纪50年代，主要是要求核国家不向无核国家提供核武器。1968年6月，联合国大会通过《不扩散核武器条约》，决定从1970年3月5日正式生效，有效期为25年。该条约有11条规定，主要内容是：核国家保证不直接或间接地把核武器转让给无核国家，不援助无核国家制造核武器；无核国家保证不制造核武器，不直接或间接地接受其他国家的核武器转让，不寻求或接受制造核武器的援助；停止核军备竞赛，推动核裁军；把和平核设施置于国际原子能机构的国际保障之下，并在和平使用核能方面提供技术合作；缔约国家接受国际原子能机构（IAEA）所规定的各项保障；等等。

冷战结束以来，《不扩散核武器条约》审议大会更加受到国际社会关注。条约审议大会每5年举行一次，主要是审视条约实施情况、维护和加强条约的有效性，并力求就最后成果文件达成协议。大会结束时发表的《最后文件》吸收了各成员国的智慧和建议，能够比较全面反映出有关各方对推进国际军控与裁军进程的关注点。1970至2011年，缔约国先后举行 8 次《不扩散核武器条约》审议大会。其中，1975 年、1985 年、2000 年和 2010 年审议大会均就最后宣言达成共识。但 1980 年、1990 年、1995 年和 2005 年有关各方未能达成共识，分歧主要集中在核武器国家是否充分履行条约第六条（核裁军）中的要求。1995 年 4 月，《不扩散核武器条约》缔约国在联合国总部举行审议大会，经过近一个月的激烈辩论，会议决定无限期延长这个条约。2000 年 4 月，作为 187 个缔约国中的 158 个国家在纽约举行第六次审议大会。会议再次决定该条约无限期有限，并明确提出“有核国家明确承担实现全部销毁核武器的义务”，这就为不扩散核武器条约注入了新的活力。2010 年 5 月，《不扩散核武器条约》第八次审议大会就推进核裁军、防扩散、和平利用核能以及建立中东无大规模杀伤性武器区等一系列问题达成共识。2011 年 6 月 30 日至 7 月 1 日，中国、美国、俄罗斯、法国、英国在法国巴黎举行会议，主要讨论了五核国如何落实 2010 年于纽约举行的《不扩散核武器条约》审议大会的成果，进一步推进国际核裁军与核不扩散进程等问题。由于审议大会为各缔约国发表观点、阐明立场提供了重要的平台，因而被视为“检查核不扩散机制健康状况的晴雨表”。

《不扩散核武器条约》的通过以及无限期有效为国际核不扩散体制奠定了基础。该条约一方面禁止核武器国家向任何接受者转让核武器或其他核爆炸装置，或是协助、鼓励、诱导非核武器国家和地区生产或以其他方式获得核武器或核装置；另一方面禁止非核武器国家和地区接受、制造或以其他方式获得核武器或核装置。实际上，该条约就是把无核武器国家承担不扩散义务与核武器国家承担核裁军义务联系在一起。这就形成了这样一个逻辑：如果作为矛盾主要方面的核武器国家不能有效地进行核裁军，那么作为不扩散主体的广大无核武器国家承担不扩散义务就没有意义，而不扩散体制则必然崩溃。因此，不扩散核武器的国际体制的根本点就是全面彻底的核裁军。尤其是对于广大无核武器国家来说，它们之所以同意承担不扩散核武器的国际义务，就是为了有朝一日能够彻底消除核武器。

关于核禁试问题。进行核试验，是发展核武器的必要手段。据斯德哥尔摩国际和平研究所统计，1945年至1998年，有核国家为了研制和发展核武器，在半个多世纪的时间里总共爆炸了2000多个核装置。其中，美国共进行了1032次核试验（217次空中，815次地下），苏联（俄罗斯）共进行了715次核试验（219次空中，496次地下），法国进行了210次核试验（50次空中，160次地下），英国进行了45次核试验（21次空中，24次地下），中国进行了45次核试验（23次空中，22次地下）。

冷战结束后，核禁试的局势发生转变。1991年，俄罗斯首先宣布暂停地下核试验一年。1992年10月，布什签署了美国暂停进行地下核试验的法案。1996年1月，法国宣布永远停止核试验。中国政府在1996年7月宣布暂停核试验。

在核禁试问题上，国际社会取得的最大成果就是《全面禁止核试验条约》的通过。1993年8月，日内瓦裁谈会决定设立全面禁试条约谈判特委会。经过近三年的时间，谈判各方就大部分内容达成了一致。然而，由于印度的反对，该条约草案未能在裁谈会上通过。1996年9月10日，联合国大会通过了《全面禁止核试验条约》，条约规定禁止任何核武器试验爆炸或任何其他核爆炸。

关于美俄核裁军。在核军控体制中，除了多边条约之外，美俄之间的双边谈判和双边条约构成了一个重要方面。作为两个超级核大国，它们既是核对峙的主角，也是核军控的主角。

从20世纪80年代开始，美苏核军控谈判进入削减阶段。1991年，美苏两国签署《关于削减和限制进攻性战略武器条约》（START Ⅰ）。START Ⅰ签署之时，苏联还是一个整体。苏联解体之后，在原苏联境内出现了4个核国家，即俄罗斯、白俄罗斯、哈萨克斯坦和乌克兰。1992年5月，美国与俄、白、哈、乌签订了《里斯本议定书》，议定书确定俄罗斯继承原苏联的条约义务，白、哈、乌撤除境内所有核武器并运往俄罗斯销毁。

1993年1月，美俄又在莫斯科签署了《进一步削减和限制进攻性战略武器条约》，即《第二阶段削减战略核武器条约》（START Ⅱ）。该条约规定，在2003年前，美俄双方将各类战略核弹头削减到3000—3500枚；潜射弹道导弹弹头削减到1700—1750枚；部署的机载核武器数目，每方不得超过750—1250枚；从2003年1月1日起，双方不得生产、拥有、试验和部署多弹头洲际导弹。美国国会在1996年1月批准了这项条约。而俄罗斯议会认为，条约将打破美俄的核均势从而损害俄罗斯的安全利益；美国发展的导弹防御系统也不利于美俄的战略稳定。所以，该条约在俄罗斯迟迟未获通过。1997年9月，美俄双方签署了补充协议，将削减战略核弹头的最后期限延长到2007年12月31日。

2000年3月，普京当选俄罗斯总统后，开始推动批准STARTⅡ条约的进程。4月14日，俄罗斯杜马批准了STARTⅡ条约，但同时还批准了1997年的延长协议和国家与战区导弹防御系统划分议定书等相关文件。因为这种捆绑，俄罗斯杜马批准的实际上不是美国国会批准的那个条约版本。这就需要美国国会对STARTⅡ条约重新进行审议和批准。因而，美国国会不可能通过这项条约。2001年12月，美国退出《反弹道导弹条约》。其后，俄罗斯宣布它将不再遵守STARTⅡ条约。①

STARTⅡ条约签署却未生效，使美俄核军控陷入僵局。在这种背景下，2002年5月，美俄签署《美俄削减进攻性战略力量条约》，即《莫斯科条约》。按照该条约规定，到2012年12月31日，双方将各自的战略核弹头削减至1700—2200枚，并自行决定进攻性战略武器的组成和结构；成立双边执行委员会讨论条约的执行情况；条约有效期至2012年12月31日；双方有权退出条约，但需提前三个月书面通知对方。该条约于2003年6月1日正式生效。该条约尽管没有对削减哪些核弹头、削减的核弹头如何处理等问题做出明确的规定，也没有提出相关的核查要求，但毕竟在美俄核军控陷入困境的过程中迈出了重要一步。

2009年12月，《关于削减和限制进攻性战略武器条约》到期。自2009年5月开始，美俄双方启动关于削减进攻性战略武器新条约的正式谈判。

---

① 田景梅、田东风：《〈莫斯科条约〉与美俄核裁军》，《现代国际关系》2004年第5期。

2010年4月8日，美俄在捷克首都布拉格签署核裁军新条约。新条约规定，美俄各自部署的核弹头数量不超过1550枚，所部署陆基、海基、空基战略核导弹数量不超过700枚，现役和预备役发射装置不超过800个。从数量上看，双方可部署核弹头数量减少了约三分之一，运载工具减少了近一半。值得注意的是，新条约没有硬性规定要对削减下来的进攻性战略武器，特别是核弹头，做彻底销毁；也没有提到俄罗斯销毁核弹头所需的资金来源问题。总之，美俄签署核裁军新条约无疑具有积极意义，但这并不意味着双方核军备现代化进程就此止步。相反，美俄都将会根据自身利益需要，充分利用新条约中埋下的“伏笔”和预留空间，抓住新一轮军事技术革命先机，抢占新的战略制高点。①

（三）国际核军控的意义

客观地说，国际核军控的作用是积极的，有效地遏制了核武器及核原料的扩散，使美苏（俄）两个超级核武库的规模大幅度减小。一些有可能发展核武器的国家，即所谓的“核门槛国家”，如南非、阿根廷、巴西等，以及在苏联解体之后实际拥有过核武器的乌克兰、白俄罗斯和哈萨克斯坦等，最终放弃了核武器选择。在世界各地陆续出现的有关建立无核区的协定，无疑也是国际核军控的重大成就。尽管1998年印度和巴基斯坦以核试验对此提出公然的挑战，但总的来看，发展并拥有核武器的国家比人们最初的预想要少得多。

二、“无核武器世界”的冷眼观潮

以2007年初美国四位前政要在《华尔街日报》上发出无核武器世界倡议为标志，停滞多年的国际核裁军进程似出现新曙光。2009年4月，奥巴马总统在布拉格宣布，美国愿意建立一个“无核武器世界”，确保核安全。此后，美国积极“出招”，先是重启美俄核裁军进程，后又调整欧洲反导

① 张崇防：《美俄核裁军：新条约 新动向》，新华网 http：//news. xinhuanet. com/world/2010－04/11/c_1226932. htm.

计划，继而倡议召开首届联合国安理会核峰会。不少舆论认为，“无核武器世界”的倡议给多年来停滞的国际军控与裁军进程带来了新气象。一时间，国际范围内的核裁军高潮迭起。

不过，国际核裁军进程能否起死回生仍需冷眼静观。尽管国际核不扩散取得了积极进展，但核裁军现实与无核武器世界理想之间还有很大差距，核裁军前景仍不容乐观。有效推进核裁军，需要克服若干障碍：

（一）现代科学技术及经济全球化的发展带来的挑战

在 20 世纪六七十年代以前，核武器之所以被少数大国拥有，主要是核技术被视为高技术，研制起来极其复杂，一般国家难以掌握，而且研制核武器经济消耗巨大，更是一般国家难以承受的，这成为发展核力量的重要制约因素。但是随着经济全球化的深入发展，国际技术交流日趋活跃，核技术、弹道导弹技术迅速普及，积累核材料和获得核武器技术正变得越来越容易，现在用铀或钚制造原子弹的技术已很容易得到。目前，有近 60 个国家拥有或正在建造核反应堆和研究反应堆，至少有 40 个国家具备在较短时间内建造核武器的工业和技术能力。即便是小规模的恐怖组织，只要获得核材料，通过简单处理，也能制造粗糙的核武器。核技术发展的无法垄断，核人才与核材料的流失，将继续改变国际核不扩散的内涵。这也成为当今世界面临的主要安全问题之一。[①]

（二）国际安全环境的显著变化是导致核扩散的诱因

国际安全环境在一定程度上决定核扩散形势。20 世纪 90 年代以来，少数大国动辄武力相威胁，引发广大弱小国家对自身安危的普遍担忧。2003 年，美国发动的伊拉克战争，增加了无核国家的不安全感，刺激了一些国家和组织寻求发展大规模杀伤性武器的愿望，对今后的国际核查行动产生了严重的消极影响。朝鲜、伊朗坚持在核问题的立场，重要一点就是出于对国家自身安全的考虑。此外，冷战结束后，前苏联庞大的从事核科

① 赵青海：《国际核军控形势及其前景》，《思想理论到刊》2007 年第 5 期。

学发展的专业人才不少散落于全球各地，也给核技术的扩散带来了重大隐患。国际恐怖主义组织也一直想获得核武器，在世界范围制造更多的恐怖事件。

（三）美国核霸权行径产生的负面影响

美国作为将人类带入核时代的国家，有责任和义务积极推进世界裁军与军控进程。但美国没有进行真正核裁军的意图，仍继续强化其核优势地位：一是不承诺不首先使用核武器和对无核国家使用核武器。在无限期的未来，美国仍将核武器作为其国家安全的基石，仍将保持一致包括轰炸机、陆基导弹和潜射导弹的“三位一体”的核力量，并继续坚持“首先使用核武器”的政策。二是以《全面禁止核试验条约》存在缺陷为由，拒绝批准这项条约。三是以对付大规模杀伤性武器扩散和防备所谓“无赖国家”的导弹袭击为由，大力开发 NMD 和 TMD 的导弹防御计划。美国已宣布退出 1972 年美苏达成的《反导条约》。四是在核问题上一直采取双重标准。如对其重要盟国以色列，美国执行的是偏袒性的核政策，而对非盟国尤其是与美国存在严重政治分歧的国家如伊朗等，则执行严格的防扩散政策，甚至采取军事打击。

（四）核不扩散体制外国家的挑战

1998 年，印巴两国先后进行了核试验。这一事件的发生对国际裁军和军控进程，尤其是核不扩散体制构成了严重冲击。按照《不扩散核武器条约》规定，印巴两国应属无核国家，但印巴的核试验表明它们已经成为事实上的核国家。现在的难题是：如果承认它们的核武器国家地位，就等于承认了核扩散的事实，从而使得条约的规范失去意义；如果不承认它们拥有核武器的事实，而它们又不愿意放弃核武器的话，它们就不会加入这个条约，这也等于是破坏核不扩散体制。

以色列在核武器问题上一直采取模糊政策，既不公开承认也不公开否认拥有核武器。但人们普遍认为它已经拥有核能力。除了埃及以外，其周围邻国都与其保持战争状态。以色列一直以此为借口，拒绝签署不扩散核武器条约。以色列的这种立场，也构成了对核不扩散体制的一种挑战。不仅如此，以色列的核政策有可能导致中东地区核扩散的连锁反应，某些国家在它的刺激下会努力获取核能力。为限制以色列发展核武器，一些中东国家已提出建立中东无核区的建议，但目前的中东局势很难使这一建议得以实施。①

（五）核恐怖主义威胁日趋严重

随着高新技术的迅猛发展，参与武器扩散的主体迅速从过去完全是主权国家扩大到所谓的非国家政治实体，这是冷战结束后国际核不扩散面临的一个全新挑战。“9·11”恐怖事件已经给国际社会一个明确的信号，那就是一旦恐怖组织拥有核武器、核技术，后果将不堪设想。反对核恐怖主义已经成为当前国际核不扩散的主要议题。2005 年，联合国大会通过《制止核恐怖主义行为国际公约》，对核恐怖行为进行了明确界定，要求各国将各类和恐怖活动有关的行为定位为犯罪行为。2006 年，美俄两国发起“打击核恐怖主义全球倡议”，强调必须制止恐怖分子拥有、运输或使用核材料和放射性材料，继续完善国际核不扩散机制。2010 年 4 月，首届全球核安全峰会在美国华盛顿召开，主要讨论核恐怖主义威胁以及各国和国际社会的应对措施。全球四十多个国家的领导人或代表以及联合国、国际原子能机构和欧盟等国际和地区组织负责人应邀参会。由于国际核安全合作主要防范恐怖主义，不像核裁军那样敏感，因此有望在未来几年中取得进展。②

（六）核查工作面临诸多难题

核查是用来了解、证实那些承诺或被迫参加军备控制行动的国家遵守或违反有关军备控制规定的情况。目前的核查措施主要包括视察、监视、探测三种，但在实际操作中存在着很多难题。在法律方面，对一国进行核查必然涉及该国的主权，因而难以顺利和有效地进行。在技术方面，现有

① 张明明：《当代国际政治热点问题研究》，中国城市出版社 2002 年版，第 65 页。
② 中国现代国际关系研究院：《世界大变局》，时事出版社 2010 年版，第 208 页。

的核查手段还很不完备，这也使核查的有效性大打折扣。例如，某些极小当量的地下核试验也难以被监测；对利用大型电子计算机进行的模拟核试验的监测更是难上加难。再有，目前许多核查需要的基本情况首先来自于各缔约国的主动申报，但如果有关缔约国不申报或少申报，有关军控条约并没有有力措施加以防止。

三、当前层出不穷的全球核热点

核扩散是指核武器及其相关技术、材料的扩散，其途径主要有三：一是该国有可能自己生产材料，自行设计弹头和武器系统；二是该国有可能与其他国家合作，引进材料或部件；三是该国直接从核国家引进核武器。从核材料的生产与积累、核弹头的设计与试验到弹头与运载系统的武器化，这其中无论哪一个步骤的进行都构成核扩散的一个组成部分。

从历史层面看，核扩散是核军备发展过程中的产物。冷战时期，核武器得到有效的控制，是因为在两极条件下，核不扩散被纳入美苏全球战略对抗的范畴，并且成为维持两国之间全球战略力量平衡和战略均势的一个因素。美苏在长期的核竞赛和核对峙中形成和确立了一系列指导双边核关系的准则或游戏规则，核不扩散问题并不那么具有挑衅性和爆炸性。

冷战结束后，国际局势总体缓和，但地区冲突加剧，国际安全领域中的不稳定因素明显增加，与此相适应，各国的安全战略选择仍然是以军事安全为主要内容和依托的传统安全观，一些国家和非国家行为体对核武器的依赖与诉求更加强烈，核武器成为各国安全战略选择的重要。事实证明，现行的核不扩散体制远不完善，核不扩散面临严峻的挑战。

（一）朝核危机

朝核问题由来已久。朝鲜开发核技术的历史可追溯到20世纪50年代末。在苏联帮助下，60年代上半叶朝鲜在宁边建成核研发基地。80年代中期，美国怀疑朝鲜在秘密研制核武器。在苏联的压力下，朝鲜于1985年12月加入《不扩散核武器条约》。

1991年海湾战争期间，朝鲜成功试射中程导弹，美国对朝鲜开发核武器疑惧加重，提出对朝鲜核设施进行核查，遭到朝鲜拒绝。美国通过联合国对朝鲜施压，并计划对朝核设施进行外科手术式打击。1993 年，朝鲜宣布退出《不扩散核武器条约》，朝鲜半岛局势骤然紧张，第一次朝核危机形成。在此关头，1994 年 6 月，美国前总统卡特访问朝鲜，双方达成谅解。1994 年 10 月，美朝在日内瓦签署《框架协议》，朝鲜同意以冻结其核设施换取美国对其和平利用核能的支持。第一次朝核危机得以和平化解。

《框架协议》签署后的 7 年内，朝鲜半岛出现了积极的缓和形势，朝韩两国最高领导人于 2000 年 6 月在平壤举行了历史性会谈。但这种形势在 2001 年小布什上台后发生逆转。2002 年 1 月，小布什在“国情咨文”中公开将朝鲜列为“邪恶轴心国”之一，并将其作为核打击的主要目标，美朝关系不断恶化。2002 年 10 月，美国特使詹姆斯·凯利赴朝指责朝鲜违反《框架协议》。对此，朝鲜明确表示，面对美国的威胁，朝鲜有权拥有核武器以捍卫国家主权，并拒绝国际原子能机构的核查要求。2003 年 1 月，朝鲜退出《不扩散核武器条约》，重启核设施，美朝《框架协议》全面瓦解，第二次朝核危机形成。危机发生后，中国政府及国际社会积极斡旋，先后举行六轮六方会谈（截止 2011 年 8 月），对于化解危机、缓和半岛局势发挥了重要作用。

2005 年 9 月，美国对朝鲜实施金融制裁，引起了朝鲜的强烈不满。2006 年，朝鲜半岛形势再次恶化。3 月 21 日，朝鲜外务省发言人明确表示，朝鲜制造核武器的目的就是为了对付美国的核威胁。7 月 5 日，朝鲜进行导弹试射。10 月 9 日，朝鲜宣布成功进行了首次地下核试验，第三次朝核危机爆发。朝鲜不顾国际社会劝阻坚持进行核试验的做法遭到国际社会的一致谴责。10 月 14 日，联合国安理会通过第 1718 号决议，要求朝鲜放弃核武器和核计划，无条件重返六方会谈，并对朝鲜采取经济制裁和武器禁运等措施。2006 年 12 月，第五轮六方会谈第二阶段会议在北京举行，各方重申坚持通过对话和平解决朝鲜半岛核问题。2007 年 2 月，六方会谈举行第五轮第三阶段会议。会议通过了《共同文件》，坚持朝鲜半岛无核化目标。朝鲜同意关闭并封存核设施，接受国际原子机构的监督等。

2009年以来，朝鲜半岛局势进一步恶化，朝韩关系陷入僵局。4月5日，朝鲜宣布成功发射“光明星2号”试验通信卫星。4月14日，朝鲜外务省在平壤发表声明，宣布退出朝核问题六方会谈，并将按原状恢复已去功能化的核设施。5月8日，朝鲜外务省发言人指出，由于美国政府“丝毫没有改变”敌视朝鲜的政策，朝鲜将按照业已表明的立场，进一步加强核遏制力。5月25日，朝鲜宣布成功进行第二次地下核试验。对此，6月12日，联合国安理会通过第1874号决议，对朝鲜核试验表示“最严厉的谴责”，并对限制朝鲜进出口武器、检查进出朝鲜的船只、在公海检查与朝鲜有关的船只以及防止外部资金流入朝鲜并被用于研发导弹和核武器等做出了明确规定。

朝核危机产生的原因很复杂，但主要根源还在于美国对朝鲜采取的敌对性军事政策和核讹诈政策。六方会谈不仅是解决朝核危机，而且更是从根本上解决朝鲜半岛问题最有效的途径。面对朝鲜半岛的复杂局势，实现半岛无核化，反对核扩散，维护东北亚和平与稳定，是中国政府坚定不移的一贯立场。中方强烈要求朝方信守无核化承诺，停止可能导致局势进一步恶化的相关行动，重新回到六方会谈的轨道上来。

（二）伊朗核危机

伊朗核技术开发始于1957年。所谓伊朗核问题的出现是在20世纪80年代，由于伊朗爆发伊斯兰革命，美伊交恶，美国开始对伊朗实行“遏制政策”。两伊战争结束后，美国不断指责伊朗以“和平利用核能”为掩护秘密发展核武器。

伊朗核问题演变为核危机是在“9·11”事件之后，2002年初，小布什在发表的国情咨文中将伊朗列为三个“邪恶轴心”国之一。从此，美国不断加大对伊朗的政治和军事压力。与此同时，面对美国的压力，伊朗也加速发展自己的军事自卫能力。这使得本已存在的核问题不断激化，最终演变成为核危机。

2002年6月15日，伊朗的反政府组织“伊朗全国抵抗委员会”向《纽约时报》揭露了伊朗的秘密核计划，称伊朗自2000年开始在纳坦兹市和阿拉克地区秘密建造两座核设施。伊朗核问题立即引起国际社会的广泛关注。2003 年 2 月 9 日，时任伊朗总统哈塔米突然宣布，伊朗已经在中部城市亚兹德附近发现了铀矿，并进行开采。这是伊朗官方首次对外宣布其拥有铀矿及生产、提炼能力。自此，伊朗核危机全面爆发。7 月，伊朗成功试射可携带 1000 公斤弹头、射程可达 1500 公里的“流星－Ⅲ”型弹道导弹。据分析和推测，该导弹可携带核弹头。

2003 年 9 月 12 日，国际原子能机构理事会通过决议，要求伊朗公开核计划，允许国际原子能机构对其进行更为严格的突击核查，终止提炼浓缩铀。为避免伊朗核问题引发冲突，英、法、德三国出面与伊朗进行谈判。12 月 18 日，在强大的国际压力下，伊朗签署了《不扩散核武器条约》附加议定书，承诺伊朗核设施接受国际原子能机构随时随地的突击检查。伊朗核危机暂时缓解。

2004 年 9 月，美国怀疑伊朗秘密研制核武器，并公布 7 张卫星拍摄照片，使伊朗核问题再起风波。11 月 22 日，伊朗与德、英、法三国达成《巴黎协议》，伊朗自愿中止与铀浓缩有关的一切活动。29 日，国际原子能机构理事会决定不将伊朗核问题提交联合国安理会讨论。伊朗核危机再次得到缓解。

2005 年 8 月，艾哈迈迪·内贾德就任伊朗总统后，伊朗对核问题的立场趋向强硬，伊朗核危机进一步升温。8 月 10 日，伊朗重启伊斯法罕铀转换设施。这一做法立即引起了国际社会的高度关注，国际原子能机构理事会为此特意召开紧急会议，敦促伊朗必须立即停止与铀浓缩有关的所有活动，重新回到伊朗核问题的谈判桌上来。这一提议遭到伊朗的断然拒绝。

2006 年 7 月，联合国安理会以 14 票赞成 1 票反对的压倒多数通过决议，限伊朗在一个月内停止铀浓缩活动，但遭伊朗拒绝。在这种背景下，2006 年 12 月至 2008 年 3 月，联合国安理会先后通过 1737 号、1747 号、1803 号三个决议，除要求伊朗立即停止所有与铀浓缩、重水反应堆有关的活动外，不断扩大对伊制裁范围，呼吁各国与国际金融机构不再承诺向伊朗政府提供赠款、财政援助和优惠贷款，扩大对伊禁运范围等。

但是，安理会三份制裁决议并未能迫使伊朗就范，反而促使伊朗的核计划加速实施。2009 年 10 月 21 日，美国、俄罗斯、法国和伊朗的代表在维也纳初步达成了交换浓缩铀的意向，即伊朗将其已经提炼获得的浓度为 3.5 %的浓缩铀的 3/4 运至俄罗斯提炼成浓度为 20 %的浓缩铀，由法国向伊朗提供浓度为 20 %的医疗用同位素。此议遭伊朗国内公众强烈反对，伊朗政府随即又要求改变交换地点和数量，遭美欧拒绝。[①]

2010 年 6 月 9 日，联合国安理会就伊朗核问题通过第 1929 号决议，决定对伊朗实行自 2006 年以来的第四轮制裁。本轮制裁被称为近年来安理会对伊朗制裁中最严厉的一次。决议要求各国把对违禁物品检查的地点范围从本国港口和空港扩大到公海，禁止伊朗在国内进行任何与可运载核武器弹道导弹有关的活动，禁止伊朗进口重型武器，禁止各国与伊朗进行与核活动有关的金融交易等。伊朗核危机再次陷入僵局。

就全球核安全而言，伊朗的核活动确实存在核扩散的风险，同时有可能引发中东地区的核军备竞赛。这是近年来国际原子能机构和联合国安理会屡次通过决议要求伊朗公开其全部核计划和暂停浓缩铀加工活动的主要原因。因此，和平解决伊朗核问题既是国际社会的共同愿望，更取决于美伊两国政府的态度。中国认为，当前形势下，各方应加大外交努力，通过谈判寻求全面、长期、妥善解决伊朗核问题的办法。

四、中国在核不扩散问题上的立场

新中国成立后的一段时期内，中国未参加联合国的裁军活动。中国一般是在一定场合通过不同方式，表达自己有关维护世界和平、争取实现真正核不扩散的愿望和立场。1971 年，中国恢复了在联合国的合法席位后，开始正式参加核不扩散活动。多年以来，中国提出了一系列核不扩散的原则和主张，并进行了积极的实践，为推动核不扩散进程、维护全球核安全做出了重要贡献。2009 年 9 月，胡锦涛出席联合国安理会核不扩散与核裁

① 华黎明：《伊朗核问题及其对大国关系的影响》，《和平与发展》2010 年第 2 期。

军峰会，就共同缔造普遍安全的世界提出重要主张，呼吁充分尊重各国和平利用核能的权利，大力加强核安全，切实减少核风险，共同打击核恐怖主义。2010年4月，胡锦涛主席在美国首都华盛顿举行的核安全峰会上发表了题为《携手应对核安全挑战 共同促进和平与发展》的讲话，这是中国领导人首次在多边场合专门就核安全问题发表看法。胡锦涛就加强核安全提出重要主张：第一，切实履行核安全的国家承诺和责任；第二，切实巩固现有核安全国际法框架；第三，切实加强核安全国际合作；第四，切实帮助发展中国家提高核安全能力；第五，切实处理好核安全与和平利用核能的关系。中国政府就加强核安全所提出切实可行的积极主张，引起国际社会的普遍关注。

（一）主张全面禁止和彻底销毁核武器

早在20世纪50年代，中国就要求禁止原子武器，主张建立包括美国在内的亚洲和太平洋地区的无核区。1963年7月，中国政府发表声明，主张全面、彻底、干净、坚决地禁止和销毁核武器。1982年，中国代表在联合国大会上，提出了苏美两国停止试验、停止改进、停止生产核武器，并将各类核武器和运载工具削减50％的“三停一减”主张。1994年，中国外长钱其琛在第49届联大上进一步提出有关核裁军的建议。中国在核武器的规模和发展方面始终采取极为克制的态度。中国是核武器国家中核试验次数最少的。中国过去没有、今后也不会参加核军备竞赛。中国从未在外国领土上部署核武器。

（二）始终坚持“不首先使用”核武器政策

在有核国家中，中国是第一个单方面做出不首先使用核武器承诺的国家，而且这种承诺是无条件的。1964年10月，中国成功地爆炸了第一颗原子弹后，中国政府总理周恩来即向各国首脑致函，郑重宣布：“中国进行核试验，完全是为了防御，中国在任何时候、任何情况下，都不会首先使用核武器。”无论是在冷战时期面临核威胁和核讹诈的时候，还是在冷战后国际安全环境发生巨大变化的情况下，中国始终恪守这一承诺。中国的这一政策今后也不会改变。在核武器彻底销毁之前，坚持“不首先使用”，可以降低误发射和事故性发射的风险，逐渐削减核武器数量，向无核武器国家提供安全保障，消除核扩散动因的关键步骤。经过中国多年的宣传和坚持，“不首先使用”在国际上已经赢得了越来越多的支持。

（三）主张实现全面禁止核武器试验爆炸

中国历来对核试验采取十分克制的态度，进行核试验的次数极为有限。从1945—1996年，中国仅进行过45次，而美国进行了1032次；苏（俄）进行了715次。1996年7月，中国政府发表声明，宣布从1996年7月30日起暂停核武器爆炸试验。中国还积极参与了《全面禁止核试验条约》的谈判和签署工作。

（四）认真履行核不扩散的国际义务，加强全球核安全的交流与合作

1992年3月，中国向英国、美国和俄罗斯3个条约保存国分别递交了《不扩散核武器条约》加入书。中国支持条约确定的目标，即防止核武器扩散、推动核裁军、促进和平利用核能的国际合作，并认为这三个目标是相互联系的；防止核武器扩散本身并不是目的，而是实现全面禁止和彻底销毁核武器过程中的措施和步骤。加入《不扩散核武器条约》以来，中国致力于维护和加强条约的普遍性、有效性和权威性，努力促进条约防止核武器扩散、推进核裁军进程、促进和平利用核能三大目标。1984年，中国加入国际原子能机构。1988年，中国与该机构签订了《中华人民共和国和国际原子能机构关于在中国实施保障的协定》，自愿将部分民用核设施置于机构的保障监督之下。1996年5月，中国承诺不向无核武器国家未接受国际原子能机构保障监督的核设施提供帮助，包括不对其进行核出口，不与其进行人员与技术的交流与合作。1998年，中国与国际原子能机构签署了保障监督协定的附加议定书。2002年初，中国正式完成该议定书生效的国内法律程序，成为第一个完成该程序的核武器国家。

中国重视并积极开展双边防扩散交流与合作，借鉴其他国家在核不扩散领域的有益经验和做法。2004年12月，中国与欧盟签署《中华人民共和国与欧洲联盟关于防扩散和军备控制问题的联合声明》，双方相互确认对方为裁军和核不扩散领域的重要战略伙伴，并确定了优先合作领域。中国还严格按照防扩散政策和出口管制法规，通过情报交流和执法合作，与有关国家联合打击扩散活动。2010年9月13日，中国外交部发布《第65届联合国大会中国立场文件》再次重申了中国对国际核不扩散机制的立场——《不扩散核武器条约》是国际核不扩散机制的基石。

中国支持有关地区组织和机制在防扩散方面发挥作用，以建设性态度参加了有关交流与对话，探讨在地区层面解决扩散问题的有效途径。中国参加了东盟地区论坛加强防扩散的努力。中国愿与各方继续保持沟通与协调，共同推动地区防扩散进程。

（五）反对在外层空间进行军备竞赛

1983年，中国加入了《外空条约》。自1984年起，中国多次在联合国大会上提出关于防止外层空间军备竞赛的决议草案。中国一贯支持有关国家建立无核区的要求，认为核国家应尊重无核区的地位，并应承担相应的义务。中国已参加了《南极条约》，并签署了拉丁美洲和加勒比地区、南太平洋和非洲无核区条约的有关附加议定书。中国支持有关国家提出的建立其他无核区以及和平区的建议。2000年，中国向日内瓦裁军谈判会议提交了题为“中国关于裁谈会处理防止外空军备竞赛问题的立场和建议”的工作文件，指出防止外空军备竞赛应成为裁谈会最优先议题之一，建议重建特委会，谈判缔结一项有关国际法律文书。2002年6月，中国、俄罗斯、白俄罗斯、印度尼西亚、叙利亚、越南、津巴布韦联合向裁谈会提交了关于“防止在外空部署武器、对外空物体使用或威胁使用武力国际法律文书要点”的工作文件，就未来国际法律文书的主要内容提出了具体建议，得到了许多国家的支持。

（六）积极推动朝核危机等问题的解决

作为朝鲜半岛的近邻，中国在朝鲜半岛核问题上的立场一贯明确，坚持维护朝鲜半岛的和平与稳定，支持半岛无核化，同时主张妥善解决朝鲜合理的安全关切。中国一贯致力于通过和平对话的方式来解决朝核问题，愿意为维护朝鲜半岛的和平与稳定发挥建设性作用。

继续推进六方会谈进程，实现半岛无核化，维护朝鲜半岛和平稳定，符合国际社会的共同利益。有关各方要以大局为重，着眼长远，保持冷静克制，妥善处理相关问题，多做有利于维护和促进六方会谈进程、有利于维护和实现朝鲜半岛和东北亚地区和平与稳定的事情。中国愿意就此与有关各方保持沟通。

总之，中国关于核不扩散的立场和实践充分表现出中国政府和人民爱好和平的愿望，不仅有利于中国的改革开放和建设事业，而且有利于整个世界的安全与稳定，受到了国际社会的普遍赞誉。

第八章
国际政治视野中的能源安全问题

8

◎ 张仕荣

全球能源安全问题越来越受到国际社会的广泛关注，20 世纪 90 年代，敏锐的学者如弗里特等已经意识到“能源安全是国际社会的头等大事”。全球的能源问题与国际政治、世界经济日益呈现一体化趋势。张文木等学者提出“在全球化条件下，一国的能源安全不仅仅是一个经济问题，同时它也是一个政治和军事问题”。

一、全球化背景下的国际能源安全形势

“安全”一词的本意为“没有危险，不受威胁，不出事故”。就“能源安全”而言，主要含义在于一个地区或者国家的能源供给和运行体系不存在危险或者没有受到潜在的威胁。

近年来，全球经济一体化不断加深，各国能源消费和供应群体的日益扩大，以及世界能源产业链条的延伸，能源安全问题越来越明显地呈现出全球化和衍生化等特点。同时，能源安全保障也逐渐由国家之间、区域集团之间合作向全球性能源安全对话与合作方向转变。

在全球能源安全体系中以石油这种常规性能源最具有代表性。19 世纪后半期，德国人奥托发明的内燃机引发了第二次工业革命。1883 年，德国的戴姆勒创制成功第一台立式汽油机，它的特点是轻型和高速，石油逐渐

成为内燃机的主要动力。由于石油是一种易运输、储藏和燃烧率比较高的能源，所以很快便在世界范围内使用开来，成为工业社会的基础性常规能源。

从20世纪20年代，石油需求和贸易迅速扩大。到20世纪30年代末，美、苏成为主要的石油出口国，石油国际贸易开始在全球能源贸易中占据显要位置，推动了能源国际贸易的迅速增长，并动摇了煤炭在国际能源市场中的主体地位。20世纪60年代后，石油成为工业社会中的主要能源供给。1967年，石油在一次能源消费结构中的比例达到40.4%，而煤炭所占比例下降到38.8%。由此，在能源领域人类正式进入石油时代。20世纪末，一些发达国家鉴于石油使用和消费所带来的污染等负面影响，以天然气替代石油，但是并没有改变当今世界能源体系中以石油为主的基本结构。

随着石油成为工业社会的血液，石油危机也不断侵扰全球经济。从石油资源的供求分布来看，“不平衡”一词可点破其基本特征。也正是由于这种不平衡，才从根本上导致了国际上各种因石油问题而产生的纠纷甚至是战争。1960年12月，石油输出国组织（OPEC）成立，主要成员包括伊朗、伊拉克、科威特、沙特阿拉伯和南美洲的委内瑞拉等国，而石油输出国组织也成为世界上控制石油价格的关键组织。1973年10月第四次中东战争爆发，为打击以色列及其支持者，石油输出国组织的阿拉伯成员国当年12月宣布将其原油价格从每桶3.011美元提高到10.651美元，从而触发了第二次世界大战之后最严重的全球经济危机。持续三年的石油危机对发达国家的经济造成了严重的冲击。在这场危机中，美国的工业生产下降了14%，日本的工业生产下降了20%以上，所有工业化国家的经济增长都明显放慢。1978年底，世界第二大石油出口国伊朗的政局发生剧烈变化，伊朗亲美的国王巴列维下台。此时又爆发了两伊战争，全球石油产量受到影响，从每天580万桶骤降到100万桶以下。随着产量的剧减，油价在1979年开始暴涨，从每桶13美元猛增至1980年的34美元。此次危机成为20世纪70年代末西方经济全面衰退的一个主要原因。

近年来，由于国际石油投机商的炒作以及产油地政局不稳，国际石油价格不断动荡。从 2007 年到 2008 年，一年内几乎翻了一番的原油价格，可以说是混沌、动荡的世界经济的写照。2004 年 1 月初，纽约商品交易所原油期货价格为每桶 32 美元左右，而到了 10 月 25 日，国际原油期货价格居然达到了每桶 55.67 美元，涨幅达 73%。受到投资者担心原油供应紧张以及美元贬值等因素影响，国际原油期货价格于 2008 年 1 月 2 日首度在历史上突破每桶 100 美元大关。2008 年 7 月 11 日，由于市场担心中东地区局势紧张有可能影响全球原油供应，国际油价再度刷新历史最高记录，纽约、伦敦两地油价首次在盘中双双突破每桶 147 美元。2008 年 12 月 18 日，纽约商品交易所 1 月份交货的轻质原油期货价格暴跌至每桶 36 美元，包括中国在内的发展中国家在油价“过山车”般震荡中蒙受重大损失。然而国际石油价格在短时期内极端不稳定并非仅仅与石油这种资源有关，透过油价的大起大落可以看到其中还蕴含着国际形势的动荡、国际金融投机的阴影以及发达国家把持资源的定价权等诸多不合理因素。2006 年 4 月，国际货币基金组织发出警告，称能源价格高企正在“加剧”全球经济失衡，增加发生危机的风险。

从本质上讲，高油价是供求失衡的结果。虽然有观点认为，投机资金才是油价飞涨的元凶，但投机的基础是供求关系，如果没有供不应求的客观现实远景预期，投机资金也就无从炒作。

当前，全球能源安全体系之间存在领域上的交叉和功能上的重叠，并且因此导致全球能源安全体系的无序运行。2008 年，荷兰皇家壳牌集团对外发布了《壳牌能源远景 2050》报告，报告中提出了“一个变革的时代”，展示了世界能源行业在今后半个世纪中两种可能的发展方式：“无序世界”与“有序世界”。“无序世界”主要指各国政府的能源安全系统特别是预警机制不完善，因此面对能源安全忧虑方面的重重压力，在能源监管、能源情报等技术方面进步比较慢。全球能源安全体系一旦处于“无序世界”，各国将会争先恐后争夺能源，大量生产煤炭及自制的生物燃料，并投入使用。各国政策制定者也会选择阻力最小的获取能源的方式，很少考虑降低能耗，直到能源供应出现短缺。壳牌商略企划副总裁 Jeremy Bentham 称，面对可能出现的“无序世界”，壳牌大力倡导“有序世界”，“有序世界”提供的解决之道比“无序世界”更能推动可持续发展，特别是“‘有序世界’代表着一种应对挑战，包括妥善处理温室气体的更完美方案，以及更快采纳新技术、更专注于能源效率与节约和营造更可靠的商业环境。”

全球能源安全体系不断面临因为能源安全问题所衍生的各种突发事件。因石油问题而引起的战争和地区纷争愈来愈多，如美国借口伊拉克有大规模杀伤性武器而对伊发动军事行动。能源安全体系失衡所衍生的最为引人关注的次生灾害在于气候突变问题。当前，国际社会的共识是全球气候突变的直接动因在于全球的气候变暖，而气候变暖的人为因素在于人类过多使用高碳能源导致排放了大量的二氧化碳。2004 年初，美国国防部委托美国全球商业网络公司（GBN）所作的报告《气候突变及美国国家安全》（以下简称《报告》）指出，未来几十年内一旦发生气候突变，很有可能造成全球地缘政治危机。《报告》的作者之一、美国人兰德尔（Randall）在接受英国《观察家》报采访时说，潜在的气候突变将制造全球大混乱，这种前景令人感到窒息——“没有敌人用枪指着你，但我们却对威胁毫无招架之力”。《报告》指出，由于气候突然变冷导致的食物供应危机、淡水供应危机、战略性能源的供应危机将“直接关系到国家安全”，甚至会导致国家间的冲突与战争。

全球能源安全体系变迁的主要动因包括政治、经济及民族和宗教等多种元素。

第一，民族矛盾和地区战乱是世界能源安全体系变迁的初始因素。石油与地区冲突始终紧密关联，在里海地区尤为明显，在那里主要石油进口国都在种族冲突、政治动荡和伊斯兰极端主义的背景下寻求新的油田和天然气田。鉴于里海地区任何开采出的石油和天然气必须通过管道到达其他地方的港口和市场，这也为恐怖主义分子和叛乱者提供了理想的目标。石油、恐怖主义和国家安全的这种联系也在向其他石油生产地区蔓延。《石油战争》的作者威廉·恩道尔指出，巴尔干和里海地区一直是美欧关注的重要的能源产区，特别是南斯拉夫处于中亚石油生产国的咽喉要道，因此美国一直操纵巴尔干地区的民族主义运动，导致南联盟的解体和民族之间的战乱，而当时的美国政府由于要完结任何在巴尔干地区与其步调不一致的民族主义残余分子，才对南斯拉夫进行了全面的经济禁运甚至军事轰炸。

第二，强权政治与地区霸权对世界能源安全体系变迁起着推波助澜的作用。在全球层面，美国为首的西方国家在全球能源领域一贯奉行强权政治，控制产油国的政治和经济，借以垄断产油区域的油气资源。美国凭借体制上的优势在国际市场上过度透支信用，过度消费世界资源，特别是石油。美元是国际石油市场的结算货币，因此美国具有消费世界石油资源的特权。当石油市场出现供不应求局面时，美国就会印刷更多的美元用于购买石油，由于石油的供给速度永远也赶不上美元的印刷速度，因此以美元计价的石油价格就会飙涨，进而带动天然气、煤炭价格大幅上涨。当出现这种局面时，油价高企就会极力吸引大量农民改种能源作物，粮食种植面积相对以往就必然会减少，结果最终导致粮食以及其它农产品价格飙升。在地区层面，伊拉克强悍的前萨达姆政权则倚恃本国丰厚的石油资源，欲以石油为武器谋取地区霸权。强势国家在世界能源领域之内的一些私利举动，不但是引发了世界能源安全体系的动荡，还会波及其它领域，产生一系列连锁反应，可谓“牵一发而动全身”。

第三，全球经济发展决定了世界能源安全体系的基本走向。美国《国际先驱论坛报》分析认为，“20 世纪 70 年代发生石油危机，是因为中东突然中断原油出口。而现在的油价上涨，则源于发达国家能源需求量上涨，和急于脱贫的中国、印度及其他发展中国家的经济增长。”经济全球化、市场自由化、科技飞速发展都让中国、印度和其他亚洲国家能够达到新的经济和社会发展阶段，带来城镇化多波次浪潮，在城镇化阶段大批人群涌入城市，交通工具乃至取暖等用电激增，进入到一种能源密集型的发展阶段，相应地这些发展中国家总的能耗大量地提高。有专家指出，当前国际市场上出现的油价、粮价暴涨以及通货膨胀等现象，从根源上说，都是以石油为代表的不可再生资源满足不了人类发展的需要造成的。因此，这意味着世界经济一定程度上已经被“能源”这个瓶颈牢牢制约住了，除非有新技术、新能源的大范围开发和利用，否则世界经济陷入衰退将不可避免。

二、国际社会关于能源安全问题的解决

目前，国际能源组织主要是石油输出国组织和国际能源署（IEA）。除此之外，还存在着八国集团议会、能源消费国与生产国之间的全球性定期对话，以及联合国的一系列针对能源的机制等。世界能源理事会等非政府组织在国际能源领域也发挥着重要作用。全球能源安全体系中最核心的问题是建立能源出口国与进口国之间的对话机制。能源出口国掌握着手中的“石油美元”，希望可以一直在高价运行，同时保持产量的恒定，坐拥全世界的财富；能源进口国也十分清楚，相对日益稀贵的石油资源来说，“卖方市场”的现状肯定会延续，因此必须寻找替代能源和发展节能技术，减少对于能源进口的依赖。在供需基本平衡的基础上保持可持续的供应和合理的价格，就需要能源进口国与能源出口国进行积极合作。

20世纪50年代以后，由于石油危机的爆发对世界经济造成巨大影响，国际舆论开始关注起世界“能源危机”问题。许多人甚至预言：世界石油资源将要枯竭，能源危机将是不可避免的。日益严峻的现实说明，如果不做出重大努力去利用和开发各种能源资源，那么人类在不久的未来将会面临能源短缺的严重问题。

国际社会一方面面对日益严峻的国际能源形势，化石能源日渐短缺，另一方面全球气候变暖问题却日益突出，国际社会呼吁在现有工业社会产能的基础上进行全方位节能减排，特别是千方百计地减少二氧化碳的排放以阻止全球气候变暖的步伐。当前，“低碳排放”以抑制全球变暖已成为国际社会的基本共识。根据全球能源发展所出现的这一新规律，国际社会已经提出以碳排放量为标准把可利用能源分为低碳和高碳型能源，人类能

源的利用趋势总体上是从“高碳低氢”到“低碳高氢”，再争取向“无碳全氢”方向发展。“低碳经济”的提法最早见诸政府文件是在2003年的英国能源白皮书《我们能源的未来：创建低碳经济》。从能源流的角度看，发展低碳经济基本上是两个途径：一是在源上的替代、减少、提高效率，如广泛应用核能、太阳能等新能源，开发替代能源等；二是在汇处的吸收，如保护原始森林，发展人造森林等。[①] 但是，实现“低碳排放”的具体措施真正执行起来却依然阻力重重，低碳能源的推广使用任重而道远，其原因在于一是人类几百年的工业化造成了对于高碳能源的“路径依赖”，二是低碳能源的利用成本上还高于高碳能源的利用成本，加之人类自身传统和习惯，低碳能源的推广和研发乃至替代高碳能源将是一个庞大的、需要凝聚全人类共识的系统工程。

进入21世纪，随着世界经济的发展，为了改变因温室气体排放导致全球变暖所引发的人类生存危机，并且当国际社会正在为油气资源的争夺所困扰时，替代化石类能源的低碳型新能源的应用就成为改变全球能源利用现状的必由之路，清洁、高效的“新能源时代”取代“化石能源时代”已经成为一种必然的趋势。由此各个国家和政府逐渐把眼光转向了清洁能源，特别青睐那些“绿色环保”型（包括太阳能、风能、生物质能、氢能等）的低碳型能源。

欧美太阳能和风能发电规模与技术一直在全球处于领先位置，在全球排名前15大太阳能市场中，欧洲国家占据9个位置，2011年太阳能安装容量将达到143亿瓦，超过全球209亿瓦的2/3。全球前两位太阳能市场分别是德国以及意大利，在2011年仍然维持领先地位。美国风电协会（AWEA）披露，2008年美国新建了8.35GW的风力发电产能，为原有产能的50%，总产能已达25.1G瓦，占全球风力发电的1/5，并已超越德国的23.9G瓦，成为世界风力发电的首强。英国第一个海上风力发电站2000年12月获准建设，经过近10年的发展，英国已成为全球拥有海上风力发

① http：//dt.nc.gov.cn/dtbk/200910/t20091016_178724.htm.

电站最多、总装机容量最大的国家之一。

在运用生物质能方面，一些国家也取得了较大进展。巴西通过不断的技术进步，积累经验，降低生产成本，提高生产效率，使本国的燃料乙醇工业已经完全市场化，并在国际出口市场上具有竞争力。美国通过技术创新，玉米的单位产量和玉米到乙醇的转换率也已得到了显著提升，极大地降低了成本。技术进步除了工业生产技术本身的进步以及对相应原料作物的优化培育之外，同时也包括对未来新一代燃料乙醇如生物质乙醇生产技术的研发等。从长远的角度考虑，燃料乙醇要成为一个可持续发展的市场化的产业，必须依靠技术创新和技术进步。

美国前总统小布什在2007年国情咨文中公布了美国能源目标，即在未来10年内，美国将通过开发替代能源和提高燃料体系能效，将汽油消耗量降低了20%，从而减少了美国对石油，特别是进口石油的依赖，以此来增强美国的能源安全，并应对全球气候变暖的挑战。其中，加大投入开发生物燃料，特别是燃料乙醇，被放在重要位置，这就是“20in10”目标。2007年2月22日，美国总统小布什参观了丹麦诺维信公司北美公司的消息成为《华盛顿邮报》、《纽约时报》、《今日美国》、《国家公共广播》等美国几乎所有媒体的头条新闻。当天，小布什不仅参观了诺维信位于北卡罗来纳的生物乙醇研发实验室和生产基地，还主持了圆桌论坛，推广其新能源政策。据诺维信公司的高层介绍，在参观的同时，小布什高度赞扬了诺维信所提供的利用生物质转化生产燃料乙醇所使用的先进的关键酶解技术，因为这项技术能够促使以玉米秸秆、高产草等农作物废料成为发酵生产乙醇的原料，并通过转化生成燃料乙醇。燃料乙醇的生产和推广使用，为美国实施替代能源战略、实现“20in10”目标、减少对进口石油的依赖和温室气体排放作出重要贡献。2007年2月22日，小布什在参观时说：“我正在与站在科技转变前沿的领导人交谈。我之所以要求会见他们，是因为我想确保我设立的‘20in10’目标是切实可行的。我知道这是一个必要的目标：是确保国家能源安全的必要，国家经济安全的必要，以及环境友好的必要。”①

美国也在研发石油与汽油替代品领域加大投资力度，包括先进的车用电池、生物柴油和氢燃料电池。这些新科技可以在价格合理的基础上提供可靠的能源供给。美国现任总统奥巴马在上任之初一直强调能源独立，以减少美国对海外石油的依赖。为达到这一目标，奥巴马针对乙醇燃料、混合动力汽车、新能源均提出了详细的政策目标。其中，最值得关注的仍是可再生能源发电量配额的限定，即 2013 年 10％、2025 年 25％的配额比例，这意味着美国这一全球最大的新能源市场的启动。自 2001 年起，各国政府在发展更清洁、更廉价和更可靠性能源方面的投资超过了 120 亿美元。

据相关统计，自 2001 年起各国政府在发展更清洁、更廉价和更可靠性能源方面的投资超过了 120 亿美元。由此可见各国政府对新型能源的日益重视以及未来新能源的发展趋势。

2011 年日本福岛发生了核泄漏事故，波及面甚广，危机重重，这也开始使得各国和平利用核能的战略和政策受到质疑。但不可否认核能在清洁能源中的重要位置仍然十分突出，这是当今对核能和平利用的主要途径。核能的和平利用技术分为核裂变和核聚变，如重核裂变和轻核聚变时均会释放出巨大的能量。目前，在世界各地运行的上百座核电站就是使用铀原子核裂变时放出的热量。当然，铀核裂变的主要燃料——铀的资源并不是无限的，并且铀资源在地球上分布不均，所以对于缺少铀资源的国家而言，单纯依靠铀核裂并不能摆脱能源短缺的困境。但如果忽略国家界线的限制，世界上已探明的铀储量约 490 万吨，钍储量约 275 万吨，这些裂变燃料足够人类使用到迎接聚变能的到来。核聚变燃料主要是氘和锂，海水中氘的含量为 0.03 克/升，据估计地球上的海水量约为 138 亿立方米，所以世界上氘的储量约 40 万亿吨；地球上的锂储量虽比氘少得多，也有 2000 多亿吨，用它来制造氚，足够人类过渡到氘、氚聚变的年代。这些聚

① 赵敏：《用科技实现能源安全》，参见 http：//manage.org.cn/gundong/200706/47440.html.

变燃料所释放的能量比全世界现有能源总量放出的能量大千万倍。按目前世界能源消费的水平，地球上可供原子核聚变的氘和氚能供人类使用上千亿年。因此，只要解决核聚变技术，人类就将从根本上解决能源问题。实现可控制的核聚变，以获得取之不尽、用之不竭的聚变能，这正是当前科学家们的梦想。

长远来看，人类要把希望寄托在利用核聚变上，因为核聚变的燃料重氢即氘，是从海水中所含的重水中提取的，资源可供开采几十亿乃至上百亿年，但是核聚变研发尚处于探索阶段，商业化应用也未提上日程。

当前，各国对于月球探测方兴未艾。中国科学院院士、中国月球探测计划首席科学家欧阳自远在第36届世界空间科学大会上作题为“中国探月计划”的科普报告时透露，月球上的氦-3在土壤里大概有100—500万吨，这将是人类社会长期稳定、安全、清洁、廉价的可控核聚变的能源原料，可供人类上万年的能源需求。

当今社会，人类对于未来如何解决能源问题在科学理论的层面上已经认识得相对清晰了，如核聚变能源、月球能源的开发和利用就是如此，海水中的氘和氚、月球上的氦-3是客观存在的，但是在相应的科学和技术条件下，才能转化为人类所利用的能源，所以热核聚变和月球上的氦-3的商业化应用前景在未来几十年内会很渺茫，尤其是在技术层面上还要有很长的一段路要走。

总体而言，以核能的和平利用为代表的新能源的开发和应用会受到社会、经济等诸多条件特别是科技进步的制约，而科学与技术对于解决能源问题的助推作用经常是不同步的，一旦同步则就意味着技术革命和社会变革的到来。

三、当前中国能源安全面临的挑战

在整个煤炭时代，全球经历了威斯特伐利亚、凡尔赛、维也纳、雅尔塔等多个条约体系的更迭，国际局势处于不断的更迭变化之中；而“煤炭时代”的中国由于科学技术上的落后和社会制度的腐朽直接导致国家主权的丧失，并成为当时国际关系体系中的受害国，这是毋庸置疑的事实。新中国成立后，中国国际地位的巩固首先是经济地位的独立自主，而经济上的独立自主首先在于能源领域的独立，不再受制于人。中国在包括能源技术在内的一系列尖端科技方面取得了许多重大成就，尤其是以大庆石油工业为代表的中国现代工业领域逐步走向成熟，使得中国在能源安全领域实现自立自强。

中国的能源安全问题已经成为涉及国家安全、经济发展、人民日常生活的重大问题，需要政策的制订者从战略和全局的高度把握，特别是在世界能源安全体系的框架下对中国的能源安全问题形成相对清晰的认识。中国能源安全面临的挑战主要包括短缺化、高碳化和国际化。

中国能源已经步入短缺的时代。近年来，中国对能源进口的依赖性日益突出。以石油进口为例，中国作为主要的能源消费和净进口国，每年都有大量的能源进口，尤其是原油和提炼油进口量较大。倪健民主编的《国家能源安全战略报告》显示，1993 年中国已经成为一个石油净进口国，石油净进口量达到 988 万吨，2000 年 6 974 万吨，2002 年 7 183 万吨，从 1993 年到 2002 年 9 年间，中国石油净进口量年均增长率达到 24.66%，年均增加量 688 万吨。根据国家海关、发改委（能源局）网站发布的数据核算，2004 年全年石油净进口 14 373 万吨，对外依存度为 45.1%；2005 年中国原油净进口全年石油净进口 13 617 万吨，对外依存度略微下降为42.9%；2006 年，中国原油进口同比增长 14.4%，达 14 518 万吨。而 2008 年中国石油产品进口大幅增长，进口原油 17 888 万吨，增长 9.6%，对外依存度达到 49.8%，比 2007 年提高 1.4 个百分点，已经接近国际上通行的石油对外依存度 50%的警戒线。中国能源研究会发布的《中国能源发展报告 2011》显示，中国原油进口量从 2005 年的 1.27 亿吨增加到 2010 年的 2.39 万吨，对外依存度接近 55%；中国能源整体对外依存度已达 10%；预计十二五期间石油消费增速为 4%左右，2015 年中国石油对外依存度将超过 60%。原油对外依存度逐年提高，说明我国能源安全与国际市场之间的关系愈加密切。因此，必须对中国未来的能源安全状况保持警醒。

国际经验表明，当一国的石油进口量超过5000万吨以后，国际市场行情的变化就会影响这个国家的经济运行。2010年，中国石油净进口量跃升16.2%，达到25367万吨。中国石油进口依存度（石油净进口量占国内油品消费总量的比例）已经由2009年的57%上升到2010年的约60%。[①] 今后，中国石油、天然气对外依存度将进一步提高，这要求中国统筹国内开发和对外合作，提高能源安全保障程度。当然，如果综合全面地加以衡量，中国目前的整体能源对外依存度并不高。

由于中国石油天然气资源相对不足，因此需要在立足国内生产保障供给的同时，持续扩大国际能源合作。中国作为美、日之后的第三大石油进口国，自身能源生产已经无法满足国内的产能需要。2008年，荷兰皇家壳牌集团在北京发布《壳牌能源远景2050》报告称，中国2025年的一次能源需求将在全球占25%以上，到2050年中国的一次能源需求将增长到目前的4倍，那时化石能源仍将占中国一次能源需求的70%左右，煤炭也仍将是中国首选的能源。所以，国际能源市场变化对中国能源供应的影响较大，中国能源对外依赖程度在提高。

此外，在能源消费方面对中国能源安全构成威胁的内在因素，还包括不合理的能源价格管理机制。因为一方面能源价格完全交由市场决定有可能给国民经济特别是作为立国之本的农业等弱势产业带来不利影响，另一方面如果政府维持相对价格稳定态势又会有国际炒家进行炒作，不利于中国能源市场与全球能源市场的逐步接轨。因此，要准确把握能源价格改革的恰当时机，在适度放开能源价格的同时，国家要需要加大对农业、公交运输业等受损行业的补贴，保护经济和社会的平稳发展。

高碳化是中国能源安全面临的又一挑战。在能源使用安全层面，以煤炭为主的能源消费结构对中国的生态安全构成威胁。从中国的能源资源禀赋看，品种齐全，总量可观，但能源消费结构不理想（2010年数据显示，

---

① 田春荣：《2010年中国石油进出口状况分析》，《国际石油经济》2011年第3期。

煤炭占 70 %，石油占 18 %，天然气占 4 %，水电、核电等其他能源占 8 %[1]，且空间分布不均，由此形成了以煤炭为主的能源生产和消费特征，这给中国社会经济发展和生态环境保护带来很大压力。当前，国际上发达国家通行的能源结构是油气为主，但是在石油价格飞速上涨的今天，中国马上由煤炭为主型转向油气为主型既不符合中国的国情，又不利于顺应当今世界低碳能源推广利用的发展趋势。

在国际上，中国面临温室气体减排的压力越来越大。中国是世界上第二能源消费大国，同时也是第二温室气体排放大国。2007 年 4 月 25 日，根据《世界报》报道，国际能源署负责人认为，考虑到中国经济迅速增长，中国将很快超过美国，成为全球最大二氧化碳排放国，同时预计从现在起到 2010 年这段时间内，中国废气排放量将超过美国。当然，“中国环境威胁论”既不客观也不公正。中国二氧化碳人均排放水平比较低，从 1950 年到 2002 年，50 多年间中国化石燃料燃烧排放的二氧化碳只占世界同期累计排放量的 9.33 %；1950 年以前，中国排放的份额就更少了。2007 年时任国家发改委主任的马凯在国务院新闻办新闻发布会上指出气候变化是全球共同面临的挑战，他指出据国际能源机构 2006 年发布的统计数据，2004 年中国人均二氧化碳排放量为 3.65 吨，仅为世界平均水平的 87 %，为经济合作与发展组织（OECD）国家的 33 %。1950 年到 2002 年的 50 多年间，中国人均二氧化碳排放量居世界第 92 位。

IEA 预测，发展中国家由于经济和人口增长速度较快，将在全球一次能源消费增量中占据 74 %的比重，其中仅中国和印度就占全球能源增量的 45 %。虽然中国已基本形成以煤炭为主、多种能源互补的能源结构，但是“富煤、少气、缺油”的资源条件，决定了中国能源结构仍然以煤为主，即一次能源生产和消费的 65 %左右仍然为煤炭，低碳能源资源的选择有限。电力中，水电只占 20 %左右，火电占 77 %以上，所以“高碳”能源占

① 吴莉：国土部发布《全国油气资源动态评价》，《 中国能源报 》2011 年 11 月 28 日第 1 版。

绝对的统治地位。中国正处于工业化、城市化、现代化快速发展阶段，重化工业发展迅速，大规模基础设施建设不可能停止，能源需求的快速增长难以短时间内改变，短期内碳排放强度不会有所下降。

最后，国际化是中国能源面临的新的重大挑战。中国国内经济和社会发展日益受到国际能源安全形势的影响，一些西方国家对华打“能源牌”。一些国家和地区性国家组织的有关人士甚至还把近年来国际油气价格的上涨归咎为中国需求的推动，在国际能源领域鼓吹“中国威胁论”。2007年，在美国《环球》（Orbis）杂志上刊载了《中国与全球的能源市场》一文，指出中国作为全球经济发动机的出现导致全球能源的紧张，由此中国能源政策的制定成为中国外交路线的重要组成部分；同时，由于与地区利益、社会问题、工业发展及地理问题相交迭，中国能源政策被分割而日益复杂化，中国要应对这些挑战必须与世界和谐共处，倾听其他国家的呼声，特别是处理好中美关系。

目前全球能源供需平衡关系脆弱，石油市场波动频繁，各种非经济因素也影响着能源领域的国际合作。国际油价高位振荡，油价在2008年攀升至每桶100美元甚至150美元，随后在一年内下跌至每桶34美元。全球能源市场的话语权掌握在几个发达国家以及其所掌控的主要国际组织手中。总的来说，中国参与全球层面能源合作的程度弱于参与区域层面能源合作的程度。在全球层面的能源合作中，中国基本被排斥于主要能源组织之外。中国拥有广阔的市场，但从全球层面的能源组织角度来看，中国还是个小伙伴，属于轻量级角色，缺乏足够的发言权。虽然中国开展区域层面的能源合作较为活跃，但由于缺乏国际组织的合作框架，合作程度还有待进一步加深。

四、国际化视野下中国能源安全战略

中国能源安全应进行更全面的双向考量。它不仅包括“对外”获取能源，还包括着“对内”开发和使用能源，基本可以概括为能源供应安全和能源使用安全的有机统一。中国能源供应安全是在中国能源总量恒定的情况下既要对外“开源”，又要对内“节流”；而能源使用安全则是在中国现有的能源结构下，有效利用能源，实现人口与环境、经济与社会的协调、可持续发展。

中共十六届三中全会正式提出了科学发展观，秉承科学发展理念的“绿色GDP”更是呼之欲出。所谓“绿色GDP”就是改革现行的国民经济核算体系，对环境资源进行核算，从现行GDP中扣除环境资源成本和对环境资源的保护服务费用，其计算结果可称之为“绿色GDP”。绿色GDP这个指标，实质上代表了国民经济增长的净正效应。绿色GDP占GDP的比重越高，表明国民经济增长的正面效应越高，负面效应越低，反之亦然。虽然美国经济学家萨谬尔森认为GDP是人类20世纪最伟大的发明之一，但是只有破除盲目追求GDP数量增长这种观念上的“路径依赖”，中国的能源安全体系才会处于一个和谐发展的宏观环境之中。此外，民众节能、用能观念的陈旧落后对于能源安全领域的突发事件在某种程度上起到了推波助澜的负面作用。中国能源安全领域的许多突发事件从运行机理上和技术创新上已经解决，但是解决措施在全社会很难推行，主要原因在于民众节能、用能观念的陈旧落后。长期以来，节能和提高能效的重要性一直没有得到社会公众普遍的共识。低技术含量及高浪费的消费方式，是当前中国石油消费存在的最根本问题。

在国际层面，中国的海外能源战略不断调整已经趋于成熟，既要宣示中国的国家利益所在，又要体现中国作为国际上有影响的大国应该负的国际责任。为维护中国的能源安全体系，中国努力谋求国际能源安全的多边合作，同时积极回应有关国家和地区组织散布的中国“能源安全威胁论”。为维护自身的国家利益，中国有针对性地开展“能源外交”是恰逢其时的。2006年，八国集团同中国、印度、巴西、南非、墨西哥、刚果（布）六个发展中国家领导人对话会议在圣彼得堡举行，中国国家主席胡锦涛指出，全球能源安全关系各国的经济命脉和民生大计，对维护世界和平稳定、促进各国共同发展至关重要。严重依赖海外进口石油，以及石油海外来源地过于集中，是中国能源安全面临的严重问题。

2007年7月17日，胡锦涛在八国峰会上发表讲话，着重就全球能源安全问题作了阐述。他说，全球能源安全关系各国的经济命脉和民生大计，对维护世界和平稳定、促进各国共同发展至关重要。不但再次强调了全球能源安全的重要性，同时指出每个国家都有充分利用能源资源促进自身发展的权利，绝大多数国家都不可能离开国际合作而获得能源安全保障。胡锦涛主席指出，具体而言，应该着重在以下三方面进行努力：一是要加强能源开发利用的互利合作，二是要形成先进能源技术的研发推广体系，三是要维护能源安全稳定的良好政治环境。各国应该携手努力，共同维护产油地区的稳定，确保国际能源通道安全。国际社会应该通过对话和协商解决分歧和矛盾，而不应该把能源问题政治化。

中美能源安全合作是中国海外能源战略拓展的重点。美国一度遏制中国对国际能源的强劲需求，最明显的例子就是2005年中国海洋石油公司高价收购美国加州的优尼科（Unocal）石油公司的计划由于美国政府出面干预而宣告失败。但是中美能源安全合作的共同利益是显而易见的，2008年6月18日，第四次中美战略经济对话在美国马里兰州安纳波利斯闭幕，这次对话最突出的成果是中美在能源和环境领域扩大了合作，两国签署的《中美能源环境十年合作框架》文件对中美未来经济合作具有重大影响，也将为全球可持续发展作出贡献，显示了中美战略经济对话的重要意义和战略影响。

中共中央党校国际问题专家马小军教授指出，中美两国在国际石油市场上的商业活动表现出极大不对称性。中国无意挑战美国对全球能源的战略控制，也无意破坏现行国际能源秩序，只希望在国际市场上通过正常商业活动，稳定石油供给，保障能源安全，为自身发展和世界经济发展做出贡献。但美国对中国的崛起十分担忧，频频掀起“中国威胁论”，意图打压中国。这自然会使中美两国在能源领域存在的潜在矛盾、摩擦日益增大，乃至有酿成冲突与危机的可能性。当然，中美之间几乎所有潜在的能源冲突因素，都可以通过对话、协商和外交途径得到解决。此乃中美实现能源合作最坚实的战略基础。

中日对东海天然气资源的纷争已经成为中日关系发展的重要内容，此外日本还介入了中俄原油管道项目“安大线”和“安纳线”之争。但是，中日之间能源领域的合作还是主流，2007年4月，中国国务院总理温家宝访问日本期间指出，中日两国应继续加强环境保护合作，深化能源领域合作。2008年6月，中国外交部发言人宣布，中日双方通过平等协商，就东海问题达成原则共识，双方同意经过联合勘探，本着互惠原则，选择双方一致同意的地点进行共同开发油气资源。

中俄能源合作一直比较顺畅。2009年4月，中俄两国在北京签署《中俄石油领域合作政府间协议》，中国国务院副总理王岐山认为这标志着中俄能源合作“实现重大突破”，双方将进一步在能源领域开展“全面、长期、稳定”的合作。协议签署后，双方管道建设、原油贸易、贷款等一揽子合作协议随即生效，全面涉及双方在石油领域上、下游的合作。

2007年8月23日，第四届东盟与中日韩能源部长会议在新加坡举行，与会者对东盟与中日韩三国在能源合作方面取得的显著成果表示赞赏，并重申了各国对确保地区能源安全所作的承诺。根据会议结束后发表的一份联合声明，与会者一致对能源价格不稳、原油储量有限和环境问题等表示关注，强调提高能源利用效率是加强地区能源安全和解决气候变化问题的最为有效的途径之一，同意在诸如工业、交通、电力等所有可能的领域，通过制订具体目标与行动计划来提高能源利用效率。

2007年10月24日至25日，石油输出国组织秘书长巴德里率代表团访问中国，并且与中国政府举行高层能源对话圆桌会议。至此，欧佩克与中国建立了高层能源对话会议机制。该会议决定，每年在欧佩克总部所在地维也纳和中国的首都北京轮流举行。

“国际化”背景下完善中国能源保障机制的根本在于调整中国的海外能源战略。当前的工作重点在于有效维护能源进口通道的安全和长远规划海外能源供给基地的建设，实现多点联动、点面结合、传输通畅。

保障一国海外能源战略通道的安全通畅是维护国家能源安全的前提。中国是仅次于美国的世界第二大石油进口国，进口石油90%靠海运。在中国海外能源战略中，必须把油气供应安全提高到国家安全的高度来考虑，才能有效地保证能源的安全，其中海外能源战略通道安全是中国油气供应安全的主要瓶颈制约。

中国要维护海外能源战略通道安全不能忽视美国在全球的军事存在。自20世纪90年代开始，美军积极行动，以图掌握全球16条海上要道：即加勒比海和北美的航道、佛罗里达海峡、好望角航线、巴拿马运河、格陵兰—冰岛—联合王国海峡、直布罗陀海峡、苏伊士运河、霍尔木兹海峡、马六甲海峡等等。其中，马六甲海峡是美国多年来志在必得的一个战略要地。基廷早在任美国海军作战部长办公室下属的战略研究小组成员期间，就是"两洋战略"的重要构筑者。此后，尽管他的任职不断变化，但对马六甲海峡的关注一直没有中断过。一位美国专家曾用"马六甲之痛"来形容中国在海运问题上的困境，他认为对中国而言，马六甲海峡就是中国的"油喉"。1993年，中国成为石油净进口国。经过多年发展，中国已成为世界上最大的石油进口国之一。中国进口的石油大部分来自中东、非洲和东南亚地区，进口原油的4/5左右是通过马六甲海峡运输的。据统计，每天通过马六甲海峡的船只，有近六成服务于中国。

美国《中国安全》季刊曾发表一篇题为《石油武器：解析中国能源脆弱性之谜》的文章，对美国太平洋司令部和中央司令部携手扼制中国"油喉"的设想进行了透彻的分析。他们相信，美国可以针对开往中国的油轮实行封锁，而不限制石油运往美国在太平洋圈内的盟友，它们可以实行海上拦截行动。文章还分析说，中国无力防止美国切断这条重要的大动脉，因为保护海上线路比破坏这些线路不知要难上多少倍。文章的结论是，美军太平洋司令部握着中国从中东获取石油的钥匙。

中日关系近年来呈现低迷状态，其中有关能源问题的争端是两国关系紧张的症结之一。中日能源之争表现为两点：第一，两国领土争端涉及到了能源和资源的归属权问题，如钓鱼岛争端、东海大陆架争端都涉及到了海底油气资源的归属问题；第二，双方为开辟自身新的油源地而引发诸多矛盾，如中日对于俄罗斯安纳线和安大线的争执十分激烈。由于中日同时处于东亚能源板块，因此总体上看在中日的能源之争中，中方出于各种考量可以回旋的余地较少。在台湾海峡已经成为日本海上能源运输的生命线的情况下，中日在钓鱼岛海域以及东海大陆架的争端中牵涉到了十分敏感的领土、能源问题。中国东海、南海、钓鱼岛附近海域的油气资源及能源运输通道——台湾海峡、南沙群岛海上航线不仅关系到中国的能源安全，而且事关中国的主权和领土完整。因此，必须运用政治、军事等手段从保障中国国家核心利益的角度加以维护。

作为维护中国海上石油运输路线安全的远期举措，中国“蓝水”海军即远洋海军的建设必须提上日程。客观地说，仅凭中国的海军力量难以维护中国的海上能源补给线。中国必须开展重要国际航道的护航国际合作。实际上，中国对护航国际合作历来持积极、开放态度，一直表示愿意在联合国安理会有关决议的框架下，与所有相关国家和组织开展多种形式的双、多边护航合作，维护共同相关重要海域的和平。为维护中国能源和资源战略运输通道的安全，中国在既有国防力量的基础上开始海外护航。2008 年 12 月 26 日，第一批中国海军护航编队从三亚出发，2009 年 1 月 6 日实施第一次护航。2009 年 10 月 30 日，中国海军第四批护航编队从浙江舟山起航，赴亚丁湾、索马里海域接替第三批护航编队执行护航任务。截止 2009 年 10 月底，中国海军护航编队已安全护送 1000 艘中外船舶通过亚丁湾、索马里危险海域。

为了有效降低中国由海上石油运输中断所导致的中国能源安全隐患，减少对西太平洋战略通道的依赖，中国还要继续重视陆路油气供应通道的后续建设，包括中缅油气通道、中俄油气通道、伊朗—巴基斯坦—中国油气备用通道以及加紧建设中国国内的西气东输工程。2010 年 6 月，中缅石油天然气管道工程正式开工建设，中缅天然气管道缅甸境内段长 793 公里，中缅原油管道缅甸境内段长 771 公里，并在缅甸西海岸配套建设原油码头。2011 年 1 月 1 日，中俄原油管道正式投入运行，俄罗斯今后 20 年将通过该管道每年向中国供应原油 1500 万吨，中俄原油管道起自俄罗斯远东原油管道斯科沃罗季诺分输站，穿越中国边境，止于黑龙江大庆末站，管道全长近1000公里，其中的920多公里位于中国境内。

中国海外供给地多元化建设也迫在眉睫。当前，国际性能源供给地主要集中在中东、中亚、俄罗斯和拉美以及北非。而中国石油进口来源地主要集中在沙特、安哥拉、俄罗斯、伊朗等国。在中国的几个海外供给地中，中俄关系一直发展顺畅，中俄在能源领域的合作也在逐步加深。中东地区作为美国的战略重点，拉美是美国的战略“后院”，中国从这些地区获得稳定能源供应将会遇到美国等西方国家的严峻挑战。因此，中国要建设多元化的海外能源供给地，下一步宜采取“西进”（合作开发中亚的油气资源）和“南下”（关注非洲能源的挖掘潜力）战略，这样可以避免在中东地区与美国等西方发达国家直接对抗，从而减少中国在国际社会所遭遇到的能源压力。此外，由于外交传统和历史渊源，中国在中亚和非洲具有相当的国际影响力，所以采取“西进”和“南下”战略对比经略中东和拉美地区而言在外交上风险更小而保障更加有力。

中亚—里海地区是极具潜力的能源基地，石油储量高达328亿吨，天然气为18万亿立方米。由于历史原因，俄罗斯在中亚能源外运方面长期居于垄断地位。现在，马六甲海峡作为重要的能源运输通道，被美国及其盟友牢牢地控制着，而中国东海能源开发也受到了日本的牵制，所以中国要“西进”，特别是充分利用周边国家的石油资源，要重点考虑中亚油田开发问题。土库曼斯坦是前苏联联邦国家，位于中亚，该国天然气储量占全球第五位，并拥有丰富的石油资源。中国与土库曼斯坦已正式结成秦晋之好。2007年7月17日，中石油分别与土库曼斯坦油气资源管理利用署和土库曼斯坦国家天然气康采恩在北京签署了中土天然气购销协议和土库曼阿姆河右岸天然气产品分成合同。根据协议，在未来30年内，土库曼斯坦将通过规划实施的中亚天然气管道，向中国每年出口300亿立方米的天然气。2009年12月15日投产的土库曼斯坦—乌兹别克斯坦—哈萨克斯坦—中国管道（土乌哈中管道）从土库曼斯坦和乌兹别克斯坦接壤的边境地区出发，穿过乌兹别克斯坦中部地区和哈萨克斯坦南部地区最后抵达中国边境城镇霍尔果斯，土乌哈中管道在霍尔果斯与中国第二条西气东输管道相连接。截止 2011 年 4 月 28 日，中国—中亚管道已累计向中国输送天然气 100 亿标准立方米，平均日交付 4000 万标准立方米。许多境外媒体认为，这表明中国在中亚地区同美俄在能源领域的博弈中占据先机。就合作机制而言，上海合作组织作为重要的交流平台，有助于推动中国与中亚各国的政治、经济及能源安全方面的合作。

此外，中国海外能源的“南下”战略也已经见到效果，这主要得益于中国与非洲各国历史上建立的良好合作关系。非洲被誉为“第二个中东”，其已探明的石油储量为 233.8 亿吨，约占世界总产量的 12%。当前，非洲大陆原油日产量达 800 多万桶，约占世界原油日产量的 11%，2010 年，非洲石油产量在世界石油总产量中的比例达到 20%。中国在非洲能源领域投资始于 1995 年。截至 2005 年底，中国在非洲较大型的油气合作项目共有 27 个，涉及苏丹、阿尔及利亚、安哥拉、尼日利亚等 14 个国家。然而中国在非洲的活动并非仅以获取能源为目的。回顾历史，中非都曾饱受列强欺凌之苦，目前，中非都属于发展中国家，非洲国家对于西方国家援非项目附带政治条件的做法普遍十分反感，相似的经历使双方彼此理解、互信并建立深厚的友谊，这是中国支援非洲并与非洲各国全方位合作的政治基础。2009 年 11 月，中国国务院总理温家宝访问埃及并出席中非合作论坛第四届部长级会议开幕式，期间温总理指出，中非合作是全方位的，能源合作是其中的一个领域。但中国绝不是仅仅为了能源来到非洲的。中国援建坦赞铁路时，没想要来非洲开采石油。温总理强调，中国援非的目的是增强非洲自主发展能力。中国不仅仅是授人以鱼，更要授人以渔。可以说中非之间的合作是坦诚相见、求取共同发展的互利互惠的合作。当前，美欧对于中国在非洲能源领域的拓展已经十分警觉和关注，同时对中国在非洲能源合作项目的指责和阻挠已愈演愈烈，中国必须审慎应对。

长远而言，能源“西进”和“南下”战略不会一帆风顺，非洲和中亚各国国内政局的不稳和经济的停滞，有可能会影响到中国与这些国家的能源合作。

第九章 世界“向东看”与中国模式的国际影响

9

◎ 罗建波

中国自改革开放以来，发展迅速，进步飞快，变化深刻。中国的快速发展及其日益增长的世界影响，引发了国际社会对中国模式与软实力的热烈讨论。世界著名未来学家约翰·奈斯比特夫妇在其2010年畅销书《中国大趋势》中指出：中国正在创造一个崭新的社会、经济和政治体制，中国模式将以令人难以置信的力量影响整个世界。2011年1月30日，英国《独立报》更是刊文预言中国模式将被发展中国家欣然接受，声称21世纪将是“中国人的世纪”。中国模式已经成为世人讨论中国发展及其软实力的重要内容，中国发展经验的国际交流互鉴也成为中国处理与外部世界关系的重要方面。

一、从引发关注的“北京共识”说起

20世纪90年代前后，有关“中国崩溃论”和“中国经济泡沫论”的言论甚嚣尘上。一位美籍华人章家敦写过一本题为《中国即将崩溃》的书，还上了《纽约时报》的畅销书榜。章家敦认为，中国过去50年的积弊太多，中国经济在入世后必将迅速崩溃，时间会在2008年奥运会之前。然而，在加入世贸组织后，中国非但没有崩溃，反而通过自身改革开放和体制创新，使经济总量不断跃上新台阶，中国已逐步跻身世界经济强国之列。面对中国取得的骄人经济成就，一些国外媒体开始惊呼各种来自中国的“威胁”，不过更多国外学者开始冷静思考中国奇迹背后的发展经验和政策选择，尝试总结中国发展道路的独特之处。

引发国际社会对中国模式的大讨论，始于一位美国学者所创造的一个新词汇。2004 年 5 月 11 日，英国外交政策研究中心发表了高盛公司高级顾问、清华大学教授乔舒亚·库珀·雷默（Joshua Cooper Ramo）撰写的一份研究报告《“北京共识”：论中国实力的新物理学》。在报告中，雷默将他所看到的中国独特的发展道路称为“北京共识”，并将其与“华盛顿共识”相提并论。他把“北京共识”定义为“锐意创新和试验，积极地捍卫国家边界和利益，越来越深思熟虑地积累不对称投放力量的手段。”“北京共识”所产生的世界影响也许远远超出雷默本人的预想，这一概念迅速吸引了中国学者的注意力，并在国际社会掀起了一场有关中国发展的讨论热潮。作为这一概念的直接受益者，雷默先生迅速被世人所熟知，其姓名与“北京共识”一道成为当今世界的一个热门搜索词汇。

2008 年世界金融危机的爆发引发了世人关注中国模式的第二波热潮。美欧国家无法有效实现市场经济的自我调节和合理约束，在危机爆发后又往往显得应对乏力，甚至力不从心。而同期中国在遭到危机的冲击后，及时采取了有效的宏观调控，中国经济很快走出阴影并恢复了快速发展势头。不仅如此，中国还通过提高在世界银行、国际货币基金组织中的份额，组团赴欧美国家进行采购并增持一些欧洲国家的国债，继续加大对亚非发展中国家的经济援助，从而极大增强了世界抵御金融危机的能力，推动了全球经济的复苏。这种鲜明的对照再次把中国模式推向了世界舆论的焦点，世人纷纷在西方模式之外寻找实现经济发展的成功经验。

国外学者的兴趣大多集中在中国实现经济快速发展的经验上。他们试图解答：作为一个曾经的后发国家，中国何以能够与众不同地保持经济的长期快速发展？作为一个农业人口占大多数的发展中国家，中国何以能够取得骄人的减贫成就？作为一个经济社会转型国家，中国如何在实现经济发展的同时保持社会政治的稳定？他们认为，中国的发展探索与经验具有重要价值，为其他后发国家进行现代化建设提供了许多借鉴与启示。一些人甚至断言，在现存的资本主义世界体系内，中国快速的经济发展为发展中国家提供了另外一种可行性的发展路向。一些人还试图找到中国模式与西方模式或其他发展模式的差异。美国中国问题专家哈里·哈丁认为，与“华盛顿共识”相比，中国模式有三个明显的特点：在发展目标上强调经济、稳定和人权的平衡发展，其中人权的含义也与西方不同；在发展战略上主张通过试验，在结合当地实际情况下进行渐进改革；在对外援助上不附加任何政治条件。美国霍普金斯大学的戴维·兰普顿则称：“中国模式是从真实世界中发展而来的，而不是华盛顿某智库的一帮人坐在大楼内凭空杜撰出来的。”同样来自霍普金斯大学的乔尔·安德斯注意到了“中国模式”与“东亚模式”的相似性，认为中国走的是一条独特的东亚道路，其特点是强大的国家、活跃的家庭劳动经济和主要由小企业组成的私有经济和小规模资本主义经济。

一些国外学者还试图从中国实现社会转型和政治变迁的角度，来总结中国模式的一些基本特征。俄罗斯曾经实施急速的“休克疗法”而付出了高昂的社会转型代价，因此俄学者对中国通过渐进改革的方式实现经济和政治有序发展颇感兴趣。俄罗斯东方学专家阿列克谢·基瓦基于俄中历史的相互比较，认为中国发展模式的实质是“逐步地、分阶段地为形成市场经济和代表制式的民主创造前提”。俄共主席久加诺夫更是按照俄罗斯历史传统给出了一个“中国成功的公式”，即中国成功＝社会主义＋中国民族传统＋国家调控的市场＋现代化技术和管理。而英国剑桥大学的彼得·诺兰则把中国模式称作“第三条道路”，认为它把既激励又控制市场的具体方法与一种源于统治者、官员和老百姓的道德体系的深刻思想结合在了一起。

此外，部分对中国国情较为熟悉的学者，还尝试对中国模式进行更为全景式的描述。比如“北京共识”的首创者雷默在“与中国大学、智囊团和政府的著名思想家的一百多次非正式的讨论”之后，把“北京共识”概括为三个基本“定理”：创新、可持续和平等的发展模式、自主的国际关系。新加坡国立大学东亚研究所所长郑永年从政治和经济两个方面来认识中国模式：就政治模式而言，其内容主要是渐进的、有阶段性的政治改革；就经济模式而言，中国是混合所有制模式。一位印度中国问题专家的总结或许更为具体，“中国模式”包括：经济上，制定适合本国国情的对外开放政策，趋利避害，与全球化潮流齐头并进；政治上，稳步推进适合国情的民主改革；军事上，在实现国防现代化的同时，将大量原本投入到军事领域的宝贵资源转为民用，极大地减轻了国家的负担；外交上，与邻为善、稳固周边。

二、中国模式的“庐山真面目”

在过去的30多年里，中国在探索自己的现代化进程中积累了许多经验和教训，有了许多对发展的思考和探索。与其他处于现代化进程中的发展中国家或社会转型国家相比，中国的发展道路的确显现出了自己的特点。

第一，在发展的路径选择上，采取“渐进改革”而非“激进变革”，从而较好地处理了经济快速发展与政治社会稳定的关系。对于中国这样一个人口众多、地区差异甚大的发展中国家，经济现代化和社会转型必然涉及复杂的制度变迁、观念转变、结构调整和利益上的重新分配，大规模的“激进变革”或“宏观革命”容易导致无法预料、难以应对的政治社会危机，从而给现代化进程带来严重甚至是灾难性后果。出于这一认识，中国继承了历史上的中庸传统，吸取了新中国历史上曾经有过的激进革命教训，在原有的并不完善的体制基础上稳步推动改革进程，从而有效避免了重大的政治与社会危机的出现。正如瑞士日内瓦大学亚洲研究中心高级研究员张维为所言，正是经济改革“理性激进”和政治改革“理性保守”的非对称组合，确保了中国的长期稳定，从而促成了中国改革开放取得了巨大的成功。与此形成鲜明对比的是，20世纪80年代末以来，俄罗斯及部分东欧国家采取了激进的“休克疗法”，结果致使社会矛盾重重、元气大伤，同期部分非洲国家也因急剧的“民主化”和“私有化”诱发了大规模的政治危机甚至是流血冲突，一些国家至今仍未实现政治稳定。发展中国家面临的最大问题，往往不是经济增长的缓慢，而是快速的经济增长带来的社会矛盾的急剧恶化和政治不稳定，从而形成许多发展中国家在现代化进程中难以解决的发展悖论。中国的渐进改革之路，或许对于其他发展中国家提供了一些富有价值的启示。

第二，在经济发展方式上，采取“合理借鉴”而非“完全照搬”，从而有助于探索适合自身国情的发展道路。由于选择了渐进性的改革与发展路径，中国便能够相对从容地去思考和借鉴某些国外成功发展经验，并为自己消化、吸收和融合这些经验赢得了比较宽裕的时间和空间。中国既没有像一度流行于拉美地区的依附理论那样，完全和世界政治经济秩序脱钩，闭关自守地进行现代化，也没有像西方现代化理论和“华盛顿共识”那样，采取私有制、全盘西化和激进性变革的方式，而是根据中国改革所能承受的限度和实际需要，在保证国家经济政治安全的前提下，逐渐扩大对外开放的领域，在改革与发展中增强国民经济抵御风险的能力和参与世界经济竞争的能力。一方面，中国合理借鉴了基于新自由主义之上的“华盛顿共识”的某些合理成分，比如强调市场的基础性作用，激发发展活力的企业精神，私有产权的保护与扩大，以及自由的国际贸易；另一方面，中国仍继续强调基本经济制度、生产方式以及分配制度中的某些“社会主义”原则，继续保持了国家对经济的宏观调控能力和对资源的配置能力，从而把社会主义与资本主义的有利因素有机结合了起来。正如法国著名汉学家魏柳南评价道，中国发展的独特之处在于“在制定经济和政治战略决策时，没有受外界干扰而改变自己的发展方向”，而且能够“吸收外来精华，使之适应中国国情”。正由于这种选择性的学习和借鉴，中国才得以成功避免1997年的东亚金融危机，才得以成功应对2008年的世界金融危机。对于其他发展中国家，中国模式的最大意义就在于不照抄照搬外来经验，而是根据自身国情和发展需要有选择地借鉴其他模式的合理成分。

第三，在政府管理模式上，强调适度的政治权威与行政效率，从而为经济社会的稳定与发展提供了强大的制度保障。经济发展需要一个最低限度的社会政治秩序，这是哈佛大学教授亨廷顿在几十年前出版的《变革社会中的政治秩序》一书中的一个基本观点。这个观点对于今天的发展中国家仍然适用，因为一定的秩序是资本和商业活动的基本条件，尤其对国际资本更是如此。亚洲金融危机时期的印度尼西亚以及后卡扎菲时代的利比亚表明，一旦失去基本的政治社会秩序，原有的经济发展成果便会付诸东流。正如新加坡国立大学东亚研究所所长郑永年所言，大多数发展中国家面临的问题不仅仅只是民主化的问题，更重要的是基本国家制度建设。他们需要的往往不是一个自由主义的民主政府，而是一个能够消除贫困、提供基本服务和安全的好政府。自由主义的民主需要一定的社会经济基础、相当规模的中产阶级、相对宽容的政治文化、现代的法治精神，以及受过良好教育的人民，而这些条件在一些发展中国家并不具备，强行要求这些条件尚不成熟的国家实行西方式的自由民主模式，往往不是催生“民主主义”而是诱发“民粹主义”，其结果不是导致“多数人的民主”而是“多数人的暴政”，甚至是大规模的国内动乱与流血冲突。自改革开放以来，中国在实现权力分享与放权于民的同时，仍然强调中央对地方的有效管理。中国存在一个强有力的政党以及在这个党领导下的强有力的政府，尤其有一个富有权威的中央政府，这是中国改革开放走向成功的重要政治前提。因为中央政府的有效权威对于调动各种经济资源、推动国家经济建设、强化民众凝聚力，以及确保社会长期稳定具有不可或缺的重要作用。在国内外情况错综复杂的条件下，如果没有一个长期稳定的社会，改革开放的成功推进是不可思议的。

第四，在社会发展问题上，强调以人为本与民生为重，以确保经济社会发展的公平、公正与可持续发展。经济发展要求基本的社会正义，这是经济社会可持续发展的前提和基础。过去的历史经验表明，很多发展中国家在某一阶段并不缺乏经济的快速增长，但问题在于有增长但无发展，或者经济增长难以持续下去，其中一个重要原因在于缺乏必要的社会公平与正义，最终导致严重社会失序。亚洲、非洲和拉丁美洲一些国家至今仍未解决这一问题。而中国过去三十余年的发展在此方面积累了许多有益的经验探索，其中之一突出表现是在减贫领域取得了显著成就。中国的扶贫政策大致可分为四个阶段：1978－1985年的农村改革，1986－1993年实施全国有针对性的扶贫开发，1994－2000年间实施的“国家八七扶贫攻坚计划”，以及2001－2010的新世纪“中国农村扶贫开发纲要”。中国扶贫政策强调通过“开发式扶贫”方式为贫困人口积累和转移资产，从而为他们提供更多的致富机会，这在很大程度上避免了纯粹的“救济式扶贫”。根据国务院扶贫开发领导小组办公室公布的数据，《中国农村扶贫开发纲要(2001－2010年)》实施10年来，中国扶贫开发取得显著成就，农村贫困人口从2000年底的9423万减少到2009年的3597万，贫困发生率从10.2%下降到3.8%。如果从20世纪80年代算起，30多年来，中国的贫困人口减少了近2亿，世界上70%的脱贫是在中国实现的。换言之，如果没有中国在消除贫困方面的业绩，整个世界的扶贫工作将黯然失色。近年来，中国政府还提出了“以人为本”的理念和“科学发展观”，并提出构建“和谐社会”的目标是解决当前面临的若干经济社会问题，实现社会的公平与正义。

第五，在国内民族关系上，突出少数民族的发展权益和政治平等，从而维护了国内统一大局和边疆政治稳定。发展中国家自独立以来，大多面临民族国家统一构建的艰巨任务，如何实现各民族的团结统一与政治稳定是其中一个重要议题。比如在非洲地区，冷战时期美苏两个超级大国在非洲的争夺曾导致许多非洲国家的民族、部族间矛盾重重，冷战后多党民主浪潮又诱发了更为激烈的国内冲突，一些国家和地区至今仍未实现政治稳定。新中国成立以来，中国共产党和中国政府确立并实施了以民族平等为法律基础、以民族区域自治为制度保障、以各民族共同发展和繁荣为目标的民族政策，形成了比较完备的民族政策体系。截至2008年底，全国共建立了155个民族自治地方，包括5个自治区、30个自治州、120个自治县(旗)。民族区域自治制度保证了少数民族的平等权利和当家做主管理本民族内部地方性事务。中国政府还优先安排建设项目，推动少数民族地区的经济社会发展。比如，2000年实施西部大开发战略以来，国家把支持少数民族和民族地区加快发展作为西部大开发的首要任务。根据国务院新闻办公室发布的《中国的民族政策与各民族共同繁荣发展》白皮书的数据，截至2008年，西部大开发以来民族地区固定资产投资累计达到77899亿元。其中，2008年达18453亿元，比2000年增长5倍，年均增长23.7%。

第六，在对外关系上，在独立自主的基础上寻求和平发展与国际参与，从而较好地平衡了自身崛起与现存世界体系之间的关系。从近代以来西方大国崛起的历史轨迹来看，大国崛起必然引发国际秩序的动荡，甚至给世界的和平带来灾难性后果。世界发展不平衡规律导致各国实力对比发生变化，而国际权力格局中的实力消长必然导致权力转移，世界历史也因此上演着一幕幕周期性的霸权更替，这就是西方传统国际权力观念的思维逻辑。而中国的和平发展则面临完全不同的国内文化背景与国际环境。中国战略文化传统和外交哲学体现了强烈的和平主义、理想主义和道德主义色彩，主张“和而不同”与“多元共存”，这内在地框定了中国奉行的是独立自主的和平外交政策、“善邻、惠邻”的睦邻政策和防御性的国防政策。同时，中国的和平发展与经济全球化、全球统一市场的真正形成相伴而行，这使得中国可以通过和平方式和市场途径获得国际分工的重新选择和战略资源的重新配置，可以通过国际贸易和对外投资以获取国内经济发展所需的商品市场，而不必像历史上许多后兴大国那样，通过发动战争掠夺别国资源来实现自身的发展和崛起。而且事实上，由于中国不主导国际经济领域的规则制定权、修改权以及对重大问题的裁判权，因此也不具备利用现有国际制度主动转移国内压力和发展成本的可能。中国政府在21世纪初期适时提出“和平发展”的新理念，就是旨在告诉世人，中国崛起的本质之处，是在不挑战现有国际政治经济秩序、顺应世界经济全球化和世界和平与发展这一历史趋势的前提下，在与其它国家实现互利和共赢的基础上实现国家综合国力的全面增长和发展。正如中国改革开放论坛理事长郑必坚先生所说：“从国家发展道路上说，我们走出了一条在同经济全球化相联系而不是相脱离的进程中，在同国际社会实现互利共赢的进程中，独立自主地建设中国特色社会主义的道路。”中国以和平方式实现崛起这一新理念之所以具有历史意义，就是在于它旨在摒弃走对外扩张这条近代以来大国崛起的老路，而采取一条全新的以和平方式实现崛起的新路。和平发展是中国对西方传统权力政治观念的超越，是中国发展模式对于人类发展的重大贡献。

“中国模式”是对中国改革开放三十余年来实践经验的提炼，是中国作为一个发展中国家在全球化背景下实现现代化的一种战略选择。它是中国在改革开放过程中逐渐发展起来的一整套应对全球化挑战的发展战略和治理模式。其取得的经验教训，对于中国自己未来的发展，对于其他发展中国家探寻自身发展道路，都有着重要的启示意义。正如雷默所言，对全世界那些正苦苦寻找不仅发展自身，而且还要在融入国际秩序的同时又真正保持独立和保护自己生活方式和政治选择出路的国家来讲，中国提供了新路。

三、世界“向东看”的独特魅力

中国发展不仅造福自身，也惠及世界。伴随自身实力的不断增长，中国适时加大了对全球事务的参与，增加了自身的全球责任与世界贡献。比如，近年来中国以前所未有的积极姿态参与联合国的维和行动，截至 2011 年 3 月，在联合国 10 项维和行动中共有 2039 名中国维和人员，在安理会五常中居于首位；中国作为主要成员国参与 G20 等大型国际会议或国际组织，推动世界银行和国际货币基金组织的改革，以实际行动支持世界包括欧美国家克服经济困难；中国积极推动朝核危机的政治解决，在若干重大地区热点问题的解决上扮演了重要角色；中国注重开展同印度、巴西等“金砖”国家的合作，并通过中非合作论坛机制、中国—东盟自贸区建设等平台，推动发展中国家的互利合作与共同发展。中国以自己的行动向世界证明，和平发展绝非只是一种姿态或宣言，而是一种实实在在的责任和担当；中国的崛起对世界绝不是威胁，而是一种惠泽全球的建设性力量。

作为有国际意义的软实力，其关键就是要能够比较好地回应当今世界面临的问题和挑战。其中一个主要难题是贫困与发展问题。据世界粮农组织于 2008 年底发布的统计报告，世界上共有 9.23 亿饥饿人口，这一数字接近所有发达国家的人口总和。世界上每年因饥饿或营养不良而死亡的人口超过800万，这个数字远远超过战争、恐怖袭击或自然灾害造成的死亡人数。虽然中国经济发展并非完美无缺，但是在消除贫困、帮助穷人与弱者方面，比西方模式或“华盛顿共识”要有效得多。许多非洲国家“向东看”，一些拉美国家“向西看”，目的都是为了借鉴中国的发展与减贫经验。中国在扶贫领域的成功经验，是中国展现软实力及国际话语权的重要方面。在国际减贫与发展问题上，中国可以向世界贡献自己的特殊智慧。

为推动世界的减贫与发展，近年来中国加大了对发展中国家的人力资源开发与人才培训，注重推动同其他发展中国家在经济发展特别是减贫方面的经验交流。自1998年以来，中国开始在国内举办培训班，帮助非洲和部分亚洲国家培训、培养管理和技术人才。据国务院新闻办公室2010年12月23日发表的《中国与非洲的经贸合作》白皮书显示，截至2010年6月，中国为非洲国家培训了各类人员3万多人次，培训内容涵盖经济、公共行政管理、农牧渔业、医疗卫生、科技、环保等20多个领域。中国国务院扶贫办、商务部与联合国开发计划署联合筹建了“中国国际扶贫中心”，负责实施针对其他发展中国家的减贫能力建设项目。同时，中国还倡议举办了多种类型的国际减贫经验交流研讨会。2007年5月中国承办了非洲发展银行理事会年会，这是中国推动开展中非双方在发展经验和治国理政方面的交流与合作的重大举措。帮助其他亚非国家发展人力资源，体现了“输血不如造血”、“授人与鱼”不如“授人与渔”的援助理念与合作精神。

中国的发展模式及成功经验，受到非洲国家的广泛推崇，进而扩大了中国在该地区的影响力。津巴布韦、肯尼亚和纳米比亚等一些非洲国家开始调整外交方向，把目光转向世界的东方，推行“向东看”战略，积极加强同中国等亚洲国家的联系。2005年4月，津巴布韦总统穆加贝公开宣称，他的政府决定“背对太阳落下的西方，转向太阳升起的东方”，大力发展同中国的政治和经济关系。2007年4月，在中国国家主席胡锦涛访问前夕，肯尼亚总统府发表声明说，肯政府热切关注着东方，尤其是中国的发展，因为那里有着广泛的经济机遇。许多参加2006年中非北京首脑峰会的非洲领导人并不只是被援助和贸易所吸引，也是为中国的发展模式所吸引。他们知道仅仅在三十年前，中国和马拉维一样贫穷。今天的马拉维仍是世界上最贫穷的国家之一，而中国正在逐步成为世界经济强国。在2006年中非北京峰会上，埃塞俄比亚总理梅莱斯欢迎中国为非洲“提供成功的发展经验，转让技术，开展贸易和投资”。南非时任总统姆贝基在此次峰会后撰文《希望诞生在北京天安门》，称赞中非合作将把非洲带向充满希望的未来。塞内加尔总统甚至指出：“不光是非洲，就连西方自己也有很多地方需要向中国学习。”对于许多仍面临严重治理问题的非洲国家而言，的确需要一个高效且廉洁的政府，需要一条源自本土的发展方式，这些或许正是中国模式对于非洲的巨大魅力所在。

在东南亚，中国的快速发展及睦邻政策也产生了广泛的影响。越南继中国之后也进行了一系列的改革，不仅采取了中国式的经济体制改革，而且注重强调稳定、改革和发展的辩证关系，取得了显著的发展成效。在东南亚金融危机中，中国因处变不惊而备受称赞，中国作出人民币不贬值的决定，无疑提高了中国作为负责任的国际公民的声誉。中国提出的“睦邻、安邻、富邻”的外交政策也获得了东南亚国家的认可。2007年1月，16个亚洲国家在菲律宾召开第二届东亚峰会，时任菲律宾总统阿罗约在会上宣称：“我们很高兴在我们这个地区，有中国这个老大哥。”虽然一些东南亚国家至今对于中国崛起怀有某种战略警惕，但一个不争的事实是，有关“中国威胁”的论调已大为降低，大多数国家及东盟都在积极寻求同中国的合作，争先搭乘中国经济发展的快车。

南亚国家也积极关注中国的快速发展及相关经验。2008年1月15日，印度总理辛格应邀访华，在中国社会科学院发表了题为“二十一世纪的印度与中国”的演讲。他说：“中国在经济上取得的辉煌成就令印度人民钦佩，中国的崛起是当今时代最重要的发展之一。”“我们希望学习中国的成功经验，包括在基础设施建设，在非农领域创造生产性就业和中国的减贫经验等等。”尼泊尔驻华大使坦卡·普拉萨德·卡尔基撰写《中国模式将为亚非拉寻找共同道路提供借鉴》一文，称赞“中国模式能够为如何利用国家和市场，并同时消除它们的极端情况提供很好的借鉴。换句话说，中国在国家社会经济力量发展中，协调个体积极性和公共控制的能力已经是其他发展中国家认可的软实力”。

西方发达国家同样欣赏中国的发展成就并希望中国承担更为积极的国际责任。美国前副国务卿佐利克于 2005 年上任之际就把美中关系定位为“利益攸关方”（stakeholder），他称“一个更富影响力的中国比大部分国家更有能力帮助维持和平、繁荣及开放的国际体系”。这是对中国影响力的一种肯定。美国总统奥巴马更是希望中国与美国一道，发挥日益重要的世界领导角色。2011 年 1 月，美国总统奥巴马在会见到访的胡锦涛主席时说：“美国并不试图遏制中国崛起，而是欢迎中国的崛起。中国经济崛起为美国带来巨大的经济机会，中美合作将有利于世界。”当今世界，无论是在联合国、世界贸易组织等多边舞台，还是在亚太区域合作进程中；无论是国际反恐、防扩散、国际经济、能源和环境合作，还是有关地区热点问题的解决，中国都发挥着愈来愈重要的作用。随着中国硬实力和软实力的交相辉映，中国的国际地位日益提高，影响力日趋扩大。

在过去的冷战年代里，世界被划分为东西两部分，发展中国家要么跟随西方模式，要么效仿苏联模式。冷战结束后，西方世界以“历史终结者”的傲慢之势强力在发展中世界推广其政治理念和发展模式。而当前中国的快速发展，使这些在实现了政治独立之后又经历过发展痛楚的发展中国家，开始看到了独立自主地实现民族复兴的希望。非洲国家之所以出现“向东看”的趋势，其实正是它们寻求自身发展道路的一种自主性的尝试，它让非洲在寻求发展道路方面多了一种可能性，一种新的选择机会。正如瑞士日内瓦大学亚洲研究中心高级研究员张维为所言，“中国崛起带来的可能是一种全新的思维、一种深层次的范式变化（paradigm shift）、一种西方现存理论和话语还无法解释的新认知。”正是在这个意义上，中国的崛起也是中国政治软实力的崛起，这对解决中国自己面临的挑战、对发展中国家走向现代化、对许多全球问题的治理、对国际政治和经济秩序的未来走向，都可能产生广泛而深刻的影响。

作为对当前日益紧迫的社会治理与发展问题的回应，中国发展模式的成功显示了其巨大的吸引力、影响力及对外辐射力，为中国赢得了软实力和国际话语权。在中国改革开放伊始，历史学家汤因比就对中国的发展充满了信心，“西方观察者不应低估这样一种可能性：中国有可能自觉地把西方更灵活、也更激烈的火力与自身保守的、稳定的传统文化融为一炉。如果这种有意识、有节制地进行的恰当融合取得成功，其结果可能为人类的文明提供一个全新的文化起点。”在中国改革开放取得巨大成就后，雷默这样评价道：“中国正在指引世界其他一些国家在一个强大重心的世界上保护自己的生活方式和政治选择。”“一个有史以来最少依赖显示实力的传统手段的国家，它以惊人的榜样力量和令人望而生畏的大国影响作为显示实力的主要手段。”就连曾经鼓吹“历史终结”的美国学者福山也出乎意料地主编了一本新书《出乎意料》，书中预测未来世界可能发生的七大“战略意外”中有一项是：“人们将许多不平等现象归咎于美国式的资本主义，全世界对这些不平等现象的不满，可能会将人们的注意力更多地转向像中国这样的社会主义模式，从而结束美国的霸权地位。”有西方学者更是把中国政府制定政治经济替代模式的能力视为“自冷战结束以来，西方人所面临的最大的思想威胁”。

四、热议中国模式背后的“冷思考”

对于国际社会的有关热议与热捧，中国应当采取一种什么样的态度，把自己放在一个什么样的位置上呢？

第一，理性对待西方对中国模式的“赞美”或者“捧杀”。无论是“Chimerica”（中美国）词汇的提出，还是“G2”概念的热炒，无论是欧盟希望中国承担的“全球责任”，还是美国方面称赞中国为“利益攸关者”或是“世界领导角色”，都反映了欧美国家希望中国承担更大的国际责任与世界贡献。按照西方的逻辑，既然中国已经具备了与美国平起平坐的地位，就应该对世界承担更多的“责任”。特别是在2008年世界金融危机爆发后，在西方国家应对乏力而中国经济增长前景依然看好的背景下，西方舆论更是倾向于把遏止全球性衰退的希望寄托在中国身上，中国“拯救世界”的言论不胫而走。在某种程度上，欧美发达国家希望在不损害其全球利益的范围内，让中国多承担一些原本属于它们的国际责任，为中国设下了一个“力不能及”的美丽陷阱。一个典型的例子就是，在2009年两次G20峰会上屡被提及的“G2”概念，再次被搬到当年年底的全球气候峰会上。《联合国气候变化框架公约》执行秘书德波尔指出，美国和中国的温室气体排放量占全球的40%，没有中美两国的具体承诺，很难在哥本哈根会议上达成任何协议。作为发展中国家，中国一贯主张并承诺承担共同但有区别的责任，但中国仍面临着消除贫困和提高人民生活水平的艰巨任务，国际社会对中国的国情和中国应对气候变化的能力要有一个全面的认识，对中国发挥作用的期待也要合情合理。如果一味满足部分西方国家的过高要求，必然给中国自身背上沉重的包袱，并阻碍自身的经济和社会发展。世界银行一再声称中国“已经毕业”，将不再是世行贷款的受援国，希望中国为世界的发展多出钱出力，其实也反映了国际社会特别是西方国家对中国的责任期待。

日本和前苏联的教训值得深思。20世纪80年代，欧美国家尚未走出70年代以来的经济滞涨，而日本却保持了长期的经济高速增长，在世界范围内可谓一枝独秀。西方媒体不失时期地大肆吹捧日本取得的经济奇迹，美国呼吁日本承担作为世界经济大国的责任，其重要内容就是要求日元实现升值。被虚骄之气冲昏头脑的日本人“主动”配合美国，1985年美日英德签订了著名的“广场协议”，规定美元实现贬值，日元币值由此迅速被抬高。一时间变得更为“富有”的日本人开始“抄底”华尔街，甚至扬言“买下整个美国”。但是，好景不长，日元大幅度升值导致了日本劳动力成本急剧升高，加剧了国外热钱流入的速度，推动了日本国内物价大幅上涨，打击了以出口为主的制造业，日本经济最终在房地产和股市泡沫的迅速破灭后陷入了长达十余年的经济衰退，日本人称之为“失去的十年”。与对日本的“经济捧杀”不同的是，美国曾对前苏联实施过“政治捧杀”策略。20世纪80年代后期，前苏联国内实行政治改革，掀起了否定前苏联历史的舆论狂潮。当时美国认为，苏联的“新革命”不可逆转且大有希望，西方应该鼓励苏联的变革进程，影响苏联朝有利于西方的方向发展。1987 年戈尔巴乔夫的《改革与新思维》发表不久，西方在其媒体上给予大肆的鼓吹，并且借此机会给予其许多奖金、奖品和稿费。1988 年 10 月，戈尔巴乔夫应邀访问美国，得到了美国政府的极高的政治礼遇，连其夫人赖莎也被捧成了天使般的美人。1990 年，西方又把诺贝尔和平奖授予戈尔巴乔夫。美国《时代周刊》在 1990 年 1 月 1 日更是把戈尔巴乔夫评为“十年风云人物”。然而，好景不长，正当戈尔巴乔夫陶醉在西方为其编织的梦幻世界里时，昔日称雄世界半壁江山的苏联帝国却无可挽回地走向了解体并最终崩溃。而美国却兵不血刃地赢得了这场帝国间的较量，在世界史上堪称奇迹。

此外，西方国家对中国的某些称赞还暗含着政治或战略意图，即用西方的价值标准规范中国的国际行为，希望中国按照它们的游戏规则来出牌，进而把中国的发展方向纳入西方国家的战略轨道。对西方国家而言，它们担心中国式的经济发展模式受到发展中国家的欢迎并成为效仿的对象，担心西方国家的民主与人权观念受到挑战，担心西方主导的世界秩序因此出现结构性松动。因此，在通过“遏制”等硬实力无法迫使中国就范之后，它们便把希望寄托在糖衣炮弹上。对此，中国也应当有清醒的认识和理性的战略应对。

第二，世界“向东看”但并未“向东走”。以中国为主的东方新兴国家的崛起是进入 21 世纪以来世界的重大变化之一，并在一定意义上改变着世界的政治经济格局。这次全球金融大危机中，西方经济发展的持续低迷与东方新兴国家的强劲发展势头形成了强烈反差与鲜明对比，因此，世界聚焦东方新兴国家就变得极其自然。“向东看”就是在这种背景下出现的。许多非洲、中东国家纷纷表示向中国学习，甚至印度、俄罗斯等大国也表达过对中国发展成就的称赞。可以说，中国经济发展成就是引发世界“向东看”的主要原因，反过来讲，世界“向东看”也主要是向中国看，注重加强同中国的经济联系与经验交流。

但是，“向东看”并不完全等同于“向中国看”，因为东方发展较为成功的还有日本、韩国、马来西亚等国家，非洲和中东国家“向东看”甚至还表达了对印度发展经验及发展机遇的关注。比如，近年来非洲国家在与中国建立中非合作论坛机制的同时，还分别与日本、韩国和印度建立了东京非洲发展国际会议、韩非峰会、印度非洲高峰论坛等多边合作机制。进一步讲，即便是发展中国家“向中国看”，也不等于它们完全认同中国模式，认同中国的发展理念，其实更多的是寻找经济机遇、援助，借鉴某些经济发展或减贫经验。幻想其他发展中国家完全效仿中国的经济发展方式，甚至是在政治和外交上跟中国保持一致，无疑并不现实。其他发展中国家对中国发展及中国模式的关注，自然增加了中国在发展中世界的影响力及在某些问题上的话语权，但这并不意味着西方发展模式在发展中国家的彻底失败，也并不意味着欧美在发展中世界的影响力必然下降。无论是在非洲、中东，还是在东亚、拉美，中国的硬实力和软实力都还无力与西方国家展开全面的竞争，当然也并无挑战西方利益的战略意图。

第三，中国模式的未来取决于自身的发展与政策完善。在经济和社会发展领域，现阶段中国亟待解决的突出问题，主要包括“三农”问题、生态环境资源问题、社会保障问题、贫富分化问题等。此外，中国还面临经济结构调整和产业升级的巨大压力。因为现阶段中国整体的产业发展能力仍然不高，仍处于世界经济链条的中低端。在信息时代，中国作为“世界工厂”的地位本身就说明了中国在世界生产和消费中的位势不高，更何况这种“世界工厂”在很大程度上还只是“世界加工厂”而已。2007年，美国加州大学全球冲突与合作研究所主任苏珊·舍克教授出版了《中国：脆弱的超级大国》一书，在承认改革开放以来中国经济和社会发生了巨大变化的同时，创造了一个接近于中文“外强中干”（strong abroad but fragile at home）的新词汇来描述中国的特征，直言中国面临城乡差距、社会分化、政治不稳定等问题。如何在实现经济快速发展进程中，加快实现经济结构调整步伐，并在这一进程中着实解决经济和社会发展中出现的各种问题，真正实现社会的全面、均衡和可持续发展，是中国今后发展必须尽快解决的问题。

在政治发展和价值观领域，中国也面临吏治腐败、政治改革需进一步深化，以及社会主义价值观亟待整合与提升等问题，而这些问题往往更是关系到国家的长治久安和社会的可持续发展。中国的价值观和信仰体系不仅未能得到国际社会的普遍认同，在相关领域缺乏与西方国家进行竞争的软实力，而且更为严重的是，其在国内同样面临一定的发展挑战。这是因为，在经济市场化、社会多元化以及文化的世俗化和商业化这一时代背景下，中国原有的意识形态和政治观念所具有的社会价值整合功能开始面临挑战，而新的价值观念和道德体系又尚未形成。现实的情况是，中国在经济建设上获得了快速发展，民众的物质生活越来越富足，然而整个社会的道德水准和精神信仰却未能得到同步发展，甚至整个社会还面临严重的“社会失范”问题。何谓“社会失范”？“社会失范”是指在一个处于变革的社会中，既有的行为模式与价值观念被普遍怀疑、否定甚至被严重破坏，而新的行为模式与价值观念又尚未形成或未被普遍接受，从而使得社会成员的行为缺乏明确的社会规范约束，导致社会出现规范缺失的真空状态。所以，当前中国软实力发展最核心也是最迫切的问题，是如何整合与重建社会主义核心价值体系，并提升在价值观方面的国内和国际吸引力。

中国改革采取的是一种渐进的、增量的方式。中国改革在没有发生大的社会震荡的前提下实现了经济体制和社会结构的深刻转型，取得了举世瞩目的巨大成就。就此一点，就足够说明渐进式改革对维系中国这样一个超大型国家的社会稳定的合理性和必要性。也必须认识到，改革过程中也出现了很多需要正视和解决的矛盾与问题。这些问题不仅不会随着时间的推移而自动解决，相反其长期积累还会成为改革深入推进的阻力，甚至危及体制改革和社会发展本身。改革中出现的问题只能靠深化改革来解决。近些年来，人们在对中国改革的推进路径的讨论中，特别是在对中国经济体制改革和政治体制之间关系的理解上，存在不少误区。有观点认为，中国经济体制改革不断推进，但是政治体制改革相对滞后。客观地看，中国改革经常是一体两面的，甚至是一体多面的。中国经济体制改革并不是仅仅限于经济主体所进行的资源交换和满足供求关系等方面的变革，也涉及在政治领域所进行的一系列变革，本质上体现以经济建设为中心的一系列联动关系。未来中国政治体制改革的重点和难点在于：有序地扩大民主，毫不动摇地推进社会公平正义，坚决反腐败。只要比较好地解决上述几个问题，中国政治体制不仅会持续推动创造经济发展的奇迹，也定然会形成与市场经济相适应的更加优越的政治文明。只要坚定不移地走自己的道路，继续探索完善经济体制、政治体制，中国在不远的将来就一定实现民族的伟大复兴，对人类做出更大的贡献。未来中国模式及软实力的世界影响，从根本上取决于中国发展的可持续及其具有的普世价值。

中国领导人以及置身中国的大部分人都清楚地知道中国改革的未完成性质。中国政府从未对外宣称已经拥有一套“中国模式”，更没有所谓的“北京共识”，而是倾向于使用中国“发展道路”或“发展经验”。正如温家宝总理于2011年3月14日在十一届全国人大四次会议答记者问时所说，“我们选择了一条适合中国国情的发展道路”，但“我们的改革和建设还在探索当中，我们从来不认为自己的发展是一种模式”。如果说北京存在着一个共识，那么这个共识就是对中国改革未完成性的共识。事实上，近年来中国在继续推动经济发展的同时，开始着力推进以改善民生为重点的社会建设，扩大社会主义民主，更好地保障人民权益和社会公平正义。中国共产党和中国政府有决心、有能力实现发展方式的转变、社会公平与正义的获得，以及体制改革不断的深化。作为世界上最大的发展中国家和最大的社会主义国家，中国也同样有决心、有能力通过自己的成功实践来定义价值观，成为世界新观念、新模式、新制度的创造者和贡献者。

“改变自己，影响世界”，这是中国知名国际问题专家章百家先生对20世纪中国外交的精辟总结。中国模式的未来，从根本上也取决于中国自身的不断发展与政策完善。中国的复兴充满艰辛，但是亿万中华儿女满怀期待。

第十章 当代世界民族宗教问题

10

◎赵 磊 刘 刚

纵观整个人类文明史，作为两种历史文化现象，民族宗教始终如影随形，在社会生活的方方面面发挥着巨大的影响和作用。一方面，两者分别以不同的形式和符号把人类社会分成彼此相互区别的群体，与此同时，伴随着民族宗教的产生、传播和嬗变，各种各样的民族矛盾、宗教纷争也此起彼伏挥之不去。所以，研究国际热点问题，民族与宗教始终是不可忽视的两大孪生因素，民族宗教问题仍然是摆在全球各个国家和地区面前的一个不可回避的普遍难题和严峻挑战。

一、当代世界民族问题及其新变化

民族是当今世界的一种普遍的社会现象。自从民族产生以来，世界上每一个人无不从属于某一民族；人类的生活，就是地球上各民族社会生活的总和。民族作为一种历史现象、社会现象和繁衍现象，具有自然属性、社会属性和生物属性等多维属性。民族作为一种人们共同体，具有语言、地域、经济、心理等方面的基本特征。关于什么是民族问题，江泽民同志在 1992 年中央民族工作会议上指出，“民族问题既包括民族自身的发展，又包括民族之间，民族与阶级、国家之间等方面的关系。”[①] 民族问题对过

① 国家民族事务委员会政策研究室：《中国共产党主要领导人论民族问题》，民族出版社 1994 年版，第 245 页。

去、现在和未来社会，都具有重大影响。国家统一、民族团结，则政通人和，百业中兴；国家分裂、民族纷争，则丧权辱国，人民遭殃。

（一）当代世界民族的分布情况

当今世界约有大小民族 2000 多个。其中百万人口以上的民族 300 多个，人口总和约占全世界人口的 96%；人口超过 1 亿的民族有 7 个，即汉人、印度斯坦人、美利坚人、巴西人、孟加拉人、俄罗斯人和日本人。其中汉族是世界上人口最多的民族。①

1950 年 7 月 18 日，联合国教科文组织发表的关于种族问题的声明（UNESCO statement on race）指出，现代人类分为三大人种（或种族）：蒙古人种（Mongoloid）、尼格罗人种（Negroid）和高加索人种（Caucasoid）。其中高加索人（即白种人，也称欧罗巴人种）约占全球人口的 43%，主要分布在欧洲、美洲、北非、西亚和南亚。蒙古人种（即黄种人）约占全球人口的 41%，主要分布于东亚、东南亚和西伯利亚。尼格罗人种（即黑种人，亦称赤道人种）约占全球人口的 16%，主要分布在热带非洲、大洋洲西部、南亚及东南亚部分地区，近代以来由于西方资本主义的奴隶制贸易，一部分黑人被强行贩运到美洲等地。

从有人类居住的世界五个大洲来看，各洲的民族分布大相径庭。亚洲的民族数目最多，有 1000 多个，约占世界民族总数的 50%。美洲、非洲各有 500 多个民族，欧洲有 170 多个民族，大洋洲约有几十个民族。从国家和地区来看，单一成分的民族国家很少，绝大多数是多民族国家，有的国家甚至有几十个、几百个民族。此外，有的民族由于所处国家疆界与民族疆界不一致，而往往被国界所分割，分别属于几个不同的国家，形成广泛存在的跨界民族现象。还有的民族因天灾、战乱等原因不断地逃离、迁徙，以致现在在世界十几个甚至几十个国家里都有分布。

（二）冷战后世界民族问题的表现形式

当今世界民族问题形形色色，纷繁复杂。从国际政治的角度来看，全

① 李德洙、叶小文主编：《当代世界民族宗教》，中共中央党校出版社 2003 年版，第 28 页。

球范围内的民族问题大致呈现出以下几种表现形式和发展态势：

第一，民族分离主义运动此起彼伏。这类民族问题表现为多民族国家中的一个或多个少数民族极力从现有国家中分离出去并谋求建立单独的民族国家或与其他相邻的同一民族合并。这是冷战结束后最为明显和突出的民族问题。20世纪90年代以来，民族分离主义已导致苏联一分为十五、南斯拉夫一分为七、捷克斯洛伐克一分为二……另外，印度尼西亚的东帝汶、埃塞俄比亚的厄立特里亚民族分离主义运动已经取得成功。2011年2月7日，苏丹宣布南部公投的最终结果，98.83%的选民支持南部地区从苏丹分离，非洲面积最大国家苏丹从此被“一分为二”。此外，存在这类民族问题的还有俄罗斯的车臣、英国的北爱尔兰、西班牙的巴斯克、法国的科西嘉、加拿大的魁北克、印度尼西亚的亚齐等地。

第二，跨界民族问题相当突出，泛民族主义思潮日趋活跃。跨界民族是指跨两国乃至多国边界而居的同一民族。跨界民族问题在世界范围普遍存在，如非洲的索马里人问题、亚洲的库尔德人问题和缅甸的克伦人问题等。泛民族主义的兴起与扩张是跨界民族问题的重要表现形式。泛民族主义势力一般打着民族宗教同一的旗帜，力图复兴传统的势力范围，重建本民族历史上曾经的辉煌。泛民族主义往往具有跨国、跨地区的性质，它以共同的种族、民族和宗教为基础，企图把散布在全球的属于同一种族、民族和宗教的人们统一到一个国家。这一问题主要发生在东欧、中亚及西亚地区，包括泛突厥主义、泛伊斯兰主义、大哈萨克主义、泛斯拉夫主义、大匈牙利主义、大蒙古主义、泛索马里主义、大阿尔巴尼亚主义等。

第三，宗教民族主义沉渣泛起。宗教民族主义凭借宗教对民族本身不可分割的属性，以共同的宗教信仰为联系纽带，以共同的宗教理念为思想核心，以同一宗教的信徒为民众基础，推行带有明显政治化倾向的主张。这种民族主义一旦与政治结合，就会释放出巨大的能量，其作用往往是破坏性的。当前，宗教民族主义最典型的形式是以伊斯兰原教旨主义为指导的具有强烈宗教色彩的民族问题。这类民族问题多存在于穆斯林聚居的国家和地区，集中表现为原教旨主义和世俗主义的严重对立。奉行伊斯兰原教旨主义的激进民族主义者企图通过"圣战"等暴力手段推翻本国的世俗政权，建立政教合一的伊斯兰神权国家。在中东北非中亚，巴勒斯坦、黎巴嫩、埃及、阿尔及利亚、阿富汗、塔吉克斯坦、乌兹别克斯坦等一大片国家，形成了一个宗教民族主义异常活跃的"新月形地带"。

第四，种族歧视与排外倾向有所抬头。这类民族问题主要存在于西欧和北美等地区。由于经济衰退、失业率上升，一些西欧国家的社会福利政策不堪重负，加之东欧剧变苏联解体以来很多战争难民和贫困移民浪潮对西欧国家的冲击，引起了西欧一些国家极右势力的活动猖獗，并在民间形成了种族排外思潮甚至新法西斯主义组织。这些建立在种族主义观念基础上的排外势力，不仅大肆宣传种族主义、极端民族主义和法西斯主义理论，而且通过"光头党"等新法西斯组织以暴力的形式排斥来自东欧、亚洲、非洲等地区的移民和难民，它们严重威胁着移民的人身安全和有关国家的政局稳定。与此同时，一些国家极右政党的得势，更加助长了当地的种族主义、排外主义情绪。目前，在西欧比较活跃的极右政党主要有法国的民族阵线、奥地利的自由党、意大利的北方联盟、比利时的佛拉姆集团、挪威和丹麦的进步党等。

（三）冷战后世界民族问题的原因分析

近几年来，由民族问题引起的世界热点和地区冲突呈上升趋势。据统计，自 20 世纪 90 年代延续至今新发生的 64 起局部战争和武装冲突中，有 41 起属于国家内部的民族和种族之间的武装冲突，占总数的 65%。由此可见，民族问题已经成为当今世界动荡不安的重要根源。

民族问题的产生有两个基本因素：一个是自然因素，另一个是社会因素。就国际范围内出现的民族问题来看，不同民族之间因居住地域、语言文化、经济生活以及宗教信仰、价值取向、心理特征而产生的自然特性差异是民族问题产生的前提和条件；与此同时，不同民族之间因为领土和资源争端、政治权利和发展利益争夺等因素导致的矛盾和冲突，是民族问题产生的社会根源。随着社会的演变，民族问题也相应发生变化，并具有不同的性质和内容，当今世界的民族问题之所以会如此尖锐而又难以解决，归纳起来大致有以下几个方面的原因：

第一，由于历史的原因，各民族之间在领土、政治、经济、宗教、语言、文化等方面存在不平等关系，许多矛盾和对抗由此而生。殖民主义统治所遗留下来的各种历史积怨，也是当代世界民族问题产生的重要根源。另外，两极格局的消失，使冷战时期长期受到压抑的民族主义情绪迅速膨胀，各种民族主义思潮和分离主义势力急剧发展。

第二，各国在制定和实施民族政策方面存在的问题，是导致民族冲突的内在原因。由此造成的部分民族经济状况恶化、居民生活水平下降、贫困和饥饿等也是造成民族冲突的重要原因。与此同时，有些国家在克服历史上遗留下来的大民族主义倾向时又矫枉过正，用一种民族主义倾向掩盖了另一种民族主义倾向，还有的国家根本不承认境内某一少数民族的存在，这些民族歧视或压制政策往往会引发相关民族的不满情绪，导致严重的民族冲突。

第三，西方霸权主义强制推行的所谓“民主化”浪潮是一些国家和地区民族矛盾产生的不可忽视的外部因素。冷战结束以来，以美国为首的西方国家企图在全球范围内推行西方的政治模式和价值观念，加紧对发展中国家施加压力，要求它们实行西式的“民主”，并利用一些国家暂时的政治经济困难，在开展对外援助时附加种种政治条件，这都是造成一些国家内部民族关系出现紧张的重要原因。

第四，全球化时代使民族问题具有新特点。民族问题“泛化”是全球化时代的重要现象，全球化背景下国家认同遭遇外部和内部的双重挑战，外部的挑战是国际规制和霸权国家对国家主权的侵蚀，内部挑战是认同的多样性和民族自决权的异化。由于大多数发展中国家正处于由传统到现代的剧烈变革和社会转型之中，随着全球化、现代化程度加深而出现的各种地方性民族认同，对国家和民族的集体认同产生了极大的冲击，从而诱发不同层次的民族冲突和政治不稳定。

总之，全球化提高了人们的民族意识，增强了民族问题的复杂性和敏感度，使民族问题变得更加脆弱、更易激化。由于引发民族问题的因素不断增多，不可预见性日益增强，当今世界潜在民族问题突然爆发的可能性也在不断提高。

二、当代世界宗教问题的现状分析

宗教是人类最古老的社会文化现象之一。18世纪欧洲的启蒙思想家们曾经预言，随着科学的日渐昌明、教育的普及、人们文化素质的提高，宗教将逐渐消亡。但后来的情况却并非如此简单，当今世界，绝大多数人仍然不同程度地信仰各种宗教，宗教依然在很大程度上影响着人类社会发展的整个进程。

当今世界，绝大多数人都不同程度信仰各种宗教。在世界各国、各民族的历史和现实中，宗教信仰是一种普遍存在的社会现象。当今世界依然是一个充满宗教信仰的世界，几乎没有一个民族或者地区没有宗教的信仰。据不完全统计，信仰宗教的人口约占当今世界人口的80％左右。世界性三大宗教为基督教、伊斯兰教和佛教。基督教目前是世界上最大的宗教，其信徒约有20亿人，但是与世界人口成长率（大约每年1.25％）相比，基督教增长率（每年仅为1.12％）整体上开始萎缩。而伊斯兰教却以每年1.76％的增长速度不断成长，并被30多个国家定为国教。在当代，伊斯兰国家和穆斯林在国际政治生活中发挥着愈益重要的作用。其它宗教则主要为民族性宗教或地域性宗教。民族性宗教如犹太教、印度教等有几十种。

当代宗教与人类政治经济活动更加密切。宗教与政治的关系是宗教问题的主要内容，它制约着宗教问题的历史发展。在现代化进程中，宗教发展越来越呈现出全球性的特征。随着国际交往的发展和世界人口的迁徙，各种宗教并存的局面加深和促进了各民族宗教文化的交流与交融。在当今世界，传统宗教有两种演变趋势：一是随着科学技术的发展和国际形势的变化，现代宗教陷入了神学危机，进而开始了其世俗化的进程。为了适应时代的发展要求，一些国际性的宗教组织也积极参与到和平与发展的世界性运动之中。二是作为对世俗化进程的回应，主张回归神圣传统的基要主义或原教旨主义乘势而起。在三大世界宗教中，伊斯兰教的复古主义思潮——原教旨主义表现得尤为强烈。它坚决反对伊斯兰社会的西方化和世俗化。与此同时，许多新兴的宗教团体持续出现。在宗教思想方面，大多数新兴宗教习惯于吸纳主流宗教的价值体系，很少有完全意义上的独立创造。当然，也有极少数新兴宗教在其发展过程中改变了性质，甚至走上了反社会、反人类的邪教之路。在未来，宗教还将长期存在和发展，依然会保持强大的生命力。离开了对宗教的考察，人们无法深入理解处于深刻变革的当今世界。

对国际事务的参与成为各国宗教界共同的追求。宗教作为一种特殊的文化形态，又拥有如此众多的教徒和相当严密的组织机构，必然会对国际政治和国际关系产生巨大的影响。

首先，宗教作为一种信仰和观念，将自己的影响力作用于一国公民，再通过他们影响民意决策，对一国的外交政策施加影响。当今世界宗教逐渐成为国际政治中的一种软实力，直接影响国际舆论和国际制度，如对气候变暖等全球性议题发挥影响力。宗教有时被国际体系内各种行为体作为其行为的合法性来源，如“人道主义干预论”就有宗教和神学的渊源。除此之外，一个有影响力的宗教领袖在国际政治舞台上往往能够起到独特的重大作用。

其次，宗教具有动员和团结本国人民的作用。宗教的这种作用在一个教徒众多、政教合一的国家里，表现得尤为强烈。在人类发展的历史进程中，各种极端宗教派别之间形成了强烈的对立性和排他性，使得宗教在加强同一宗教国家间的政治经济合作的同时，也加深了不同宗教国家间的政治经济矛盾和冲突。必须指出的是，虽然宗教能在同一宗教国家间起到一种加强联系的纽带作用，但是这种宗教纽带与国家利益相比，其地位只能是次要的，其作用也是不稳定和不牢固的。

第三，宗教和教派争端乃至战争是造成相当一部分发展中国家内乱与经济落后的重要根源。在许多发展中国家里，宗教和教派林立，由于历史上的宗教纠纷和政治经济发展的不平衡，各宗教与教派之间的矛盾和冲突也往往表现得十分尖锐，以至于酿成长期的内乱和战争。例如在印度这个被称为民族与宗教博物馆的国家，印度教、伊斯兰教、锡克教和基督教等数百种宗教之间的宗教矛盾纠缠在一起，给该国的政治稳定和经济发展带来了严重的负面影响。

第四，宗教矛盾是导致国家间冲突和战争的一个重要原因。第二次世界大战后持续时间最长、规模最大的世界热点莫过于中东地区。作为世界宗教的发源地之一，这一地区的宗教和教派林立，而且历史积怨较深，特别是以色列犹太教徒和阿拉伯穆斯林之间的宗教纷争已经直接与其各自的生存安全和经济利益结合在一起了，表现为一场争夺生存空间的你死我活的斗争。民族国家的利益冲突一旦与宗教冲突联系在一起，就会和漫长的历史、民族感情、民族传统等要素结合而变得更加错综复杂和难以解决。[①]

第五，宗教极端主义与国际恐怖主义相结合。由于宗教与国际政治向来关系密切，在当前错综复杂的国际背景下，特别是在一些国际政治经济矛盾较为尖锐的地区，宗教极端主义势力抬头，出现了宗教极端势力与国际恐怖主义相结合的倾向。少数恐怖主义势力利用宗教的精神作用团结和聚合力量，鼓舞斗志，在一系列恐怖活动中，宗教激化矛盾和鼓舞动员这两个方面的作用都得到充分的发挥，这种现象刺激强化了国际政治中的冲突，反过来也给宗教活动的正常发展带来了消极的影响。

第六，宗教成为霸权主义和其他政治势力、干涉主义频繁利用的工具。美国建国至今，几乎每任总统都是基督教教徒，“普世主义”、“非黑即白”的基督教价值观也成为美国对外政策和全球战略的重要内容。此外，西方国家大肆利用宗教问题作为干涉他国内政的借口。例如，在南斯拉夫内战中，西方国家便以宗教自由为旗号干涉南内政，最终导致南斯拉夫的分裂解体和巴尔干半岛局势的持续动荡。

第七，宗教问题与民族问题相互交织、一体化倾向日益显著。在理论上，宗教和民族是两个不同范畴的概念，但在现实中两者经常是相互交织

---

① 陈岳：《国际政治学概论》第三版，中国人民大学出版社2010年版，第216—218页。

在一起的，民族与宗教的密切关联首先表现为民族一定程度的宗教性与宗教一定程度的民族性。宗教认同往往是民族认同的基础，具有双重的作用：一方面，它使得信仰同一宗教的人们之间的凝聚力更为增强；另一方面，它又具有极大的排他性，加大了不同宗教信仰者之间的鸿沟。[1] 在现实中，宗教问题与民族问题相互交织，大大加深了民族问题的复杂性。如波黑冲突中交织着天主教、东正教、伊斯兰教之间的矛盾；两伊战争中交织着伊斯兰教什叶派和逊尼派之间的矛盾；印度民族问题交织着印度教、伊斯兰教、锡克教的冲突；斯里兰卡的泰米尔问题伴随着印度教和佛教的斗争；英国的北爱尔兰问题、加拿大的魁北克问题也都与天主教和基督新教的矛盾斗争分不开；西欧的种族排外倾向也渗透着天主教、基督新教和伊斯兰教的冲突；等等。

当代世界宗教的发展大势出乎第二次世界大战前许多人的预期。宗教不仅没有随着科学技术的进步而消亡，反而依然具有强大的生命力，与国际政治保持密切关系。在当今世界，无论是地区冲突还是局部战争中都可以看到宗教因素在发挥重要的作用。在21世纪，世界各国普遍重视宗教在国际政治斗争中的作用。一些西方国家仍将宗教作为推行其世界观、价值观，以及人权斗争的工具，这对不少发展中国家的民族独立和主权维护提出了严峻挑战。全球化进程越是不可逆转，越是需要不同信仰的群体学会能够在文化多样的环境中生活，学会以平等的身份、宽容的心态对待其他民族的信仰和文化。尽管不同宗教信仰之间的冲突在所难免，但是以对话、合作寻求解决宗教问题的趋势也日益明显。

三、案例分析：非洲民族冲突及冲突管理

非洲是多民族聚集的大陆，也是民族冲突频发的大陆。目前，在非洲大陆，很多国家和地区依然处在不同程度的冲突与动荡之中，其中，刚果

---

① 茹莹：《冷战后的民族宗教问题及其对国际关系的影响》，载《国际关系学院学报》，2006年第5期，第32—33页。

(金) 基伍地区、科特迪瓦全境、索马里之索马里兰、苏丹达尔富尔及南苏丹、埃塞俄比亚欧加登地区、尼日利亚高原州地区、乌干达北部地区的冲突都直接与民族问题密切相关。

(一) 非洲民族冲突的最新进展

非洲有 53 个国家，都是多民族国家。由于特殊的殖民历史和地理状况，非洲大陆基本上具备了诱发民族冲突的所有因素。进入新世纪，非洲的民族冲突并没有销声匿迹，反而出现了一些新的变化，主要有以下六个方面的具体表现：

第一，社会排斥政策导致严重的民族冲突。如果一个民族拥有政治权力，而其他民族却被排斥在外，或者一个地位较高的民族明显地剥削或压制另一个阶层较低的民族，从而导致特定民族被排斥在国家治理体制之外(不能获得必要的经济资产、教育卫生等公共服务以及基本的公民地位和政治身份)，就有可能导致民族冲突。延续至今的科特迪瓦内战是这一类型冲突的典型事例。冷战之后，科特迪瓦的繁荣吸引很多西非人，如布基纳法索人移居到此，从而引发选举投票权之争。1995 年，大量布吉纳法索人在塔布省 (Tabou) 的民族冲突中被杀害，因为他们被看作为是非洲裔的“外国人”。当时，冲突的导火线是政府强行通过的《血统论法案》，即要求总统候选人父母都要出生在科特迪瓦，从而导致北方的总统候选人瓦塔拉 (Alassane Ouattara) 被直接取消参选资格。瓦塔拉代表北方的穆斯林，尤其是从马里和布吉纳法索地区来的贫苦移民。

2002 年 9 月 19 日，来自北方的武装力量进行集结，开始攻击大城市。他们的主要诉求是要求政府明确定义“科特迪瓦公民”、总统投票权等基本的政治权利。2005 年 5 月 18 日，联合国以建立“非军事区”的方式进行冲突管理，以分隔冲突双方，从而将科特迪瓦全国划分成面积相等的北南两块，其中北部为反政府军所控制，而南部则为政府所控制。2010 年 12 月 2 日大选后，科特迪瓦出现了北南两位“总统”分庭抗礼的乱局，全国再次陷入了严重的民族冲突之中。

第二，分离主义呈现上升趋势，加剧了民族冲突。赫拉克理德斯 (Alexis Heraclides）在对民族冲突进行研究时，认为分离主义需要符合三个要件：1. 将自身定位为无法同中央政府融合的民族。2. 本民族感受到在一国内遭受不平等待遇。3. 本民族占据一定面积的领土。[①] 目前，在非洲存在分离主义问题的国家和地区包括埃塞俄比亚欧加登地区、索马里之索马里兰、苏丹达尔富尔、南苏丹等。

成立于1984年的“欧加登民族解放阵线”是埃塞俄比亚反政府武装组织，主要活动于埃塞俄比亚东部的索马里州及索马里南部地区，其宗旨是谋求索马里人占多数的欧加登地区从埃塞俄比亚完全独立出去。该阵线认为埃塞俄比亚在当地的驻军是武装侵略者，因此自成立以后，便与埃塞俄比亚政府军发生多次武装冲突。在索马里，索马里北部迪尔族（Dir）于1991年宣布独立，成立索马里兰共和国，占有原索马里十八个省中的五个。目前，前宗主国英国积极推动国际社会承认索马里兰独立。但是，非洲联盟不鼓励任何更改现有非洲疆界的举动。[②] 在苏丹，南苏丹如分离成功将对整个非洲局势产生极其恶劣的影响，将有可能引发更多民族的分离倾向以及民族冲突。

第三，环境、资源问题日益诱发民族冲突。今天，环境变化、资源稀缺和民族冲突之间的联系越来越明显。在萨赫勒地区和非洲之角，争夺资源的战争不断扩大，有时冲突跨越了国界，部分原因是因为全球气候变化导致的荒漠化和牧场面积不断缩小。目前，乍得湖周边国家——喀麦隆、乍得、尼日尔和尼日利亚等国，对水资源的争夺不断引发新的族群冲突。在刚果，由图西族人组成的“全国保卫人民大会”反政府武装主要控制刚果北基伍省地区，靠矿产资源的非法贸易获利，并常因争夺资源而与“解放卢旺达民主力量”、“刚果爱国抵抗联盟”等多个武装派别冲突不断。在尼日利亚，信奉伊斯兰教的豪萨族（Hausa）、富拉尼族（Fulani）与信奉

① Alexis Heraclides, “Janus or Sisyphus? The Southern Problem of the Sudan”, Journal of Modern African Studies, Vol. 25, June 1987, p. 215.

② 赵磊：《构建和谐世界的重要实践——中国参与联合国维持和平行动研究》，中共中央党校出版社2010年版，第151—152页。

基督教的伊博族（Ibo）为争夺土地和水资源而经常发生冲突。在苏丹达尔富尔，黑人部落富尔族（Fur）虽然同阿拉伯人一样都信仰伊斯兰教，但因为水资源争端而同札哈瓦族（Zaghawa）、马萨里特族（Massalit）等黑人部落组成“苏丹解放军”、“正义平等运动”等反抗武装组织，与阿拉伯民兵进行军事对抗。

第四，民主化激化“分裂社会”的族群冲突。肇始于20世纪70年代的第三波民主化让人们看到，民主不仅会带来公民自由与政治平等，而且也造成了大范围的冲突，这些冲突不是国家与国家之间的冲突，而是国家内部的冲突。[①]“分裂社会”（divided society），即由不同的宗教、意识形态、语言文化或族群等团体组成的社会，各团体之间的差异造成了政治认同的分歧。[②] 当民主到来的时候，分裂社会中的团体一般都会组建自己的政党，拥有为自身利益服务的政治集团、传媒机构，甚至武装组织。为了赢得选票，各政党候选人采取的策略往往是打“民族牌”，从而激化社会矛盾和民族冲突。

2007年，肯尼亚就因民主选举问题而引发了严重的民族冲突。12月30日，肯尼亚选举委员会宣布现任总统齐贝吉（Mwai Kibaki）在大选中获胜。反对党“橙色民主运动”领导人奥廷加（Raila Odinga）指责齐贝吉在选举中严重舞弊。在肯尼亚的政治生态中，有按民族划分政治阵营的传统，历任总统都比较“照顾”自己民族聚居的地区。肯尼亚第一大民族基库尤族（Kikuyu）是肯尼亚总统齐贝吉的坚定支持者，奥廷加则属于肯尼亚第三大民族卢奥族（Luo）。因此，在大选过后，基库尤族和卢奥族相互攻击，并由此演变为持续长达两个多月的民族冲突和暴力骚乱。

第五，宗教因素往往与民族冲突相互交织，增加了冲突管理的复杂性。近年来，有些非洲国家制定了公开歧视宗教少数民族的政策，如规定

① Benjamin Reilly, Democracy and Diversity: Political Engineering in the Asia－Pacific, Oxford University, 2006.

② 严海兵：《民主化引发政治冲突的原因及解决方案》，载《学海》，2010年第2期，第116页。

只有信奉国教的人才能成为公民、担任公职的人必须宣誓效忠于特定宗教。在非洲，伊斯兰教与基督教或非洲原始宗教的冲突日益突出。其中，埃及、苏丹等地处北非且国土面积较大的国家更容易面临这方面的棘手问题。在埃及，约有800万信奉基督教的科普特人（Copts），约占全国总人口10%，他们抱怨遭受宗教歧视以及被逼改变宗教信仰等。埃及政府虽然采取了一定的冲突管理措施，如增加基督教堂的修建数量、让更多的科普特人当选议员等，但科普特人依然时常遭受暴力侵犯。苏丹是非洲面积最大的国家，其北部6省均受到伊斯兰文化的熏陶，但他的南部却仍保有基督教和其他非洲宗教的影响。类似苏丹北南对立的社会形态，在索马里、乍得、尼日尔、马里、尼日利亚也有，但没有像苏丹有如此完整的伊斯兰化区块。[①] 为对南方施行“同化政策”，苏丹政府在全国推行伊斯兰法，但最终的结果却导致“苏丹人民解放军”的成立，后者要求在苏丹南部建立一个政教分离的国家。

第六，外部力量积极介入非洲民族冲突，特别是原殖民母国干预前殖民国家民族冲突的几率依然相当高。例如，比利时在卢旺达、布隆迪、刚果（金）拥有强大的影响力。法国与中非共和国、科摩罗、科特迪瓦、吉布提、加蓬、塞内加尔、多哥、喀麦隆和乍得签署了军事保护协定，在各国均有基地和驻军。在上述国家发生冲突时，法国总是表现出较强的干预意愿和干预能力。英国的影响力主要集中在尼日利亚、塞拉利昂等国家。利比里亚是由美国黑人移民于1948年7月建立的。因此，当利比里亚发生冲突时，美国总是主动介入冲突管理进程。

（二）有关非洲民族问题的冲突管理

有学者将非洲冲突管理区分为三大类：一是以武力作为解决的工具，二是以协商作为解决的工具，三则为冗长的内战。[②] 就冲突管理趋势而言，

① Muddathir Abd Al－Rahim, “Arabism, Africanism and Self－identification in the Sudan”, Journal of Modern African Studies, Vol. 8, July 1970, p. 234.

② Taisier M. Ali and Robert O. Matthews, Civil Wars in Africa: Roots and Resolution, McGill－Queen’ s University Press, 1999, pp. 193－220.

国际社会越来越强调从反应式文化（culture of reaction）走向预防式文化（culture of prevention）。

1994年发生在非洲卢旺达的大屠杀促使全世界认真思考该如何避免此类灾难再次发生。2001年12月，加拿大“干预与国家主权国际委员会”发布了《保护的责任》研究报告。该报告的主要思想是，“主权国家有责任保护本国公民免遭可以避免的灾难——免遭大规模屠杀和强奸、免遭饥饿，但是当他们不愿或者无力这样做的时候，必须由更广泛的国际社会来承担这一责任。”作为国际社会承担保护责任的方式，报告中特别提到了强制性军事干预问题。但是，报告同时强调，“保护的责任从根本上是一项旨在应对人类生命威胁的原则，而不是为国内特定群体实现各种政治目标，比如更大的政治自主、自决或独立的工具。干预本身不应成为进一步提出分离主义要求的基础。”因此，国际干预应始终恪守“希波克拉底誓言”（The Oath of Hippocrates）——有利但不伤害原则，即冲突管理不应对目标国国内事务造成伤害，不应煽动民族争斗，不应破坏国内秩序的稳定。

非洲国家是非洲民族冲突管理的核心和主角。他们的努力主要在于增强自身能力建设，具体包括：1. 促进社会公正，保障不同民族的利益诉求得到充分尊重。在执行国家战略时需要顾及各利益群体，特别是各民族的需求，尊重弱势群体和处于边缘地位群体的利益关切。在制定政策时应照顾各民族特性，并在民族治理策略上尽量采取柔性的做法，如政治分权、文化自治、优惠的区别待遇，以及政治和官僚体系的保障名额等。[①] 2. 将经济建设作为国家各项工作的重心。没有经济的可持续发展，非洲的民族融合就将只是一句空话。3. 为各民族的青年提供教育和就业机会。非洲10亿人中大约60%是25岁以下的年轻人。没有教育经历和就业机会的民族青年人很有可能被武装集团征募。非洲国家应制定相关战略，使年轻人融入非洲发展、冲突管理和民族融合的主流。4. 禁止小武器、轻武器的非法

① B. C. Smith, Understanding Third World Politics: Theories of Political Change and Development, Indiana University Press, 1996, p. 271.

扩散和贩运。小武器的非法贸易极易点燃、激化民族之间的新仇旧恨。因此，非洲国家必须制定旨在制止小武器非法扩散和贸易的各项措施。5. 摒弃任何歧视宗教少数民族的政策。宗教问题十分敏感，主权国家扮演一个非常微妙的角色，既要促进宗教或信仰自由，也要保护人民免受基于宗教或信仰的侵犯。[①] 6. 消除民主化对民族关系的负面影响。对有的国家而言，政治体制上的有效解决办法是分权——将中央集权制改为联邦制或采取其他的分权办法，如分区制（zoning），即由各地区的民族来轮流执掌行政职位。国家对政党的组建应制定一些具体政策，如禁止各政党在分裂因素（宗教、地区）的基础上组建政党；政党必须在全国范围内进行政治动员，并表明其拥有全国范围的成员基础。[②]

联合国是非洲民族冲突管理的主要国际性机构。2004 年，联合国秘书长专门任命了一位防止灭绝种族罪行问题特别顾问。其职责是就某一国家或区域可能发生民族冲突、种族灭绝的情势发出警报，提出建议予以预防或制止。非洲区域与次区域组织是非洲民族冲突管理的主要地区性机构。他们有非洲联盟、西非国家经济共同体、东部非洲共同体、中部非洲国家经济共同体、南部非洲发展共同体等，他们在非洲民族冲突管理中所扮演的角色，较以往任何时期都更积极主动。例如，非洲联盟“和平与安全理事会”于 2004 年正式成立，其主要职能包括对成员国实施军事干预与维和行动，制裁以违宪手段更迭政权者，推动成员国实行民主、良政、法治和保障人权等。南部非洲发展共同体建立了相关机制，专门处理武装牧民集团与跨界冲突问题。[③]

---

① 宗教或信仰自由问题特别报告员的临时报告，联合国秘书长在第 65 届大会上所做的报告，决议号 A/65/207，2010 年 7 月 29 日，http：//www. un. org/zh/documents/view _ doc. asp?symbol=A/65/207。

② 李安山：《非洲民主化与国家民族建构的悖论》，载《世界民族》，2003 年第 5 期，第 16—18 页。

③ Implementation of the recommendations contained in the report of the Secretary－General on the causes of conflict and the promotion of durable peace and sustainable development in Africa，A/65/152－S/2010/526，20 July 2010，http：//www. un. org/africa/osaa/reports/2010 _ causes _ conflict. pdf.

非政府组织是非洲民族冲突管理在继国家和国家间组织之外的“第三种力量”。非洲问题特别顾问办公室于2004年修订后的“非洲非政府组织名录”（第三版）收录了3776个非政府组织。其中，涉及冲突管理的非洲本土非政府组织多达483个，如“加纳冲突解决中心”、南非“非洲争端建设性解决中心”等。[①] 此外，在非洲经常参与冲突管理的国际性非政府组织包括：国际红十字委员会、无国界医生组织等人道主义机构；“圣爱智德团体”等教会组织；大赦国际、人权观察等人权组织。上述组织从不同层面介入冲突管理进程，其工作重点是力促冲突国家建立公民社会，通过自下而上的途径以及民主的方式进行“民族和解”（ethnic reconciliation），以期弥合“分裂社会”的消极影响。

---

① NGOs by Action Area：Conflict Resolution，in Directory of African NGOs—Third Edition，Office of the Special Adviser on Africa United Nations，http：//www. un. org/africa/osaa/ngodirectory/index. htm.

第十一章
全球化时代的恐怖主义及其治理

11

◎ 张明明

早在 20 世纪六七十年代，国际恐怖主义就已在某些国家和地区开始突现，并引起西方一些学者的关注，但由于受东西方冷战的影响，这一现象终被降到次要地位。冷战结束后，国际恐怖主义有了进一步发展，世界上几个大洲，其中包括一些偏僻地区，都开始受到恐怖活动的影响，尤其是进入 21 世纪，伴随着“9・11”事件的发生，国际恐怖主义对国际社会构成了严重危害，在某种情况下，恐怖主义活动甚至毫不亚于一场局部战争。面对国际恐怖主义的威胁和挑战，如何科学地认识国际恐怖主义，从而有效地开展防范与打击，不仅是重要的理论问题，也是迫切的现实问题。

一、“21 世纪的政治瘟疫”

人们常常把恐怖主义称为“21 世纪的政治瘟疫”、“一场永无休止的地下世界大战”。在当今国际社会相互依存度越来越高的情况下，国际恐怖活动效应也越来越呈现“牵一发而动全身”之势。“9・11”事件以来，恐怖主义狂潮猛烈冲击世界上许多国家，已经成为国际社会的第一大公害。

什么是恐怖主义？在这个问题上，国内外观点很多，既有分歧也有共识。1974 年英国《防止恐怖主义法》规定，恐怖主义是“为了政治的目的使用暴力，包括任何为了使公众或其任何部分陷入恐怖而使用暴力。”

1986年美国副总统的乔治·布什任命的恐怖主义特别工作组认为，恐怖主义是为了促进政治的或社会的目的而对人或财产非法使用或者威胁使用暴力（这个定义在政治目的之外还加上社会目的）。2001年9月，欧盟委员会通过有关打击恐怖主义行为的法案规定，恐怖主义是个人或组织故意针对一个或多个国家，或针对被侵犯国家的机构和人民进行旨在威胁、严重破坏甚至摧毁政治、经济和社会组织及其建筑物的行为（这个定义显然受美国“9·11”恐怖主义事件的影响）。中国十一届全国人大常委会2011年10月29日通过的《关于加强反恐怖工作有关问题的决定（草案）》指出，恐怖活动是指以制造社会恐慌、危害公共安全或者胁迫国家机关、国际组织为目的，采取暴力、破坏、恐吓等手段，造成或者意图造成人员伤亡、重大财产损失、公共设施损坏、社会秩序混乱等严重社会危害的行为，以及煽动、资助或者以其他方式协助实施上述活动的行为。综合上述观点，可为恐怖主义下这样一个定义：恐怖主义是指在和平条件下，某些组织或集团，也包括个人或国家，为了达到某种特定的政治目的，以隐秘和突然袭击的方式，对非武装人员或非战斗人员及目标实施的极端暴力行为。国际恐怖主义是恐怖主义的一种重要表现形式，是国内恐怖主义的对外延伸，是一种跨越国界的恐怖主义。

对这一定义，人们可从以下几个方面加以理解：首先是恐怖主义的政治性。就这一点而言，恐怖主义组织与其他政治派别并无明显区别，其所从事的活动，总是具有某种政治目标或政治目的的，而不是一般的无目的的行为。从国际政治的现实来看，他们或是为了推翻或维护某种社会制度和秩序，或是为了实现民族分离或整合，或是为了达到宗教极端目的，或是为了保持种族的纯洁性，或是为了解决领土及资源问题，或是为了其他社会政治诉求等，总之，与政治相互关联，而不单纯是为了获取钱财或发泄情绪。因此，判断一种极端行为是否构成恐怖主义，首先看其有无政治目的。缺乏此点，只能称作刑事犯罪或至多称作带有恐怖色彩的行动或行为，而不能与恐怖主义相提并论。1981年3月30日，美国总统里根上任才2个月，就在一家饭店遭到一个金发青年的枪击，他向里根总统射击了

6发爆炸性子弹。案犯名为约翰·欣克利，是一位石油巨头之子，家境富有。他在被捕后交代了自己行凶的真实目的，原来是为了赢得一位好莱坞电影女演员对他另眼相看，模仿她担任演员的电影中的一段情节而去刺杀总统。后来在法庭审判时，欣克利因典型的精神病倾向，被判处“刑事监管”，送往一家精神病医院。这起案件显然不属于恐怖主义犯罪。而印度前总理拉吉夫·甘地遇刺事件则与之相反。1991年5月21日晚，印度前总理拉甘地在泰米尔纳德邦首府马德拉斯进行竞选活动时，被一献花女子采用自杀式爆炸炸死。印度官方特别调查组事后查明，此案为斯里兰卡泰米尔猛虎组织所为，主要目的是为了防止拉甘地重新上台执政，因为拉甘地担任总理时曾派印军进驻斯里兰卡，帮助斯政府军打击泰米尔猛虎组织。猛虎组织精心策划的这起刺杀行动可视为典型的恐怖主义事件。

其次是恐怖主义的暴力性。恐怖主义组织及其成员通常使用或威胁使用暴力手段，如暗杀、绑架和劫持人质、爆炸、劫机、突然袭击等等。在这一点上，有人往往将它与暴力革命混为一谈。其实，二者具有重要区别。暴力革命通过武装斗争或革命战争的方式夺取政权。武装斗争或革命战争的打击目标主要是敌方的军事力量和军事目标，而恐怖主义通常避开军事目标和军事力量，尤其是当代的恐怖主义越来越将打击矛头指向民用建筑和公共设施，其中包括普通民众。恐怖主义与游击战也是有很大区别的，美国学者布鲁斯·霍夫曼认为，在得到广泛认同的意义上，游击战是由较大的武装团体进行的，这种团体通常是作为一个军事单位行动，其攻击对象是敌人的军事目标，并且力图夺取一定的领土和对一定区域或人口行使某种主权。与此相反，恐怖主义者并不对一个公开的军事单位行动，不夺取领土，通常避免与军事力量进行战斗，并且极少对一定的人口或区域行使主权。当然，在现实中，战争、游击战与恐怖主义之间的确可能出现相互交叉现象，在这种情况下，就不能简单的一概而论，而要进行全面深入的分析。

第三是恐怖主义的极端性。一方面表现为其所提政治目标的超现实性和绝对性，例如，一些国家的民族极端势力片面宣扬“民族自决原则”，试图按照“一个民族一个国家”的模式，来实现其民族整合或分离之目的，这显然脱离了国际政治现实，因为当代世界的民族数以千计，而国家仅数以百计，多民族国家构成世界的主体依然是一个基本事实；国家少，民族多，民族分布与国家疆界不相吻合是一种普遍现象。如果所有民族都要求立国，并不惜采取极端措施，必然导致整个国际社会的混乱和失控。另一方面表现为行动的超常规性和残忍性，某些恐怖主义者为了达到其政治目标，不惜采用各种极为惨烈的恐怖方式，将袭击矛头越来越多地对准平民百姓，即使是老人、妇女、儿童也不放过，在他们眼里，没有任何法律准绳和道德标准。俄罗斯别斯兰中学事件便是一例。2004 年 9 月 1 日，一伙头戴面罩、身份不明的武装分子突然闯入俄罗斯南部北奥塞梯共和国别斯兰市第一中学，将刚参加完新学期开学典礼的大部分学生、家长和教师赶进学校体育馆劫为人质，并在体育馆中及周围安放了爆炸物。随后恐怖分子通过纸条要求俄罗斯政府从车臣撤军，释放同年 6 月袭击印古什时逮捕的恐怖分子等，俄罗斯军方包围了学校 3 天试图解救被围困的平民和学生。9 月 3 日，俄救援人员经绑匪同意进入学校往外运送被打死的人质尸体时，绑匪突然引爆炸弹并向外逃人质开枪，俄救援人员与恐怖分子发生交火。在此次事件中，共导致 335 名人质死亡，其中将近半数为儿童，从而成为俄罗斯迄今为止最严重的一起恐怖主义袭击事件。

第四是恐怖主义的国际性。随着全球交往的日益密集，原先以国内恐怖活动为主的恐怖主义逐步漫溢出国境，成为一种国际暴力行为，这时它便演变成国际恐怖主义而有别于国内恐怖主义。国际恐怖主义是恐怖主义活动的一种重要表现形式，其国际性具体表现在以下几个方面：各国恐怖组织的跨国合作；恐怖组织成员由不同国籍的人员构成；一国恐怖组织往往能得到某些国家的幕后支持；恐怖组织的袭击对象不仅指向本国政府机构及其成员，而且越来越多地指向外国政府、国际组织、跨国公司机构及其成员等等；所达政治目标的国际性。凡是符合上述情况哪怕是其中一种都可视为国际恐怖主义的范畴。1995 年 11 月 4 日深夜，以色列总理伊扎克·拉宾在地中海东岸特拉维夫城遇刺身亡。拉宾是以色列建国后被谋害的首位政治领袖，他是在当晚演讲完毕准备乘车离开集会的广场时遭遇枪击的。自1992年就任以色列总理后，拉宾致力于推动中东和平进程，1993年巴以双方签署了历史性的《奥斯陆协议》。根据这项协议，以色列先行撤出加沙地带和约旦河西岸城市杰里科，并逐步扩大巴勒斯坦的自治范围。为此，他和时任巴勒斯坦领导人阿拉法特、时任以色列外长佩雷斯一同获得了1994年诺贝尔和平奖。刺杀拉宾的是一个名叫伊加尔·阿米尔的25岁犹太青年，他是特拉维夫郊外巴尔·伊兰大学法律系三年级学生，为一犹太人极右组织成员。从此次事件看，尽管凶手与拉宾总理同为以色列人，但由于其具有国际性目标指向，实属一起国际恐怖主义事件。拉宾遇刺后，经他签署的巴以协议被搁置，中东和平进程严重受阻。

最后是恐怖主义的突发性。恐怖势力相对弱小，无以与国家政权形成对抗，加之恐怖活动在大多数国家被视为非法，这就决定了恐怖组织大多以一种秘密状态存在，也决定了恐怖主义活动和事件的隐秘性和突发性，以及难以预测性。被袭击方无法确定恐怖行动在何时、何地和以何种方式突然发生，也无法确定恐怖分子将对何种目标实施袭击、其袭击规模有多大、将对社会构成何种冲击和影响。这些无疑增加了各国打击恐怖主义犯罪的难度。

二、“后拉登时代”的国际恐怖主义

2011年5月1日晚，本·拉登在伊斯兰堡以北150公里的阿伯塔巴德的住宅被美军击毙。拉登之死的消息一经传出，犹如一颗舆论魔弹，立刻成为国际舆论关注的焦点。毕竟它是国际反恐斗争的重要事件，具有标志性的积极意义。联合国安理会5月2日通过主席声明，认为本·拉登被击毙是全球反恐斗争中取得的“决定性进展”，并敦促联合国所有会员国在反恐斗争中保持警惕。作为全球恐怖主义的象征性人物，拉登被击毙有助于削弱基地组织和其他恐怖势力之间的有机联系。然而，拉登之死是否就意味着国际恐怖主义的迷雾走向烟消云散？世界格局是否会向着新的结构前进？这些问题很可能历经长时间的实践检验才有可能找到合适的答案。

对美国而言，拉登之死只是奥巴马继承小布什压迫性军事行动的一个结果。“9·11”动摇了美国人固有的安全信心——国家的强大与脆弱之间形成了强烈反差，美国人曾经引以自豪的安全优越意识顿时化为乌有。一时间，“反恐”成为美国人心目中压倒一切的任务。为了反恐，美国与传统的国际政治盟友分分合合，即使陷入以阿富汗战争为代表的反恐行动泥潭也在所不惜。拉登之死终于能够让美国民众“9·11”10周年纪念之际长舒了一口气，使他们早已疲惫不堪的心态暂时轻松下来。但是，对于渐渐习惯“反恐”的美国政府来说，美国内政和外交随着拉登的死亡正在面临着大幅调整的现实考验。反恐会在何处停止使美国政府陷入迷茫。在“后拉登时代”，美国如何定位反恐在国家安全战略中的地位，有待进一步观察。

对国际社会而言，拉登之死也开启了另一个时代。一个“符号”被消除，远非为国际反恐划上句号。换句话说，世界不会因拉登之死而宁静。“基地”组织的基本架构并没有被摧毁，他们完全有可能借为拉登复仇实现权力的重新洗牌。5月13日，巴基斯坦西北部贾尔瑟达地区的一个边防军训练学院附近发生炸弹袭击，造成80多人死亡，140多人受伤。这是拉登死后巴境内发生的最大规模的自杀性袭击，也是“为本·拉登复仇的首个行动”(巴基斯坦塔利班武宣称)。拉登式的恐怖主义并不可怕，可怕的是未来世界会有更多拉登式人物出现。在传媒高度发达的今天，拉登其实已经成为一个政治符号。只要产生恐怖主义的土壤和根源依然存在，还会有更多打着“拉登传人”旗号的组织前赴后继。有舆论认为，拉登之死可以令“9·11”走向完结，却并不会让被“9·11”改变的世界再变回去。这说明消除恐怖主义的道路，注定还会漫长和艰难。

恐怖主义不会随着拉登之死而终止，这就要求人们把握国际恐怖主义活动的发展规律。拉登之死只是说明拉登作为恐怖主义的一个符号已经消失，并没有改变国际恐怖主义的一些共同特征。冷战结束后，尤其是伴随着“9·11”事件的发生，国际恐怖主义活动呈现出许多新的发展趋势和特点，归纳起来，大体有以下几个方面：

首先是恐怖活动的范围已遍及全球各个地区。早在上个世纪六七十年代，国际恐怖主义活动即已凸显，但那时主要发生在西欧、中东、南亚和拉美的一些国家和地区，从范围上看还有一定局限性。冷战结束后，恐怖活动已向其他地区蔓延，呈现出全球化发展趋势。进入 21 世纪，伴随“9·11”事件的发生，恐怖活动再次飙升。在世界各个地区——欧、亚、非、美、澳，人们都可以不同程度地感受到恐怖主义的存在。即使在撒哈拉沙漠以南的非洲，以及南太平洋小岛，都有恐怖事件的发生。从数量上看，恐怖活动也呈增加趋势。在 20 世纪 90 年代和进入 21 世纪前半期，全球恐怖袭击数量为数百起或数千起不等，而据美国国家反恐中心统计，自 2005 年后，全球恐怖袭击数量一直保持在每年 1 万起以上。其中，2005 年为 10845 起，2006 年为 14371 起，2007 年达 14433 起，2008 年 11726 起，2009 年 10984 起，2010 年，从年初开始到 9 月 30 日，已发生了恐怖袭击案件 8694 起。由此可见，随着当代恐怖活动的范围的扩大，恐怖活动的数量一直居高不下，这是当代恐怖主义的一个突出表现特征。

其次是民族极端和宗教极端恐怖活动居多。在冷战时期，国际恐怖主义的重要表现特征是极左翼恐怖组织曾活跃一时，包括意大利“红色旅”、德国“红色军团”、法国“直接行动小组”、日本“赤军派”，等等。例如，意大利“红色旅”最著名的行动之一是在 1978 年绑架并杀害了意大利前总理阿尔多·莫罗，此行动成为“红色旅”由盛而衰的转折点；日本“赤军派”则在东京等日本城市进行街头暴力活动，其突出活动是曾劫持一架日航飞机到国外。冷战结束后，这些极左翼恐怖组织基本上走向低潮，与此形成明显对照的是，以民族极端和宗教极端为特征的恐怖活动则急剧升温。人们看到的是，伴随 20 世纪 80 年代末 90 年代初发生的苏东剧变，一些民族极端势力乘势掀起一股以实现其民族分离或民族整合为目标的潮流，而一些宗教极端势力也为实现其建立政教合一的神权政治目标而兴风作浪。在很多情况下，这两股势力往往结合在一起，从而更增加了问题的复杂性。由于民族极端和宗教极端恐怖活动的增加，使得“中东—高加索—中亚—南亚—东南亚”构成一道弧形地带，成为恐怖主义高发区和地震带。

第三是基地组织仍具号召力。“9·11”事件发生后，美国发动阿富汗战争，给予基地组织以重创，为其提供支持的塔利班政权也顷刻瓦解，其残余势力被迫逃散到阿富汗和巴基斯坦交界地带或其他国家和地区。由于生存空间受到严重挤压，基地组织一时销声匿迹。但它并未被彻底摧毁。在经过一段蛰伏期后，其力量进行了新的分化组合，进一步向分散化、小型化方向发展，并处于更加秘密的状态。为显示自身的存在，基地组织一直号召各分支机构以及世界各地的恐怖组织进行反西方的“圣战”，同时在策略上，基地组织已改变过去居高临下的集中指挥和直接运作模式，积极鼓励各地恐怖势力各自为战，采取各种更加灵活机动的方式，发动针对西方国家或本国政府的恐怖袭击。另一方面，分散在世界各地的大小恐怖组织，即使与基地组织并无联系的恐怖组织，也都竞相效尤，也就是以基地组织为榜样，追求其“品牌效应”，将本·拉登视为“精神偶像”，并模仿基地组织的袭击模式，策划实施各种恐怖活动。近年来发生在一系列国家的恐怖袭击事件，虽然多为当地恐怖分子所为，但其作案手法却与基地组织的作案手法极为相像。美国国务院2009年度全球恐怖主义形势报告认为，基地组织在巴基斯坦的核心领导层仍是对美国最可怕的恐怖威胁。美国还担心除了阿富汗、巴基斯坦外，东非和也门有可能成为基地组织的活跃中心。

第四是微型恐怖主义崭露头角。所谓微型恐怖主义，也可以定义为小规模恐怖主义，其执行者采取的不是最大或最引人注目的恐怖行动，而是那些有望成功的恐怖行动。微型恐怖主义从根本上说是一种不对称，它利用了自身的“小”以及由此产生的难以被发现或被控制的优势，从阿富汗、也门和索马里这样的国家兴起，逐渐发展成为一种新的攻击方式。2009年圣诞节发生的“内裤炸弹”事件便是典型例证，尼日利亚青年奥马尔·法鲁克·阿卜杜勒穆塔拉布乘坐一架美国西北航空公司班机前往美国途中，试图引爆身上携带的炸弹，后为乘客和机组人员所制伏。目击者说，他当时用一个注射器向腹部注入一些化学液体引发烟火，但没能引爆炸药。按基地组织的说法，未能引爆的原因是技术问题，尽管如此，这种炸药已经成功躲过机场安检。而美方有关人士认为，所携带的炸药足以将飞机炸出一个大洞。就在“内裤炸弹”发生后不到一年时间里，“邮包炸弹”又浮出水面。2010年10月28号晚上飞往美国的两架班机上发现了有爆炸物的包裹，其中一件被截获的包裹内是一台装有爆炸物的打印机，可通过藏在其中的手机芯片引爆炸药，两件包裹的最初来源地都是也门。美国总统奥巴马宣称，这已经构成了对美国的恐怖袭击。而在此之后，在希腊又发现了多个邮包炸弹，其中部分邮件是在希腊境外截获的，收件人包括法、德、意三国领导人萨科奇、默克尔和贝卢斯科尼。

第五是美国为首的西方国家依然是国际恐怖势力的袭击重点。冷战结束后，美国成为国际恐怖势力的的袭击重点，最典型的例证便是“9·11”事件的发生。此后，由于美国发动阿富汗战争和伊拉克战争，类似“9·11”那样的大规模袭击尚未再次发生，但是，美国面临的来自多个方向的恐怖威胁依然是严重的。近年来，除了发生上述的“内裤炸弹”和“包裹炸弹”等事件外，2010年5月美国纽约时代广场还发生了未遂汽车炸弹案，嫌犯为一名巴基斯坦裔美国人费萨尔·沙赫扎德，他在准备乘机离开美国时被捕；同年10月，又一名巴基斯坦裔美国人法鲁克·艾哈迈德因涉嫌密谋对华盛顿地铁发动连环爆炸袭击被捕。与美国类似，欧洲同样面临恐怖袭击的压力。2010年10月，美欧多家情报机构获悉，基地组织计划对欧洲英、法、德等国的多座城市实施“孟买式”恐怖袭击，美、日等国相继对本国公民发布旅游警告，欧洲上空一时被恐怖的阴云笼罩。应该说，美欧情报并非空穴来风，仅2010年下半年，欧洲便发生一系列险情，例如，希腊和意大利发生的多起“邮包炸弹”案令美国和整个欧洲恐慌了很长一段时间；法国埃菲尔铁塔因电话“炸弹”被迫关闭；德国国会大厦担心恐怖袭击设置了围栏；被誉为“北欧天堂”的丹麦首都哥本哈根和瑞典首都斯德哥尔摩都发生了自杀式炸弹袭击，后者险些酿成大规模杀伤；英国警方分别在三个城市逮捕12名意图发动圣诞袭击的恐怖嫌犯。由于欧洲各国在防范恐怖袭击的能力上与美国相比明显不足，因而它们更担心自身遭受来自基地等恐怖组织的袭击。

第六是爆炸袭击方式令有关国家防不胜防。虽说世界各地的恐怖袭击多种多样，但目前采用最多的还是爆炸方式。一种是连环式爆炸，即在同一个地点或在不同的地点同时引爆，令警方难以集中力量应对。还有一种是自杀式爆炸，是恐怖活动中最极端、对公众心理冲击最强烈的表现形式，由于其隐蔽性强、难以防范，已越来越多地被国际恐怖组织所采用。自杀式爆炸又分为两种——“汽车炸弹”和“人体炸弹”。一般说来，“汽车炸弹”爆炸当量高、破坏力大，多用于攻击重要建筑等“硬目标”；而“人体炸弹”目标较小，隐蔽性强，多用于袭击人员密集区等“软目标”。袭击者经常将炸药或炸弹藏在“腰带”或“背包”中，并掺杂大量铁钉或钢珠，以加强杀伤力，引爆时多利用手机引爆。近年来，如同中东和南亚等地区，俄罗斯频频遭受自杀式恐怖袭击。2010 年 3 月 29 日，俄罗斯首都莫斯科卢比扬卡地铁站和文化公园地铁站先后发生自杀式爆炸；两天后的 3 月 31 日，俄罗斯达吉斯坦共和国基兹利亚尔市区发生两起自杀式爆炸；同年 12 月 31 日，莫斯科一家体育俱乐部遭到一名女性自杀式爆炸袭击，摧毁俱乐部所在建筑；2011 年 1 月 24 日，莫斯科多莫杰多沃机场遭遇一名男性自杀式爆炸袭击，导致包括 8 名外国公民在内的 35 人死亡，180 余人不同程度受伤。将爆炸袭击尤其是自杀性爆炸袭击作为一种主要打击手段，的确令有关国家警方防不胜防。有人这样评论说，一个人体炸弹就如同一枚精确制导导弹，就是花再多的钱也无法构建反导系统。

三、国际恐怖主义的追根溯源

造成当代自杀性恐怖袭击活动猖獗的原因是多种多样的，但归纳起来，大体可分为以下几类：

首先是冷战结束和两极格局解体带来的后遗症。前边提到，早在上世纪六七十年代，国际恐怖主义就已在某些国家和地区凸显，当时已引起西方一些学者的关注和研究，但由于受东西方冷战的影响，这一现象最终还是被降到次要地位，没有形成一种大的国际气候。而冷战结束和两极格局解体后，“潘多拉盒子”瞬间被打开，各种曾被压抑的问题得以释放，恐怖主义也顺势浮出水面。另外，冷战的结束曾促使一些国际政治热点问题得以解决，如阿富汗问题和柬埔寨问题等，但是某些热点问题却成为国际政治的死结，延续至今尚未解决，如中东巴勒斯坦问题，原表现为阿以之间的矛盾，以后逐步转变为巴以矛盾，经过多年的谈判，至今尚未达成能够为双方都能接受的和平方案。巴勒斯坦问题得不到根本解决，巴以冲突难以避免，其中包括恐怖袭击，致使中东地区依然是世界上恐怖主义高发地区。再如印巴克什米尔问题，也是冷战时期遗留下来的问题，它集中反映了印巴之间的深层矛盾，印巴关系难有实质性改善，主要症结便是克什米尔问题。而克什米尔问题的存在及其“溢出效应”，使整个南亚地区也成为恐怖主义高发地区。

其次是民族极端势力的蔓延。冷战后民族主义最突出的表现形式为民族分离主义，它成为民族极端型恐怖主义的主要诱因。冷战后的民族分离主义肇始于苏东剧变和两极格局解体，在这一浪潮中，苏联“一分为十五”、捷克斯洛伐克“一分为二”、南斯拉夫“一分为五”（以后继续下分），这些国家发生的裂变对整个国际局势构成极大影响，不仅改变了世界政治地图，而且煽起了众多国家民族分离运动的火焰。继之发生的俄罗斯的车臣问题，南斯拉夫的波黑问题和科索沃问题，高加索地区的阿布哈兹和南奥塞梯问题，以及中国的“东突”问题无一不受其影响。冷战后的民族分离主义对当代国家主权原则构成强烈冲击，尤其是一些多民族国家深受其害。在这些国家中，某些分离主义势力不顾本国的历史和现状，坚决要求实现本民族独立，或实现民族整合，为此不惜采取各种极端的恐怖主义暴力手段，包括采取自杀式袭击，严重威胁本国以及国际社会的安全与稳定。由于任何一个多民族国家都潜伏着爆发民族分离主义运动的可能性，可以预料，在相当长的一段时间内，由民族分离主义诱发的民族极端型恐怖主义将继续存在。

第三是宗教极端势力的崛起。冷战结束后，伴随民族分离主义浪潮，宗教极端势力也得到了迅速扩张，其中影响最大的是伊斯兰激进主义势力。伊斯兰激进主义势力是伊斯兰复兴运动中的畸形产物。奉行恐怖主义的伊斯兰极端分子，主要是伊斯兰地区某些国家的政治反对派或当地民族和宗教组织中分化出来的激进派别，他们的思想和行动具有强烈的宗教色彩。在现实中，宗教极端势力又往往与民族极端势力相结合，二者很难截然分开，只是有的组织更多地表现出民族极端，有的组织更多地表现出宗教极端。与民族极端势力相比，宗教极端势力更容易走向恐怖主义。因为他们可以借助宗教力量达到其政治目的。例如，他们可以通过曲解教义，把恐怖活动说成是神的旨意，是所谓“圣战”。这样，那些被他们洗脑的组织成员就很容易成为其驯服工具，成为恐怖活动的牺牲品，在这些人眼里，种种恐怖行为甚至连环式爆炸、人体炸弹、自杀式袭击都被罩上了宗教神圣的光环，成为一种神圣的正义事业，他们可以义无反顾地为其献身。

第四是霸权主义和强权政治的存在。人们经常可以看到，形形色色的恐怖主义以及其他类型的极端主义与霸权主义和强权政治如影随形，有人甚至认为霸权主义与恐怖主义是一对孪生子。冷战后世界格局体现为“一超多强”，美国无论是硬实力还是软实力都是世界第一。作为冷战后唯一的超级大国，美国在国际事务中屡屡奉行单边主义政策，招致包括欧洲国家在内的许多国家的反对。据《国际先驱论坛报》与PEW研究中心在2001年11月12日至2001年12月13日的世界范围内的调查，77%的美国以外的人士认为美国在反恐战争中表现为单边主义，伊拉克战争标志着“美国单边主义登峰造极”。在巴勒斯坦问题上，出于现实的战略利益的考虑，加之国内犹太势力的强大压力和与以色列的传统特殊关系，美国一直支持和偏袒以色列，长期给以经济军事援助，从而引起众多阿拉伯国家对美国的强烈不满，有的甚至抱有极大的反美情绪，这种反美情绪恰被国际恐怖势力加以利用，成为它们打击美国的有利借口。例如，基地组织领导人及其追随者一直认为，是美国在苏联撤出阿富汗后抛弃了他们，并采取了新殖民主义的中东政策；以色列作为美国推行霸权政策的产物，对巴勒斯坦土地的占领，所有这一切是造成巴勒斯坦以及整个阿拉伯世界感到屈辱与侮辱的根源。如果以色列不退出其占领的领土，不回到1967年6月4日以前的边界以内的话，那么反以和由此衍生出的反美浪潮必将持续下去。“9·11”事件的策划者之一在自我辩护中明确说，他们的目标就是要摧毁美国。

第五是战争冲突导致的后果。冷战后爆发了一系列局部战争，从90年代的海湾战争、波黑战争、车臣战争和科索沃战争，到21世纪的阿富汗战争和伊拉克战争，等等。这些战争尽管大部分都已结束，但对于冲突双方来说，矛盾并没有得到彻底解决，有的甚至更加激化，时至今日，在战场上被打败的一方也并没有退出历史舞台，而是在伺机东山再起或实施报复，包括采取自杀式恐怖攻击。基地组织、塔利班势力、伊拉克内部支持萨达姆的势力，以及车臣势力等都曾采取过自杀式恐怖攻击的报复手段。例如，在车臣及邻近的印古什、达吉斯坦等北高加索广袤地区，血腥内战打了十多年，俄军消灭了当地1万多名民族分离武装分子，其间因军事行动升级还误杀误伤了一些当地平民。这些被打死或误杀者的亲属在痛失亲人和家庭被毁的情况下，产生强烈的复仇心理，其中一些女性，即死者的妻子或女儿等毅然加入自杀式恐怖袭击的行列，这便是当地闻名的“黑寡妇”现象。2003年5至8月，车臣武装分子在俄罗斯境内发动了7次自杀攻击，其中有6次是由“黑寡妇”所为，总共造成165人死亡。当年9月，一位新近加入“黑寡妇”的车臣女子在接受英国广播公司的专访时说，她丈夫是车臣游击队员，一个月前遭俄军击毙，她现在只有一个任务和梦想，就是在俄罗斯的某个地方——最好是莫斯科——炸死自己，而且让陪葬的俄罗斯人越多越好。另据俄媒体报道，2010年制造“3·29”莫斯科地铁惨案的一名“女人弹”经鉴定为达吉斯坦一名武装头目的遗孀，年仅17岁，其夫在几个月前一次俄安全局特别行动中被打死。爆炸发生后在该名女子身上找到一个烧焦的情书，上面用阿拉伯文写有“在天堂相见”的字迹。

第六是敌对双方力量对比的失衡。当代恐怖活动多为次国家行为体——恐怖组织制造。作为相对弱势的政治力量，这些恐怖组织均不足以与本国的或外国的政府加以对抗，而为了弥补其力量的不足，并达到其政治目标，从经济学的角度讲，使用一种非对称的反抗手段——恐怖主义袭击就成为它们一种很“合算”的选择。正如一位外国学者所言，在当代的国际体系中，恐怖主义之所以变得如此普遍，一个主要原因就是，对于任何群体或政权来说，它都被证明是一种低成本、低风险，并且可能是一种高收益的斗争方式。也就是说，采取恐怖行动无需太多人马，也无需太大成本，只要组织一个小分队，使用几只自动枪或几包炸药就基本可以搞定，尤其是自杀性袭击，由于袭击者在攻击过程中死亡，不需要为其准备逃离路线，也不必担心其被捕泄露组织的有关信息，但其对被袭击方所造成的巨大威慑力和社会冲击力却是其他恐怖行动所无法比拟的，因此，这类袭击方式已越来越多地被国际恐怖组织采用。至于“微型恐怖主义”，更是一种低成本、低风险的袭击方式，按照基地组织名为《激发》的电子杂志对成本的分析，两部电话，两台打印机外加邮费总共4200美元。虽然目前微型恐怖主义因为规模过小、投入人手不够从而成功案例不多，但随着科技、交流、信息等方面的普及性发展，此类恐怖袭击很可能升级。

四、离中国不再遥远的恐怖主义

在冷战时期，在东西方两极对抗时期，国际恐怖主义势力对中国几乎构不成什么威胁，但是冷战结束之后，随着恐怖主义势力不断向世界各地蔓延，中国的安全与稳定也日益受到威胁和困扰。

目前，中国面临的恐怖主义威胁主要是“东突”（东突厥斯坦）问题。历史地看，“东突”问题的由来较为复杂。在中世纪阿拉伯地理学著作中，曾出现过突厥斯坦一词，意为突厥人的地域，指中亚锡尔河以北及毗连的地区。到18世纪，随着中亚近代各民族相继确立，突厥斯坦的地理概念已相当模糊。进入19世纪，沙俄开始重提突厥斯坦。以后沙俄先后吞并中亚希瓦、布哈拉、浩罕三汗国，在中亚河中地区设立了突厥斯坦总督区，于是西方国家根据沙俄的说法，将中亚河中地区称为西突厥斯坦，或俄属突厥斯坦，而把中国新疆（主要是南疆）称为东突厥斯坦，这便是“东突厥斯坦”名称的由来。中国历代统治者从未使用过“东突厥斯坦”的名称，自汉代起，一直称新疆为“西域”，清朝时期更名为“新疆”，意思是故土新归。然而，进入20世纪，新疆一些民族分子根据沙俄的说法，开始制造所谓“东突”独立的理论，企图建立一个独立的东突厥斯坦国。1933年11月，在新疆喀什曾出现过所谓“东突厥斯坦伊斯兰共和国”政权，但只存在三个月便垮台了。1944年，一小部分新疆分裂分子利用三区革命，在新疆伊宁再次成立所谓“东突厥斯坦共和国”政权，但1946年即被“伊犁专区参议会”所取代，分裂分子遭到致命打击。新疆和平解放后，“东突”势力并未停止民族分裂活动，但在整个冷战时期基本处于沉寂状态。冷战结束后，由于世界范围内民族分离潮流的兴起，“东突”问题再次浮出水面。自20世纪90年代以来，在基地组织的支持下，东突势力在中国新疆和周边有关国家策划、组织了一系列恐怖袭击等事件，如暗杀、爆炸等，严重威胁到中国新疆和有关国家的安全与稳定。

2010年6月，中国公安部宣布近期破获了一起重大恐怖组织案件，抓获十余名恐怖分子，其头目为境外“东伊运”恐怖组织派遣入境人员，缴获了一批自制爆炸爆燃装置等作案工具。这批人预谋在新疆喀什、和田、阿克苏等地实施大规模连环恐怖袭击，在犯罪企图败露后一些成员企图转道偷渡出境，并得到境外“东突”组织派人接应和资助。公安部新闻发言人表示，这一重大恐怖组织的破获再次证明，“东伊运”等恐怖组织是当前和今后一段时期中国面临的最主要恐怖威胁。

中国驻外机构及海外公民遭遇恐怖袭击问题是中国面临的另一个重要问题。随着中国改革开放程度的不断加深和中国综合国力的不断增强，有越来越多的中国人迈出国门，到国外经商、投资、务工、求学、旅游、探亲访友和进行文化学术交流等。1979年中国公民出境只有28万人次左右，2010年中国仅出境旅游人数就已达到5739万人次。由于中国出境人数越来越多，中国人遭受恐怖袭击的危险进一步加大。一个时期以来，有关中国公民海外遇袭遇险事件不断见诸媒体，较为严重的事件有以下几起：2004年6月的一天凌晨，中铁十四局集团公司援建阿富汗的一个建筑工地遭到一伙恐怖分子的袭击，造成 11 名中国工人死亡，5 人受伤；2005 年 11 月 9 日晚，约旦首都安曼商业区 3 家酒店同时遭到自杀式袭击，正在安曼访问的中国国防大学军事代表团下榻的酒店也遭到炸弹袭击，代表团成员中有 3 人死亡，1 人受伤；2007 年 4 月中原油田勘探局在埃塞俄比亚的一个工地遭到约 200 名武装分子袭击，包括 9 名中国工人在内的 74 人在袭击中身亡（这次事件是迄今为止中国企业在海外遭遇的最惨重的袭击）。

分析起来，中国人海外遭受恐怖袭击有几种情况：一是在事发现场受到殃及，多数遇袭事件属于此种类型；二是袭击者向外界显示自身力量，将打击目标泛化，赶上谁就袭击谁；三是出于针对本国政府的目的而将中国人作为牺牲品。除了这几种情况外，也不排除“基地”或“东突”以及其他恐怖组织成员策划或参与袭击的可能。因为袭击者采取的手法和“基地”等国际恐怖组织采取的手法非常类似。以上事态说明，尽管中国遭遇的大多数恐怖袭击与美国等西方国家遭遇的恐怖袭击不同，但中国已经不是躲避恐怖主义的“世外桃源”和“避风港”了，已经成为恐怖主义受害国之一。随着改革开放程度的不断加深和综合国力、国际影响力的不断增强，中国面临恐怖主义的挑战将会不断增强。因此，必须克服恐怖主义与中国无关的思想，必须义不容辞的举起反对恐怖主义的旗帜。

五、恐怖主义威胁的全球应对

当代恐怖主义的猖獗为国际社会带来严重危害，破坏了正常的国际秩序和社会秩序，对世界的和平与安全构成消极影响，越来越引起世界各国乃至国际社会的高度重视。面对恐怖主义在全球的蔓延，世界各国都有义务和责任加入到打击恐怖主义的斗争中来，不清除恐怖主义孳生、蔓延的土壤，任何国家都难免成为恐怖主义活动打击的目标。总结过去国际社会的经验和教训，应当注意从防范和打击两方面着手进行反恐怖斗争。

第一，反对恐怖主义应以预防为主。一般说来，恐怖分子实施的恐怖活动，都有一个准备阶段，如筹集资金、购买器材、调配人员、地点考察、方式选择等，如果注意加强事先的安全防范工作，就有可能将恐怖活动制止和消灭在萌芽状态。首先是加强对恐怖组织的情报收集工作，力求准确掌握恐怖组织的人员构成，资金来源，活动内容等，这是有效防止和打击恐怖犯罪的前提条件。为做到这一点，有的国家授权情报机构或警方对有关恐怖嫌疑组织进行渗透和卧底等，以获取有价值的内部情报，从而有效地制止恐怖活动的发生。其次是加强侦破工作，提高案件侦破率，以尽快将犯罪分子缉拿归案，这也是震慑恐怖分子、打击恐怖活动并防止新的恐怖犯罪事件发生的重要环节。为提高侦破率，有的国家设立了线报奖励制度或目击证人保护制度，还有的国家专门建立了反恐怖奖励基金等，这些制度的建立都带来了相应的积极成效。

第二，应致力于消除恐怖主义产生的社会根源。国际恐怖主义是激烈的国际政治斗争中孕育的怪胎，是当代国际关系中各种利益之间尖锐矛盾的反映。由于东欧剧变和苏联的解体，原来被两极格局所掩盖的许多国家内部和国家间的民族和种族矛盾得以释放，成为引发更深层次社会动荡的重要因素。它不仅对世界的政治和经济产生深刻影响，而且对世界安全态势的构成与稳定也具有重要的影响。面对恐怖主义的危害，有关国家政府必须采取毫不妥协的立场加以打击，不打击便不能震慑和抑制其嚣张气焰，维持本国基本的社会秩序，确保本国乃至国际社会的和平与安全。但是，恐怖主义的产生涉及方方面面复杂的原因，如果单纯凭借“以暴制暴”的手段，并不能彻底解决恐怖主义问题，今天打掉一个，明天还会再产生一个，形成恶性循环。解决恐怖主义问题除了武力打击以外，必须同时采取政治、经济、法律和社会文化等多方面的措施，进行综合治理，方能奏效。具体而言，世界各国应在联合国主导下，致力于在全球范围内解决有关领土争端、民族矛盾和宗教纠纷等各种问题，消除地区冲突和紧张局势，推动建立公正合理的国际政治经济新秩序，缩小发达国家和发展中国家之间的贫富差距，促进世界各国的共同发展和全人类的共同进步，从根本上消除恐怖主义产生的温床和土壤。

第三，反对用双重标准政策对待恐怖主义。在冷战时期，东西方阵营在这一问题上经常相互攻讦，人们经常看到这种现象：一方视为恐怖分子者，另一方则视其为自由战士。冷战结束后，直到“9·11”事件发生以来，这一问题依然未得以解决。不仅西方国家与阿拉伯国家存在严重分歧，俄罗斯、中国等大国与西方国家之间也屡发摩擦，重要原因就是某些国家坚持利用双重标准来对待世界各地的恐怖主义活动，这成为恐怖活动难以根绝的重要原因之一。例如，俄方对西方国家在俄罗斯车臣问题上的态度一直感到不满，俄方媒体一再谴责美英等国为车臣流亡政府头目提供政治避难等做法；中国媒体也曾对美国将几名中国籍“东突”恐怖组织嫌疑犯释放转至第三国的做法提出严厉批评；在中东地区巴勒斯坦问题上，阿拉伯国家对美国以及其他西方国家长期以来支持和偏袒以色列的政策和做法表示强烈不满，因此，在反对恐怖主义的问题上，世界各国之间尤其是大国之间能否解决双重标准问题，是能否推动国际反恐合作取得实质性进展的重要前提。

第四，应注意防止自杀型恐怖分子的孳生和蔓延。将自杀型恐怖主义作为一种打击手段，是某些恐怖组织的特征之一，尤其是某些坚持民族极端和宗教极端目标的组织。自杀恐怖袭击是指受意识形态或宗教原因驱使的、有预谋的暴力行为，其恐怖袭击的成功性很大程度上取决于实施者的自我毁灭。各国政府对付传统恐怖分子的主要手段是处以极刑，但是这些手段对自杀型恐怖分子来说效果并不明显，因为自杀型恐怖分子多数为民族或宗教狂热分子，他们受极端的宗教情绪或者民族情绪支配，是不惧怕任何死亡的。他们将自杀性爆炸视为舍生取义、杀身成仁的伟大的殉教行为，因此能在现场从容应对，置生死于度外。但是，仅仅用宗教或民族冲突来解释世界恐怖主义活跃的原因，尚不能完全揭示其真相，因为其背后隐藏的仍是深刻的政治和经济利益问题，正如西方学者埃斯波西托所言：“未来全球性的威胁和战争将较少是因为文明的冲突，而更多地是因为利益和经济及其他相反的东西所起。”为此，要解决这一问题，首先必须严厉打击极端民族主义和宗教极端势力，坚决防止其蔓延和扩大。其次，要正视民族矛盾和宗教矛盾，正确把握其深刻的历史和现实根源，通过建立公正公平的国际政治经济新秩序，从根本上对这一问题加以解决。第三，要正视世界的多样性，尊重各民族的平等权利和文化的多元化，重视和倾听弱小民族的呼声，防止最贫困国家被“边缘化”，以从源头上防止自杀型恐怖分子的孳生和蔓延。

第五，充分发挥联合国在反对恐怖主义活动中的作用。由于恐怖主义在世界范围内的蔓延，反恐怖斗争已不是一个国家、一个部门的事情，必须动员世界各国的力量，以国际化的反恐怖斗争对付国际化的恐怖主义。只有这样，才能有效遏制以至最终消除恐怖主义。发挥联合国在反恐怖主义活动中的主体地位，不仅有利于推动国际范围内的反恐合作，也有利于防止某些国家以“反恐”为名，干涉别国内政。实际上，自20世纪80年代中期以来，具有合法地位的国际性组织和国际社会在反恐怖主义的合作方面取得了一些成果，联合国的作用也越来越突出，联合国已先后制定十多项打击恐怖主义的国际公约，为国际社会打击恐怖主义提供了法律依据。充分发挥联合国的主导作用，将有利于推动国际范围内的反恐合作。但另一方面，也应看到，由于联合国并非超国家的世界政府，其法律文件对主权国家的约束力终归有限，加之有的国家在有关重要国际问题上，绕开联合国行事，使得联合国的权威大打折扣。要杜绝这种现象发生，不仅需要世界各国联合一致反对任何绕开联合国的行动，也有待于联合国自身机制的进一步改革。

第六，中国驻外机构和企业以及出境人员应注意加强自身安全保护。在中国对外交流日益频繁的趋势下，相关部门和机构需要认真应对愈发复杂的中国人员海外遇袭问题。近年来，中国外交部设立了涉外安全事务司，专门处理涉及中国公民海外安全方面的事务。外交部还经常发布有关国家和地区安全形势的警示，供驻外机构及企业作为安全决策的参考。走向海外的中国企业正在逐渐建立健全安全防范机制，一些海外华人组织和社团，也在积极利用自身优势，努力为海外华人提供力所能及的保护。但仅有这些方面的努力还不足以解决问题。根据商务部副部长傅自应2011年4月26日就《中国的对外援助》白皮书等情况的介绍，中国对非洲援助的过程中，献出生命的有700多人，最年轻的只有22岁。从长远看，塑造中国海外公司的良好形象和提高公民的个人素质也很重要。中国公司在进行海外投资和援建项目时，应注意做好“本地化”工作，以在当地深深扎根。在发展中国企业的同时，还要积极促进当地人员就业和发展公益事业，使中国企业的发展与当地的利益息息相关，共生共荣，从而增加企业和人员的安全指数。另外，中国企业和员工不仅要遵守当地法律法规，还要尊重当地风俗习惯和宗教信仰，并在实践中摸索与当地人打交道的技巧。这方面要继承和发扬中国老一代援外人员的优良传统，20 世纪 50、60 年代，中国派出的援外人员几乎都是既有政治觉悟，又有组织纪律和业务素质的人员，他们为中国的援外事业立下了汗马功劳。中国出境人员应注意借鉴和挖掘他们成功的经验。

第十二章 全球变暖问题与气候外交“升温”

12

◎ 周绍雪

在如何应对气候变化给人类带来的挑战这一问题上，国际社会进行了积极的努力，制定了许多旨在减少温室气体排放的国际规则、制度，达成了许多的相关协议。但是，由于世界各国的利益不同，气候问题上的外交博弈中充满了矛盾与分歧，各国政府的相关政治决策和国际关系的发展都因此受到极大影响，在众多的矛盾与分歧中，发达国家和发展中国家之间冲突表现得尤为明显。近年来，随着世界形势的变化与发展，各国的外交政策也在不断地调整，全球气候变化问题作为全球性问题的一个重要方面，日益影响着各主权国家的对外政策，世界各国都已把全球气候变化问题纳入了自己外交政策中，并且开辟了一个新的外交领域——气候外交。进入21世纪，气候外交正成为各国外交内容的重要一部分，得到各国政府的日益重视。

全球气候变化一直是国际可持续发展领域的一个核心问题，围绕气候变化的众多争论与谈判，表面看来似乎是关于全球气候变暖原因的科学问题和减少温室气体排放的环境问题，但本质上是一个涉及各国社会、政治、经济和外交的国家利益问题。

一、日益严重的全球气候变化问题

气候变化问题的严重性可以从以下三个方面得到充分体现。

（一）全球气候变化问题的全球性

全球气候变化问题无论在其影响、波及范围还是其解决途径上都具有全球性。不论你在世界的哪个角落、身处人类社会还是自然界，都会直接或间接地受到全球气候变化的影响，从南极洲到北冰洋，无不处于全球气候变化的影响中。拿格陵兰岛为例，虽然该岛距离任何大气铅污染源都很远，但是在格陵兰冰块中沉淀的铅的数量，自1940年以来，每年增加了300％。某些环境问题在现象上表现为区域性的，后果则与整个人类社会紧密相连，从而使区域问题具有了全球意义。例如，现在得到公认的是，气候变化问题主要是由发达国家向大气中大量排放二氧化碳所致，但是它带来的影响却是世界性的，不但对世界各国的经济、政治、社会、国际关系、人类健康产生影响，对人类赖以生存的自然界生态系统也产生了巨大的冲击。气候变化会带来天灾，威胁着人类的生命与安全，导致许多流行性疾病的产生，给人类的健康带来很大的威胁；气候变化致使全球气候变暖，改变着动植物的生活环境，进而影响着农作物的生长和动物的生存，等等。

对于全球气候变暖，发达国家负有主要的责任。但是，导致未来气候继续变暖的趋势，广大的发展中国家在其工业化的进程中也是负有责任的。全世界已经意识到，对这一问题的解决也并不是一个国家或几个国家可以完成的，它需要世界各国的共同努力，需要通过国际社会的广泛合作才有可能解决。因此，面对这一问题，世界各国在立足于本国国家利益的同时，还需要审慎地思考一国的眼前利益和长远利益，局部利益和整体利益，更需要有一个超越国家、超越民族、超越意识形态的宽广胸怀，以全人类的共同利益为出发点，减少在这一问题上各个国家存在的分歧，扩大共识、加强合作，这样才有可能促成气候问题的妥善解决。

（二）全球气候变化问题的长期性

全球气候变化问题具有长期性。从19世纪到今天，气候问题的产生经历了近两个世纪，经过了如此漫长的积累，今天气候问题虽然迫在眉睫，但解决起来是很难一蹴而就的。气候变化问题不仅产生由来已久，而且其影响面波及全球，解决起来也就越发困难，不是一个轻而易举的问题，真正解决可能需要几十年甚至是上百年的时间，需要全世界各国的共同努力才能完成。如果处理不好，气候变化不但威胁人类今天的生存与发展，对人类的子孙后代来说，更有可能发生灾难性的前景。已有科学证明，如果全球的气温依照现在的速度上升，那么其对后世的影响足以威胁到人类子孙后代的生存。当前的一个紧迫问题是，急需降低大气中温室气体的浓度，为此，国际社会需要制定一个长期的、有效的减排时间表。这个强制性的减排进程需要被各国接纳，就必须既不会严重影响各国的经济发展，又不会增加大气中温室气体的含量，这对于世界各国来说是一个长期性、极具难度的挑战。如何使全球的气候变化稳定在对人类没有威胁的水平，是全世界需要长期面对的问题。

（三）全球气候变化问题的政治性

全球气候变化问题并非一开始就具有政治性，国际政治也并非一开始就涉及气候变化问题，随着人类对气候变暖认识的逐步加深，气候变化问题得到越来越广泛的关注，特别是一系列和气候有关的国际会议陆续召开，全球气候变化问题政治化的特点也逐渐清晰起来。

从下列越来越频繁的国际会议中，可以看到全球气候变化问题的政治性在逐步加深。1853 年，在布鲁塞尔举行了第一次国际气象会议；1873 年，在维也纳召开第一次国际气象大会；1988 年，在多伦多举办了首场世界性的关于全球变暖的会议；再到 1992 年，在巴西里约热内卢召开了联合国环境与发展大会；1997 年，在日本京都召开《联合国气候变化框架公约》缔约方第三次会议。到 20 世纪末，气候问题已经逐渐成为国际政治的一项重要议程。在长达一个世纪的时间里，气候变化问题逐渐从一个局部问题发展成为一个全球性问题、从一个气象问题发展成为一个国际政治性问题。

到了 21 世纪，全球气候变化问题更是成为联合国和世界各国政府关注的焦点。在 2007 年 12 月，印度尼西亚巴厘岛召开的气候大会和 2008 年 4

月在中国海南召开的亚洲博鳌论坛大会上，全球气候变化问题成为会议讨论的主要内容。2009年哥本哈根世界气候大会和2010年联合国坎昆气候会议的相继召开，充分表明了气候变化问题已经成为国际会议的一个重要的议题，全球气候变化问题的政治化进程也在大大加快。

二、全球气候变化问题对国际社会的影响

全球气候变化对人类社会和自然界产生了很大的影响，联合国政府间气候变化专门委员会（IPCC）第三次评估报告对气候变化的影响进行了深入的分析，指出气候变化对水文、资源、生态系统、人类健康、人类居住、粮食、能源等各个方面都有影响。气候变化如此广泛地与人类生活交织渗透，必然对国际社会也产生巨大的影响。

（一）全球气候变化问题改变了传统安全观

全球气候变化问题给人类安全带来前所未有的威胁，极大地冲击了传统的安全观。就安全观念而言，通常认为其中包括传统安全与非传统安全两个基本方面。传统安全观重视的是政治与军事层面上的国家安全，尤其强调领土安全，认为维护安全的主要手段是军事力量，战争是解决国家间的矛盾和冲突的主要方式；非传统安全观强调的是除军事、政治以外的其他对主权国家及人类整体生存与发展构成威胁的因素，如经济安全、生态和环境安全、信息安全、能源安全等，此类问题都是由非政治和非军事因素引起，并具有跨国性和不确定性的特点。全球气候变化问题对人类的威胁日益加剧，已成为非传统安全观的一个重要方面。全球气候的变化直接或间接地给人类的生存与发展带来了很大的威胁，如全球气温升高将会引起两极冰川融化和海平面上升，海平面上升的一个最显而易见的后果就是严重威胁沿海低地国家的生存安全。一些低地岛屿国家，如马绍尔群岛、图瓦卢、马尔代夫、巴哈马、塞舌尔、伯利兹等国家将面临巨大的被淹没的风险。据科学家推测，到2100年，海平面将上升0.2—1.65米，如果这种预测变成现实，那么非洲尼罗河三角洲将全部被海水覆盖，孟加拉国将会有12%的国土消失。从全球来看，大约将会有3%的陆地面积消失在海

水中，进而会使10亿人面临生存的危机。气候变化问题的出现拓展了安全观的内容，其被关注的程度也有超越传统安全观的趋势。

（二）全球气候变化问题影响了国际关系

全球气候变化对人类社会与自然界的影响日益加剧，国际社会已开始采取行动，致力于合作应对这一前所未有的难题。针对这一问题，世界各国都在积极地制定新的对外政策，全球气候变化问题已成为各国外交政策中重要的一部分，并成为影响国际关系的一个重要因素。

世界各国围绕全球气候变化问题进行着国家利益的重大调整，这主要包括两个方面：一方面，基于共同的国家利益，各国展开广泛的合作，如《联合国气候变化框架公约》和《京都议定书》的签订，就是国际社会为了应对气候变化而共同努力的成果；另一方面，国家利益的不同又使各国之间在解决全球气候变化问题上充满了矛盾和分歧，甚至影响了原本良好的国家间关系。比如，发达国家要求发展中国家在应对全球气候变化问题上承担共同的、无差别的减排义务，而发展中国家则要求发达国家承担历史排放责任，履行《京都议定书》中规定的发达国家的减排义务，并对发展中国家进行资金、技术援助；同样，在发达国家内部，分歧依然存在，欧盟鉴于自身在节能环保方面的技术优势，主张发达国家要严格执行《京都议定书》所规定的减排指标，而以美国为首的一些国家，为了自身经济的发展，为了保持其习惯了的能源消耗方式，对发达国家应承担的减排义务持消极的态度，最为突出的就是美国一直拒绝签署《京都议定书》。

虽然各国间的矛盾纷繁复杂，但是，最显著、最根本的分歧还是在发达国家与发展中国家之间。发达国家强调当前的成本和未来的影响，主张制定统一的环保政策，从气候公约谈判开始就不断要求发展中国家尽早承担减排或限排温室气体的义务；而发展中国家则强调历史责任和现实义务，坚持“共同但有区别的责任原则”，希望尽量推迟自身承担减排义务的时间。在气候谈判的过程中，各个国家间在国家利益的基础上，形成了几个气候联盟，如以美国为代表的伞形国家集团、以中国为代表的发展中国家集团等等。这些围绕全球气候变化问题展开的斗争与合作，都标志着国际关系针对新的形势发生了调整与变化。

（三）全球气候变化问题将影响全球经济

全球气候变化将会对农业与工业的发展产生很大的影响。科学界已经有大量证据表明，全球气候变暖主要是由于人类在生产活动中大量地耗费化石燃料，致使大气中二氧化碳等温室气体的浓度增加，从而使全球气温不断升高所导致。因此，为了解决这一问题，必须对煤炭、石油等与化石燃料有关的能源使用进行调整与改造，而这首先就会冲击这些传统能源产业的发展。同样，气候变化对农业发展影响巨大。这种影响是多方面的，影响到农业的种植品种、种植面积、种植产量，并最终影响到农业的稳定性。有俄罗斯的学者认为，由于全球气候变暖，估计北半球平均气温将上升 2 至 3 摄氏度，这将会使农作物生长的自然带向北推移 600－1000 公里，这样，莫斯科南部的耕地将会退化为黑土草原。在美国，全球变暖的情况下，其农业生产也受到了严重的威胁，有学者预测，美国农产品的摆动幅度每年可达 50％。此外，全球变暖还将导致哈萨克斯坦、乌克兰等国家的农业生产条件恶化，其中整个乌克兰可能会变成干旱的草原，农业将减产 60％。还有日本学者指出，气候变化将会给亚洲粮食生产带来沉重的打击，如果全球气温上升 2.5 摄氏度，印度的小麦产量将会减产 60％，土豆产量也将减少 30％，朝鲜的高粱将减少近 80％。全球气候变化不但影响农业的产量，而且还使农业生产的不稳定性增加，农业生产的布局和结构也会受影响。以中国为例，到 2030 年，种植业产量在总体上因全球气候变暖可能会减少 5％－10％，其中，小麦、水稻和玉米 3 种主要的农作物均会减产。到 2050 年，气候变暖将使中国农作物多熟种植的分布大大改变，农田大面积减少并集中。目前华北推广的冬小麦品种，将不得不被其他类型的冬小麦品种所取代。近几年来，中国东南沿海和南方地区频频遭受台风和洪涝灾害的袭击，给当地居民的生命和财产造成了很大的损失。令人印象深刻的是，2008 年春天，在中国南方许多地区发生的冰雪灾害，引起了世界的关注。2008 年 1 月中旬至 2 月上旬，中国南方地区连续遭受 4 次低温雨雪冰冻极端天气的袭击，总体强度为 50 年一遇，其中贵州、湖南等地为百年一遇。这场极端灾害性天气影响范围广，持续时间长，灾害强度大。全国先后有20个省（区、市）都不同程度受灾。低温雨雪冰冻灾害给当地电力、交通运输设施带来极大破坏，对中国经济尤其是工农业生产造成了重大损失。

（四）全球气候变化问题影响人类健康

全球气温升高，会使一些比较敏感的传染性疾病传播范围扩大，而且还会导致许多的病菌滋生，人类的生存环境日趋恶劣，全球气候变化严重威胁着人类的健康。

已有大量事实证明，因气候变化引起的洪涝灾害等恶劣天气大大增加了溺死、爆发性腹泻和一些呼吸道疾病发生的危险。据世界卫生组织报告，气候变化是全球2.4％的腹泻病例以及2％的疟疾病例发生的元凶。随着全球气温的升高，许多疾病，诸如霍乱、登革热、痢疾、脑膜炎等流行性疾病将在非洲大肆蔓延。世界卫生组织2001年公布报告说，受厄尔尼诺气候现象的影响，从1997年开始，吉布提、索马里、肯尼亚、坦桑尼亚和莫桑比克等国家先后出现严重的洪涝灾害，导致这些医疗卫生设施相对薄弱的国家爆发了大规模的霍乱。此外，由于多数非洲国家全年气温变化不大，本身的自然环境就有利于病菌的繁衍，气温的逐年升高和雨量的不断增加又加速了病菌的滋生，卢旺达的疟疾发病率比1995年猛增了3倍多。还有前面已经提到，气候变化导致农作物的种植面积和产量大大减少，这对广大依赖于农业经济的发展中国家的影响尤为明显，会使广大的发展中国家饥饿人口的数量增加。此外，由于粮食的缺乏，还会导致许多贫困人群营养不良。

伴随着全球气温的逐年升高，洪涝、干旱、飓风、热带气旋、台风和冰雪灾害等极端天气事件发生的频率和强度大大增加，严重地威胁着人类的生命与财产的安全。如在南部非洲，由于受全球气候变化的影响，莫桑比克、南非、津巴布韦和马拉维等国家近年来降水量不断创历史新高，均爆发了不同程度的洪涝灾害，马达加斯加和莫桑比克甚至还遭受了罕见的热带旋风的袭击，造成许多房屋毁坏，数百人死亡，数十万人无家可归。

在太平洋沿岸的美国，近些年来也频频遭受飓风的袭击，闻名世界的“卡特里娜”飓风，2005年在美国佛罗里达登陆，飓风导致洪灾泛滥，造成至少80人死亡，无数房屋被毁，数万居民被紧急撤离。就在2011年4月中旬，发生在美国南部地区的飓风已经被定为80年不遇的灾害，已造成至少350人死亡，数千人受伤。在世界各地，此类灾害性天气出现了频发的趋势。

三、奥巴马政府的气候外交

面对新的全球气候外交发展态势，美国奥巴马政府上台之初就改弦更张，把气候外交作为其国家战略的优先考虑之列。奥巴马新政府旗帜鲜明地提出了美国要在应对气候变化方面成为全球领导者的一揽子战略方案。与小布什政府外交上的单边主义政策非常不同，在气候变化问题上，奥巴马政府一改美国以往的消极强硬作风，表现出明显的转型态势。奥巴马政府的气候外交转型有三个方面值得注意。

（一）美国重回务实外交路线

这是在国际金融危机以来，美国综合国力削弱和国际声誉下降之后，美国重新开始回到多边主义的务实轨道。应对气候变化不是一两个国家或国家集团所能胜任的，需要世界各国的合作，需要奉行多边主义。应对气候变化是全球化时代多边外交的新兴领域。然而，小布什政府时期，美国大行单边主义，拒绝签署《京都议定书》，使国际社会应对气候变化的进程受阻，同时也使美国的国际形象受损。美国如今面对着一个变化了的世界，世界战略必然要发生改变。奥巴马政府上台后，美国在气候变化问题上的态度转变，表现出美国一贯的务实外交理念及美国政府对多边外交的认可。2009年初，拜登副总统参加慕尼黑安全会议，对小布什的单边主义在某种意义上提出了否定，强调了多边外交的重要性。

（二）气候外交服务于国内经济复苏

奥巴马政府的首要任务是应对金融危机，他提出要实施绿色复苏计划，将新能源技术作为创造就业和刺激经济的新增长点。中美就能源与气候变化议题召开战略与经济对话，试图建立“清洁能源和气候变化双边合作伙伴关系”，完善《中美能源和环境十年合作框架》。中国加强节能减排，将创造巨大的清洁能源市场需求，对美国来说无疑是刺激经济复苏的难得机遇。

（三）气候外交推动美国领导力的重塑

美国领导力的重塑具有双重内核，即经济实力的硬核和全球责任的软核。气候外交的背后是美国新一轮经济增长战略的具体实施，特别是与能源战略、绿色科技战略相关联。奥巴马希望能源与绿色科技的战略可以与互联网为主导的高科技产业曾有过的辉煌相媲美，成为美国在新兴战略产业继续保持领先的法宝。美国企业界的有识之士，如通用电气公司（General Electric）董事长杰夫·伊梅尔特（Jeffrey R. Immelt）、Google 董事长施密特（Eric Schmidt）等都积极推动和支持奥巴马把绿色经济新政进行到底，并不断敦促美国政府制定更大力度的刺激政策。气候变化外交作为“巧实力（Smart Power）”思想的最新试验场，既能帮助美国缓和与欧盟等传统盟友的关系，重塑美国的全球责任形象；又能促进美国硬实力——即经济实力，特别是企业竞争力的极大提升。

四、国际气候制度及中国的应对

为应对气候变化，国际气候制度（暂时以谈判为主）尚在艰难的形成过程中。其发展进程的一波三折，浓缩了当今世界面对众多全球问题的困境，是纷繁复杂的国际关系的一个缩影。中国作为发展中大国，对国际气候制度的形成、发展和未来走向都具有举足轻重的作用，中国的谈判立场和可能的变化会对国际气候制度影响深远，因此备受国际社会的关注。

（一）国际气候制度的演进

如果从 1990 年国际气候谈判启动算起，迄今为止，国际气候制度的演进大约经历了以下几个阶段：

第一阶段：1990—1994年，国际气候谈判开始启动。这标志着一场旷日持久、风云变幻国际气候博弈登上了国际关系的舞台，世界各国围绕气候变化，在经济、政治、科技、制度等方面同时展开了较量。1992年，里约会议通过《联合国气候变化框架公约》（UNFCCC）并开放签署，1994年3月21日该公约生效，从法律上确立了公约的最终目标和一系列的基本原则。

第二阶段：1995—2005年，是坎坷曲折的《京都议定书》谈判和批准的过程。为了落实《联合国气候变化框架公约》的目标，《公约》第一次缔约方大会（COP1）决定启动议定书谈判；1997年，在日本京都召开的第三次缔约方大会（COP3）通过了《京都议定书》，首次为附件Ⅰ国家（发达国家与经济转轨国家）规定了具有法律约束力的定量减排目标，并引入清洁发展机制（CDM）、排放贸易（ET）和联合履约（JI）三个灵活碳交易机制。此后，围绕议定书具体规则的谈判，因各方分歧严重而未能在设定的时间框架内完成。

第三阶段：2005年至今，是后京都谈判艰难前行的阶段。2005年2月《京都议定书》生效后，国际上有关后京都问题的讨论如火如荼。2005年12月，在加拿大蒙特利尔召开了公约第十一次缔约方会议暨议定书第一次缔约方会议（COP11/MOP1），通过大会决定，采用“双轨制”正式启动后京都谈判。所谓“双轨制”是指，在议定书下成立特设工作组（AWG），谈判附件Ⅰ国家第二承诺期的减排义务，同时，为了美国等非议定书缔约方能够参与谈判，在气候公约下启动为期两年的促进国际应对气候变化长期行动的对话。2006年11月，在肯尼亚内罗毕召开了议定书第二次缔约方会议。根据议定书相关规定，又启动了针对议定书相关义务的审评，被看做是推进后京都国际气候谈判的“第三轨”。2007年12月，第13次缔约方大会在印度尼西亚巴厘岛举行，会议着重讨论“后京都”问题，即《京都议定书》第一承诺期在2012年到期后，应如何进一步降低温室气体的排放。12月15日，联合国气候变化大会通过了“巴厘岛路线图”，启动了加强《公约》和《京都议定书》全面实施的谈判进程，致力于在2009年年底前完成《京都议定书》第一承诺期2012年到期后全球应对气候变化新安排的谈判并签署有关协议。

继《京都议定书》后，国际气候谈判聚焦于《联合国气候变化框架公约》缔约方参加的三轮气候变化大会。2009年12月，《联合国气候变化框架公约》第15次缔约方会议暨《京都议定书》第5次缔约方会议在丹麦首都哥本哈根的贝拉会议中心举行，备受各国政府、非政府组织、学者、媒体和民众的广泛关注。但是，经过艰苦谈判，会议最终只是达成不具法律约束力的《哥本哈根协议》。正如联合国秘书长潘基文所言，“我们进行的讨论时而有戏剧性，时而非常热烈”。2010年12月，《联合国气候变化框架公约》第16次缔约方会议暨《京都议定书》第6次缔约方会议在墨西哥东部城市坎昆举行。经过近两周磋商通过的《坎昆协议》并未指明《京都议定书》谈判的未来，也没有给出完成第二承诺期的时间表。2011年11月至12月，《联合国气候变化框架公约》缔约方第17次大会在南非东部港口城市德班举行。《京都议定书》第二承诺期的存续问题，是德班大会期待解决的首个关键问题。与两年前哥本哈根大会相比，德班会议取得不少积极进展。德班会议通过的四份决议，体现了发展中国家的话语和根本利益。例如，发达国家从2013年起执行《京都议定书》第二承诺期，并在2012年5月1日前提交各自减排承诺。但是，德班会议未能全部完成“巴厘路线图”的谈判，落实坎昆协议和德班会议成果仍需时日。各方在有关2020年后加强公约实施的安排上还需要做更多工作。未来的气候谈判依然举步维艰，国际气候制度的发展前景迷雾重重。

（二）中国应对气候变化的策略

为应对世界气候外交的新形势，中国积极推进了多项双边和多边气候合作。在上述三个阶段的气候制度演进的过程中，从一开始，中国就是所有国际气候谈判的重要成员，以“77国集团加中国（G77+China）”的模式，努力团结广大发展中国家，为维护发展中国家的发展权益发挥了重要的作用。事实上，中国扮演着发展中国家阵营协调者的角色。鉴于此，中国的谈判立场必然备受国际社会的瞩目。如果中国对某些具体议题的态度发生变化，或相关政策有所调整，都会立即引起世界的猜测。因此，对中国的谈判立场和态度的变化进行正确认识和理解，并对其背后中国的利益和关注点进行合理的解释是非常重要的。

1. 中国的谈判立场和变化

气候谈判是一项非常复杂的国际多边参与的全球治理行为。自 1988 年中国首次参与政府间气候变化专业委员会（IPCC）成立大会至今，已经走过了 20 多年国际气候谈判的历程。在气候变化国际谈判中，中国一直发挥着积极建设性作用，努力推动谈判进程。《中国应对气候变化的政策与行动（2011）》白皮书指出，中国政府参与气候变化国际谈判坚持以下原则立场：一是坚持《公约》和《议定书》基本框架，严格遵循巴厘路线图授权。二是坚持"共同但有区别的责任"原则。三是坚持可持续发展原则。四是坚持统筹减缓、适应、资金、技术等问题。五是坚持联合国主导气候变化谈判的原则，坚持"协商一致"的决策机制。中国在气候外交谈判中有两个问题是一直坚持不变的，一个是关于减排义务，另一个是关于将气候变化与其他问题挂钩。

中国谈判立场中最核心也最受国际社会关注的是中国坚持在现阶段不承担任何减排义务。尽管在不同时间或场合，中国对该立场的具体表述有所不同，但至今这一立场没有任何本质的变化。例如，中国谈判代表团团长刘江在 1999 年公约第五次缔约方会议的部长级会议上发言，"中国在达到中等发达国家水平之前，不可能承担减排温室气体的义务。但中国政府将继续根据自己的可持续发展战略，努力减缓温室气体的排放增长率。"在 2005 年公约第十一次缔约方会议上，中国政府再次强调要在可持续发展框架下采取行动。在 2009 年的哥本哈根气候大会上，中国代表团团长、国家发改委副主任解振华曾表示，中国自主采取的减缓行动是公开透明的，有法律保障，有统计考核体系和问责制度，要向社会和世界公布，但绝不接受国际"三可"（减排的可测量、可报告、可核查）。中国拒绝接受有法律约束力的国际量化减排标准，这一点一直是中国参与国际气候谈判的底线。

另一个中国始终坚持的谈判原则是，反对将气候变化与其他问题挂钩。近年来的国际气候谈判中，发达国家有通过其他问题向发展中国家施压的动向，尤其是利用国际贸易中的关税问题，以期加大中国的减排压力。在经济全球化时代，中国的对外贸易依存度不断提高。2001－2010年，中国贸易规模持续扩大，进出口贸易总额由5097亿美元扩大至2.97万亿美元，共计增长4.8倍，年均增长21.6％，占国际贸易的比重由4％升至9.7％。1978年，进出口贸易占国内生产总值的比重为9.7％，2010年达到50.7％，提高了41个百分点①。中国企业要参与国际竞争，未来就不得不面临例如欧盟之类的组织可能以气候变化为由针对议定书非缔约方设置新的绿色贸易壁垒。对此，中国虽然在态度上坚持反对，但是应有清醒的认识，在行动上必须早做准备，才能面对难以阻挡的气候变化与国际贸易挂钩的趋势。

在坚持不承诺减排义务和反对与其他问题挂钩的同时，中国近年来在国际气候谈判及相关领域推行了更加灵活和积极的举措，展示出中国开放、合作的态度，有些做法甚至超出外界的预期，受到国际社会的高度评价。这些变化主要表现在三个方面：

其一，中国对清洁发展机制（CDM）的态度从质疑犹豫转向积极参与。在京都会议前后，中国对CDM的概念曾抱有怀疑的态度，害怕发达国家借此将减排义务转嫁给发展中国家，也担心增加自己未来的减排成本。近年来，中国经过观察和学习，对CDM的态度已发生转变。中国清洁发展机制网站显示，截至2011年8月，中国共有1527个CDM项目成功注册，占东道国注册项目总数的45.42％；预计产生的二氧化碳年减排量共计321 533 307吨，占东道国注册项目预计年减排总量的63.85％，在世界范围内已经占有了很大优势。

其二，中国开始积极参与各种国际技术开发和合作机制。中国在国际气候谈判的最初阶段，非常强调“发达国家应向发展中国家提供必要的资

① 参见：http：//www.ce.cn/xwzx/gnsz/zg/201106/21/t20110621_22491363.shtml.

金并以公平最优的条件向发展中国家转让技术”，现在中国已经逐渐转变，开始呼吁建立有效的技术推广机制，开展互利技术合作。中国积极参加各种国际技术开发与合作机制，如2005年美国倡导成立的“亚太清洁发展与气候伙伴计划（AP6）”，2003年美国能源部组织的“碳收集领导人论坛”等，中国都是重要参与者。

其三，中国加大力度，推进有利于低碳发展的政策。尽管中国坚持对外不承诺减排义务的立场，但中国政府越来越紧迫地认识到，必须积极倡导科学发展观和建设节约型社会。近年来，中国制定和大力推进了一系列有利于减缓气候变化的政策措施，鼓励节能和可再生能源开发。例如，2006年初，中国在“十一五”规划中首次将控制二氧化碳排放列为社会经济发展目标之一，提出了到2010年的能源强度比“十五”末期降低20％左右，这是中国国内一项具有约束性的政策目标；2007年6月4日，《中国应对气候变化国家方案》正式发布实施，全面阐述了2010年前中国应对气候变化的对策。该方案是中国第一部应对气候变化的政策性文件，也是发展中国家在这一领域的第一部国家方案。

2. 对中国气候谈判立场的分析

中国作为世界最大的发展中国家，具有非常独特的现实国情，任何简单化判断或套用现成的分析结论都不可能很好地理解中国上述立场和变化，而需要从某些影响决策的关键要素入手，进行深入细致的分析。

首先，中国不承诺减排义务，其主要原因是减缓行动的社会经济成本过高，超出了中国的承受能力。尽管已有许多学者对中国减排成本进行估算，结果相差较大，并没有一个准确的数据，但中国的确认为自身采取减缓行动的社会经济成本太高，承诺减排义务是中国近期无法做到的事，这是中国所处经济发展特殊阶段以及资源能源特点所决定的。正如2005年7月，胡锦涛在苏格兰鹰谷“G8＋5”峰会上强调，“气候变化既是环境问题，也是发展问题，但归根到底是发展问题。”目前，中国正处于快速工业化和城市化的阶段，人口增长和城市化是推动中国能源需求和排放增长的主要驱动力。中国人口在2050年达到16亿以前，仍呈增长趋势。中国经济发展的客观现实，决定了中国不是缺乏减排的政治意愿，而主要是缺乏减排的能力，因而无法承诺减排义务。中国对外不作出承诺，同时在国内积极行动，是权衡利弊后的理性选择。中国以自身的发展为底线，坚持最基本的发展权，同时又尽量务实，从自身可持续发展的角度，积极推行减排措施，并努力塑造负责任大国的国际形象。

其次，中国在应对气候变化不利影响方面的脆弱性，使中国更重视适应问题的有效推进。减缓和适应气候变化是应对气候变化的两个有机组成部分。减缓是一项相对长期、艰巨的任务，而对中国来说，适应则更为现实、紧迫。相对世界其他国家而言，中国更易受气候变化的不利影响。中国作为发展中国家适应能力不足，因此脆弱性较强。中国决策者对自身脆弱性的认识一方面来自科学研究所揭示的有关气候变化客观事实和规律，另一方面也与中国的经济发展密切相关。经济发展一方面积累了大量社会财富，有利于提高适应能力，但同时，在适应措施相对滞后和严重不足的情况下，社会经济发展也加剧了生态脆弱性。据国家气象局不完全统计，2005 年中国气象灾害的直接经济损失约为 1856 亿元。中国对受气候变化影响的脆弱性认识不断强化，更直接地反映在中国对适应气候变化问题的关注，并敦促发达国家为发展中国家的适应行动提供必要资金和技术。例如，2005 年，中国在《联合国气候变化框架公约》第 11 次缔约方大会（COP11）暨《京都议定书》第一次缔约方大会（MOP1）上的立场声明中就特别强调，"要正确把握适应与减缓气候变化的平衡"。

气候变化的全球性和长期性，使得一个国家在实施减缓行动时，很难量化地计算出短期内其成本与可能获得的收益，很难权衡其中的利弊得失。因此，相比发达国家，发展中国家面临生存和发展的现实压力，往往更重视近期的成本与收益。现实是，气候变化已经不可避免地发生，并将持续下去，发展中国家本来适应能力就相对不足，只有采取适应措施，才能使避免灾害的效果更为直接和显著，也同时避免了存在未来风险的长期投资。

最后，中国积极参与国际转移支付和国际碳市场，以期赢得国际认可，塑造一个负责任的大国形象。

国际转移支付的作用机制在于，通过资金、技术等外部投入，降低减排成本，增加短期收益，改变国家既有政策对成本与效益的权衡关系。现有国际转移支付机制和可用资源非常有限，远远无法弥补中国减缓行动高昂的社会经济成本，也无法扭转中国减排能力不足的现实。从资金角度看，中国在环境污染治理方面的总投入，仅2006年一年就达的2567.8亿元人民币。另一方面，截至2006年12月，中国从全球环境基金（GEF）所获得的赠款和赠款承诺总额仅为5.3亿美元（约合40亿元人民币）。从如此巨大的数字差距可以看出，国际上对中国的资金援助实在是杯水车薪。在国际碳市场方面，尽管中国在清洁发展机制（CDM）市场上占有较大份额，但CDM是基于项目的合作，除了给参与项目合作的企业带来一定的资金收益之外，对国家宏观经济的影响很小，而且该机制对促进技术转让的贡献也微乎其微。虽然如此，2005年10月，中国政府仍然起动了CDM基金筹备工作，2010年9月，经国务院批准，财政部、国家发改委等有关部委联合颁布了《中国清洁发展机制基金管理办法》。依据该办法，CDM基金业务全面展开。此举受到了广泛的称赞，赢得了国际社会的认可。

可见，中国对清洁发展机制（CDM）和对国际技术合作态度的变化，并非是资金和技术本身的吸引力有所增强，而主要是多年来通过学习摸索，中国对国际规则的了解不断加深，逐渐认识到了国际碳市场是降低全球减排成本、促进发达国家与发展中国家双赢的有效途径。而在技术转让方面，相关谈判的停滞不前和国际机制的缺失，使非商业的优惠技术转让前景渺茫，中国对在公约框架下获得技术帮助已经不能抱太多期望和任何幻想，必须转向加强自主创新和参与更符合市场规律的国际技术合作。

（三）未来中国气候谈判面临的挑战

当前的气候谈判历程表明，推动气候变化国际谈判取得公平、合理、有效的成果仍将需要较长时间。气候变化谈判中存在的关键问题仍然悬而未决，未来谈判前景不容乐观。坎昆会议在重拾信心、重建互信方面向前迈出了重要的一步。但是，在减排这一谈判的关键议题上，进展甚微。发达国家并没有就第二承诺期做出明确表态，反而提出京都议定书的存废问题，危及国际气候谈判的根基。在资金和技术转让问题上，发达国家也缺乏具体明确的承诺。发达国家与发展中国家在这些关键问题上存在重大分歧，妥协难度很大。由于各方就核心议题分歧严重，德班大会被拖入“加时赛”，令与会代表疲顿不堪。虽然德班大会闭幕文件是发达国家集团与发展中国家集团相互妥协的产物，但是双方围绕减排正义与公平的分歧依旧。双方的这一分歧，很有可能将继续困扰此后的世界气候大会。

中国作为最大的发展中国家，是未来碳排放的主要源头之一，未来中国面临的国际气候谈判任务更加艰巨，前景不容乐观。从气候变化国际谈判的发展过程看，一方面，绝大多数《联合国气候变化框架公约》缔约方和国际主流媒体对中国国内的减排力度之大印象深刻，纷纷给予高度评价；另一方面，它们对未来中国温室气体排放总量的持续增加又心存担忧。国际社会对中国的这种复杂态度日益浓厚。气候变化国际谈判的波澜不惊绝不意味着中国可以有丝毫的松懈。事实上，中国在今后的谈判中将面临更加严峻的挑战，需要以更宽广的视野和更卓越的智慧加以妥善应对。

首先，《京都议定书》的延续问题面临巨大争议，对中国的谈判基础构成强烈冲击。在气候变化国际谈判中，越来越多的发达国家明确反对延续《京都议定书》，《京都议定书》的未来飘摇不定。维护《京都议定书》是中国的谈判底线。因为《京都议定书》承认历史排放的责任，确保了气候谈判在发达国家与发展中国家之间进行，发展中国家不必做出减排承诺，能更好地体现共同但有区别的责任原则。废除《京都议定书》就意味着谈判将在排放大国与小国之间进行，中国的压力将陡然增加，直接危及中国的基本发展权益。

其次，中国在未来国际气候谈判中成为众矢之的的风险上升，面临的国际压力进一步增大。在气候变化国际谈判中，一方面，中国作为一个发展中国家的身份有模糊的趋势，而作为一个排放大国的身份日益清晰；另一方面，发达国家合作的政治意愿下降，部分发展中国家对气候变化的焦虑感和对国际资金的饥渴感却同时上升。这些变化导致中国成为国际气候谈判焦点的风险迅速增大。若不妥善应对，中国将陷入巨大的被动之中，有可能导致中国在争夺话语权的博弈中更加处于下风。

比如，近年来的气候谈判中，美国竭力利用自身在资金技术方面的优势，将资金问题作为诱饵，通过各种新闻发布会，制造新的关注点，转移公众对其排放大国的注意力，将自身转化成一个积极对发展中国家进行气候援助的负责任的大国形象。因此，美国在谈判中受到的压力和批评有所减弱。与此同时，国际气候谈判的焦点也渐渐由指向美国转为指向美国和中国。中国必须重视这一转变。在过去的国际气候谈判中，在设定议程、选取议题以及确立标准方面，中国一直处于被动地位，其中一个重要原因是中国缺乏雄厚的智力支持和人才保证。中国要在未来成功应对气候谈判的挑战，除了要在谈判环节本身下足功夫外，还必须从国家经济发展战略和人才培养战略的角度，在国内积极推行科学的、可持续的低碳经济，同时加强人才培养和储备，使中国在国际气候博弈和确立新的国际气候机制过程中，能够夺取谈判的话语权，避免被动，为中国赢得宝贵的发展空间，保持最基本的发展权力。

第十三章
跨国界的难民与移民问题

13

◎ 孙东方

跨国界的难民与移民问题是当前国际政治领域的重大问题，直接关系到世界的和平与发展。近年来，在联合国等国际组织以及世界各国的努力下，国际难民与移民问题的解决取得了一定的进展，达成了一系列的条约与协议，改善了国际难民与移民状况。但与此同时，由于经济、政治、文化、安全等因素的制约，该领域仍面临着许多的问题和挑战。在这个过程中，作为一个负责任的大国，中国积极推动国际难民与移民问题的解决，并提出了一系列正确的原则和主张，为维护世界的繁荣与稳定做出了重要贡献。

一、难民与移民：跨国界人口流动的主要方式

跨国界人口迁徙和流动具有十分悠久的历史，既包括正常状态下的移民，也包括非正常状态下的难民和非法移民。在人类社会的漫长发展过程中，世界各地都留下了难民的足迹。早在希伯来时代，受法老奴役的以色列人逃离埃及，这是最早记载的集体迁徙事件。在中世纪，异族的征服，宗教之间的不宽容，都造成了难民的出现。16 世纪后期，西班牙统治者在尼德兰迫害新教徒，迫使大批新教徒逃往国外。近代以来，资产阶级革命和殖民战争也往往有“难民”问题相伴随。进入 20 世纪以后，难民问题逐

步发展成为日趋严重的世界性问题。随着近代主权国家的产生和发展，各国对出入境管理日益严格，这才出现了难民从一国出逃或被驱逐后，难以在其他国家找到避难之所的问题。而20世纪不断爆发的战争与冲突，尤其是人类历史上的两次世界大战，造成了大规模的难民潮。在当代，由于各种全球性联系日益密切，难民问题的发生也具有了全球的属性，并在国际社会的范围内以有组织的方式解决这样的问题。

“难民”（refugee）一词源于法语，基本含义是指逃到国外以躲避危险和迫害的人。按照《简明不列颠百科全书》的解释，难民即流离失所、向别国政府寻求保护和获得生计的人。由于观察的角度不同，虽然目前国内外学术界对难民的定义众说纷纭，但由于该词具有明确的政治含义和政策含义，因此有关界定主要是以国际组织特别是以联合国的说法为准。因为国际社会对世界范围内的难民的救援是以联合国为中心展开的，而联合国的救援工作又是以有关难民的界定为标准的。①

第二次世界大战结束后，联合国以及其他一些地区性国际组织开始对“难民”定义进行界定。1947年，国际难民组织的章程将难民界定为“因种族、宗教、国籍、或政见而害怕遭到迫害、不愿返回其来源国的人”。②这一定义成为后来联合国对难民进行界定的基础。

联合国1951年通过的《关于难民地位的公约》指出，难民是指“由于1951年1月1日以前发生的事情并因有正当理由畏惧由于种族、宗教、国籍、属于某一社会团体或具有某种政治见解的原因而留在其本国之外，并且由于此项畏惧而不能或不愿受该国保护的人；或者不具有国籍并由于上述事情留在他以前经常居住国家以外而现在不能或者由于上述畏惧不愿返回该国的人”。③ 应该指出的是，1951年通过的《关于难民地位的公约》的适用范围较窄，在时间上只适用于1951年1月1日以前发生的事件所造成

① 张明明：《当代国际政治热点问题研究》，中国城市出版社2002年版，第270页。

② 李晓岗：《难民问题的人道性与政治性》，《世界经济与政治》，1999年第7期。

③ 北京大学法学院人权研究中心编：《国际人权文件选编》，北京大学出版社2002年版，第309页。

的难民，在地理上又把它限定在欧洲。而形势的发展表明，难民潮绝不仅仅是第二次世界大战以及战后初期的一种欧洲现象，它可能发生在世界上的任何不稳定的地区。为了使 1951 年的公约适用于 1951 年以后的难民问题，1967 年，联合国通过了《关于难民地位的议定书》。该议定书取消了 1951 年公约的时间限制，使之成为一个更具普遍意义的公约。现在已有 100 多个国家成为 1951 年公约和 1967 年议定书的缔约方，这两个文件也成为国际社会处理难民问题的主要法律依据。

随着时间的推移，“难民”的概念出现了扩大化的趋向。为了解决非洲难民问题，1969 年，非洲统一组织制定了《关于非洲难民问题某些特定方面的公约》，对“难民”的定义进行了补充，认为难民的产生不仅仅是政治迫害的结果，其原因还包括外来侵略、占领或外国统治，或是发生了导致其原籍国发生严重动乱的事件等。1984 年，中美洲国家签署关于难民问题的《卡塔赫纳宣言》，在坚持联合国 1951 年公约的基础上，进一步提出，难民还包括那些因为暴力事件、外国入侵、国内冲突、大规模侵犯人权和其他引起严重社会动荡的事件威胁到自身生活、安全和自由从而跨越国界逃离的人。这个宣言得到了美洲国家组织大会的支持，成为多数拉美国家处理难民问题的实际依据。

经过以上的梳理与分析，获得承认的难民主要有两大类：一是离开了原籍国，并受到已签署联合国或其他地区性难民公约的相关国家政府认可的难民。二是联合国难民署根据相关公约认可为难民的人，即“托管难民”。随着时间的推移，国际社会保护难民的范围也在不断扩大，“国内流离失所者”也成为联合国关注的焦点。这些群体是因为战争、内乱、饥荒等原因而在原籍国国内流离失所的人，尽管不符合各种国际公约关于难民的界定，但也获得了类似难民的待遇。与难民相比，这些国内流离失所人口也是因为遭受到灾难和威胁而进行迁徙的，所不同的是，国内流离失所者不愿意或者不能够跨越国界，他们在法律上仍然处于本国政府的主权管辖之下。[1]

"移民"（migrant）一词最早出现在1787年，当时专指迁移到美国的欧洲人。后来，随着时空的变化，"移民"的内涵不断丰富。按照一般的解释，移民是指越过政治或行政单元的边界，并至少居留一段时间的人。根据中国《辞海》的解释，"移民"是指"迁往国外某一地区永久定居的人"或"较大数量、有组织的人口迁移"，这种界定包括国外移民和国内移民两种情况。《大美百科全书》指出："广义而言，人类的迁移是指个人或一群人穿越相当的距离而作的永久性移动。"这里则主要强调了"相当的距离"和"永久性移动"。国际移民也称跨国迁移者，就是指那些越过民族国家边界，进入另外一国并居留一段时间的人群。目前国际上对移民的居留时间尚没有一个统一的标准，各个国家的规定也相差很大。可以说，对移民的界定没有任何的客观标准，完全取决于一个国家的政策和规定。[2]

目前，国际移民主要有四种分类方法。一是自愿移民和被迫移民，前者或出于追求更好生活条件或与家庭团聚而移民，后者则指因人道主义灾难、种族清洗、战争等被迫离开家园。二是分为经济移民和政治移民，前者因就业或追求更多经济利益移民，包括熟练工、非熟练工、临时工、客籍工等，后者则因逃避战争或政治迫害移民。三是分为合法移民和非法移民，国际移民委员会（IOM）统计世界每年大约新增400万非法移民，占移民总数的30%—50%，其中约半数的非法移民牵涉偷渡、人口走私等国际犯罪活动。四是分为永久移民和短期移民，前者以永久居住为特点，后者包括客籍工、季度工等。

移民问题与难民问题一样，都是出于某种原因的人口迁移，都表现为人口移动的外在形式等。但实际上，二者有着明显的区别，主要体现在以下三个方面：第一，移民是指离开原来的居住地，到另外一个距离较远的

---

① 李少军：《当代全球问题》，浙江人民出版社2006年版，第216页。

② 李芳田：《国际移民及其政策研究》，南开大学博士论文2009年。

地方定居和谋生，并且不再返回原居住地。他们都是主动离开，并直接到达目的地；而难民是出于个人无法抗拒的原因，离开家园。他们逃离的目的是要脱离危险的处境，其中多数都希望能够返回家乡。第二，移民通常以定居为结果，而难民的结局则难以预料。第三，移民是在自愿的原则下进行的，其方式多种多样，有自发移民、计划移民、强制移民等，但难民的形式只有一种，就是被迫迁移。从这个意义上说，移民是一个大概念，难民是移民中一个特殊群类。

二、当前叩问世界“良心”的形形色色难民潮

近年来，国际难民人口居高不下，国内流离失所者大量增加。严重的难民局势对地区安全和稳定、国际政治形势的发展以及反恐战争的走向产生巨大影响，成为当前国际社会主要关注的焦点问题之一。

（一）难民人数居高不下，地区分布更为广泛

冷战结束后，全球难民形势十分严峻。根据联合国难民署统计，1991年世界难民总数为1600万人，其中西亚、南亚、北非、中东的难民有760万人，非洲撒哈拉以南地区有540万人，欧洲和北美有240万人，拉丁美洲和加勒比地区有120万人，亚洲及大洋洲有64万人。1995年全球与难民署工作有关的人口为2610.32万，其中难民为1323.65万。其中非洲有569.21万人，亚洲有447.96万人，欧洲有210.1万人，其余96万人分布在美洲和大洋洲。[①]

进入21世纪之后，全球难民人数虽有略微下降，但总体仍保持千万级左右的庞大规模。2001年，全球难民总数为1200万，其中亚洲580万人，非洲330万人，欧洲220万人，北美洲65万人。阿富汗成为当年最大的难民来源国，难民人数达到380万人，占全球难民总数的30%。其他排在全球难民人数前十位的国家是，布隆迪（55.4万人）、伊拉克（53万人）、苏丹（49万人）、安哥拉（47.1万人）、波黑（45万人）、索马里（44万

① 李少军：《当代全球问题》，浙江人民出版社2006年版，第218页。

人)、刚果(39万人)、越南(35.3万人)、巴勒斯坦(35万人)[①]。随后几年全球难民总数出现下降趋势,2002年为1060万人,2003年为970万人,2004年为960万人,2005年为870万人。

但是2006年,联合国难民署管理下的难民人数在连续5年下降之后,首次出现令世人忧心的上扬。严重的难民危机再次出现在人们的视线之中。伊拉克出现百万人规模的难民潮,苏丹达尔富尔冲突造成大批国民流离失所,延续六十余载的巴勒斯坦难民尚看不到回家的希望,国内流离失所者问题出现扩大化趋势。据联合国难民署(UNHCR)统计,2006年底与上一年度相比,世界难民人数一年之内上升了14%,达到987.8万人(不包括联合国近东救济与工程处管理的440多万巴勒斯坦难民)。美国难民与移民委员会(USCRI)发表的《2007世界难民概况》(WORLD REFUGEE SURVEY 2007)也反映出世界难民人口趋向走高的态势。报告公布的世界难民和寻求庇护者总数为1394.88万人,其中非洲(不含北非)有293.2万人,美洲和加勒比地区有64.89万人,欧洲有56.92万人,中东和北非有593.1万人,东亚和太平洋地区有95.35万人,南亚和中亚有291.4万人。截至2009年年底,全球难民人数约为1040万。在寻求庇护者中,阿富汗人有2.68万,比上年增加45%;伊拉克人有2.4万;索马里人有2.26万人,向下依次排列的国家为俄罗斯、塞尔维亚和尼日利亚。在美国提出寻求庇护的有13.49万人,连续四年排名第一;在法国提出庇护申请的有4.2万人,比上年增加19%;加拿大位居第三位,庇护申请下降了10%,英国、德国位列第四、第五,在这五个国家寻求庇护的人数占到了总数的48%。[②]

随着北非、中东等国冲突不断,世界难民问题出现进一步恶化的趋势。据联合国难民署统计数据显示,利比亚武装冲突爆发以来,共有43.9万名难民逃离该国,多数逃往埃及、突尼斯等邻国。为躲避战火前往利比

① UNHCR:《Statistical Yearbook 2001》,第21页。

② 李慎明、张宇燕:《全球政治与安全报告(2011)》,社会科学文献出版社2001年版,第202页。

里亚、几内亚等国的科特迪瓦难民也已超过 12 万人。此外，索马里难民形势也不容乐观，仅肯尼亚境内达达布难民营一地就有超过 33 万索马里难民滞留，而且还在以每月 1 万人的速度增长。2011 年 4 月 5 日，联合国难民事务高级专员古特雷斯在日内瓦表示，由于非洲多国局势持续动荡，国际社会正面临近年来最严重的难民潮。由于大量难民需要转移和安置，联合国难民署等国际组织在资金和人力等方面正面临前所未有的压力。

（二）全球范围内国内流离失所者显著增加

流离失所者（Internally Displaced Persons）主要是指由于国内冲突和自然灾害等原因造成的被迫迁徙群体。从严格意义上讲，由于国内流离失所者并没有离开自己的原籍国，不能将其称之为难民。但由于国内流离失所者的处境与难民相似，大都生活在冲突和不稳定的环境中，缺乏国家和政府的有效管理，国际神会从人道主义的角度出发，也将其列入国际难民机构关注的范围中。

冷战结束后，伴随着世界各地难民的产生，许多国家内部同时出现了数目众多的流离失所者。1995 年美国情报部门的一份报告认为，1993 年全世界依靠国际人道主义援助生活的人数为 4500 万，1995 年的数字尽管有所下降，但仍为 4100 万；1995 年世界各地逃离家园但仍留在国内的人有 2200 万，逃往国外的人有 1600 万。据美国难民事务委员会 1995 年《世界报告概况》统计，截至 1995 年底，巴勒斯坦国内流离失所者总数至少为 85 万人，阿富汗为 50 万，还有 10 万人处于“类似难民的境地”，卢旺达为 50 万，波黑为 130 万，利比里亚为 100 万，伊拉克在为 100 万，还有 3 万人处于“类似的境地”。

进入 21 世纪之后，全球范围内国内流离失所者数量显著增加。截至 2009 年底，在全球 54 个国家中，由于武装冲突、暴力和侵犯人权等原因，被迫迁徙的流离失所者达到了 2710 万人，比上年增加 28.6%。[①] 其中，非

① 李慎明、张宇燕：《全球政治与安全报告（2011）》，社会科学文献出版社 2001 年版，第 202 页。

洲大陆是国内流离失所问题最为普遍、人口最多的地区，据估计非洲21个国家国内流离失所者数量高达1160万，超过全球国内流离失所者总量的40%。苏丹是非洲国内流离失所现象最严重的国家，人数接近500万。其次为刚果民主共和国190万，索马里150万。在布隆迪、乍得和中非共和国等国家，冲突后不稳定的局势和基本生活条件恢复艰难，国内有长期滞留10万人以上的流离失所者。美洲国内流离失所现象主要集中在哥伦比亚，哥伦比亚目前是世界上国内流离失者人数最多的国家之一，已超过300多万人。政府与反政府游击队的军事对峙已长达四十多年，复杂的政治、经济和社会矛盾深深割裂国家，绑架、报复袭击和恐吓持续发生，游击队、贩毒团伙和准军事组织之间经常为争夺地盘发生冲突。另外，秘鲁、危地马拉20世纪90年代中期签订的一些和平和政治和解协议未得到全面执行，也遗留了一些国内流离失所者，但很少得到国际社会的关注。在欧洲，国内流离失所者主要存在巴尔干、外高加索、土耳其和塞浦路斯等地区和国家，大致在280万人左右。其中土耳其最多，大约在100万左右；阿塞拜疆纳卡冲突仍然遗留有68万国内流离失所者；波黑、克罗地亚、塞尔维亚三国境内还有36.7万流离失所者。亚洲是国内流离失所者人口增长最快的地区。伊拉克严重恶化的局势不仅形成了上百万的难民，在国内还形成了同等规模的流离失所人口，达到225.6万人，并且还在继续增加。东帝汶的社会动荡在国际维和部队的监督下得到平息，但还有15.5万名国内流离失所者遇到重重阻力尚无法回家。[①] 2011年12月7日，古特雷斯在联合国难民署成立60周年纪念大会上表示，截止2010年底，全球共有4370万人为逃离地区冲突或迫害流离失所，创15年来最高记录。

（三）难民问题对国际社会造成严重影响

严重的难民问题对国际社会的影响是不容忽视的。为数颇多的难民为了寻求安全而从一国进入另一国，不可避免地会使相关国家之间的关系出现麻烦，甚至有可能造成国际摩擦乃至冲突。难民涌入邻近国家，有可能

① 李小丽：《世界难民问题的现状与发展趋势》，《中国社会科学院院报》2008年6月17日。

使得历史上原本就存在的民族、种族、宗教矛盾等进一步激化。例如，黎巴嫩是个位于中东地区的小国，面积仅1万多平方公里，人口不足300万。但国内教派林立，政党繁多。宗教分为基督教和伊斯兰教，伊斯兰教和基督教内部又分为众多不同派别。政党约有80多个，大多都有教派背景。国内情况十分复杂。而随着巴以冲突的加剧，大量巴勒斯坦难民不断进入该国，目前，巴勒斯坦人已占该国总人口的60%，这就使得其原本因党派和教派矛盾而受到种种牵制的国家政权更难以加强对全国的控制，其政治局势也变得更加动荡不定。

在解决难民问题的过程中，难民的接收国是需要付出很大代价的。为了安置大量难民并对他们的生活和就业进行援助，不仅需要提供大量的食品、衣被、帐篷、饮用水以及医疗设备，而且要占用土地、消耗燃料等，此外，为帮助难民遣返，还需要大量资金。目前，不仅难民产生国是世界上贫困或相对不发达的国家，而且难民接收国大多也是贫穷或相对落后的国家。全球难民总数的80%被发展中国家收留。巴基斯坦是收留难民人数最多的国家。而德国是发达国家中接收难民最多的国家（59.4万人）。从这些难民接收国的实力来看，如此繁重的任务是超出其负荷的，他们都遇到了食品和衣物严重不足、缺乏安置资金等一系列问题。比如，德国政府在1992年为安置难民划拨的专项财政资金为45亿马克，在1994年增加到74亿马克。这些财政支出加大了当时德国的财政赤字。与此同时，难民在一些接受国往往会受到排斥和压制，处处受气，被当地居民“另眼”相看，即使参加工作也只能游走在社会底层，劳心劳力。有的地方把他们集中到某个贫民窟集中管理，甚至没有基本生命保障、公民自由、政治权利。

除了对人类社会产生巨大影响之外，规模庞大的全球难民群体也对生态环境造成了巨大压力。一些难民由于得不到及时的人为救助，不得不依靠无节制地争夺野外自然资源维持生存。在许多国家，当难民蜂拥而至时，生态环境遭到极大破坏。森林树木被砍伐搭建临时住所，土地被践踏，庄稼被收割，野生动物遭捕猎，有时草根树皮都被刨尽扒光。难民营本身卫生条件更为恶劣，蚊蝇肆虐，疾病流行，到处堆积垃圾。待难民营撤除后，这些难民接收国还要投入相当的人力财力恢复被破坏的环境，这同样是一种负担。例如，居住在坦桑尼亚的卢旺达难民，为了维持日常生计捕杀大猩猩等珍稀野生动物。居住在扎伊尔的卢旺达难民，为了建房和做饭对扎伊尔维尤加国家公园里的数百平方英里原始森林进行大肆砍伐。难民营周边的土地被大片开垦，植被完全被破坏。在阿富汗，难民高峰过后，200处被难民遗弃的营地需要进行清扫和环境恢复。许多地方由于缺乏资金而被迫放弃，成为不适合人类生存的不毛之地。

三、国际社会解决难民问题的主张与努力

早在20世纪初，国际社会就开始着手解决难民问题。由于第一次世界大战爆发，世界上出现了大规模的难民潮。1921年，在国际红十字会等国际组织的推动下，国际联盟专门设立难民事务高级专员，首次承认国际社会对解决难民问题的积极责任。1933年，国际联盟颁布《关于难民国际地位的公约》，规定签字国不得阻止符合公约定义的难民入境，也不得驱逐符合公约定义的难民出境。但是由于该公约只得到了8个国家政府的批准，因此这一时期国际社会解决难民问题的成效还十分有限。

第二次世界大战爆发后，针对世界出现的新的难民潮，反法西斯同盟国家于1943年成立了“联合国家善后救济总署”，负责遭受战争破坏地区的重建和救济与遣返难民的工作。联合国成立后，国际社会开始对难民问题付出更大的努力。1947年，联合国成立国际难民组织。该组织的职责是对难民进行确认、登记、分类、照顾、法律保护、遣返和安置等。从1947年开始，国际难民组织成功地在80多个国家安置了100多万难民。[1] 但是难民问题远未彻底解决，联合国依然面临着严重的难民问题。

1950年12月14日，联合国成立难民事务高级专员公署（Office of the United Nations High Commissioner for Refugees）取代国际难民组织。该

---

① 李少军：《论难民问题》，载《世界经济与政治》1997年第6期。

机构从1951年1月开始正式工作，其宗旨是以人道主义的、社会的和非政治性的精神向难民提供国际法律保护，如为他们提供基本的粮食、医药保障，同时要促使国际社会尽力为难民提供就业、受教育、居住、迁移或免受迫害的保证。它以“外交中间人”的身份出现，在有关政府组织和个人的协助下，实施其各项援助难民的方案，对属于高级专员职权范围内的难民提供国际保护，努力确保每个人有权在另一个国家寻求避难，找到安全的避难所和自愿回国。除了帮助难民返回本国或在他国定居，该机构还寻求永久性解决他们的困境。最初，联合国难民署本是一个为期三年的临时性机构，它的主要任务是处理二战遗留下来的欧洲难民问题。后来，由于世界各地陆续出现新的难民问题，一直延续到今天。联合国难民署最高权力机关为执行委员会，机构的最高负责人是高级专员，成员由理事会从关心和致力于解决难民问题的国家中选举产生，但也适当照顾地区代表性。截至2011年3月，该机构有79个成员国，中国是其成员之一。

联合国难民署成立60年来，为解决世界难民问题做出了巨大贡献，得到了国际社会的广泛认可与敬佩。1954年和1981年，国际诺贝尔奖委员会分别两次把和平奖授与联合国难民署。目前，该机构7190名员工在120多个国家继续从事帮助3640万难民的工作。①

长期以来，联合国难民署解决难民问题的方法主要有三种：一是遣返。所谓遣返，就是让难民回到原籍国，主要包括有计划遣返和志愿遣返两种形式。有计划遣返通常包括原籍国赦免难民的政治罪责、原籍国和庇护国为难民返回提供安全的路径、为返回的难民重建家园提供物质援助以及国际人道主义机构追踪探查难民的安全状况等。志愿遣返是难民完全按照自己的意愿返回原籍国而不是通过国际机构或者国家的事先安排和集中组织来进行的。对于志愿返回原籍国的难民，难民署都给他们提供便利，为他们的安全返回和接受援助保护创造有利条件。②

① 联合国难民署网站：http://www.unhcr.org.

② 李少军：《当代全球问题》，浙江人民出版社2006年版，第227页。

二是就地安置。联合国难民署在取得避难国政府的同意和支持的条件下，通过建立难民营为难民提供固定居所并实施救助。由于目前收留难民的大多是贫困落后和相对不发达国家，因此这样的安置困难较大。被安置在欠发达国家的绝大多数难民最终要在条件成熟的时候返回原籍国。

三是第三国安置。在欠发达国家已不能承受安置难民的负担而难民遣返的条件又不具备时，联合国难民署会引导和支持难民进行第三国安置。如在科索沃战争期间，联合国难民署实施了援助科索沃难民的“人道主义疏散计划”，有9.6万名难民被用飞机、轮船等各种交通工具转移到28个国家，进行临时性安置。其中德国收容14700人，美国收容9700人，土耳其、法国、挪威、意大利、加拿大和奥地利等国接纳的难民人数都超过了5000人。[①]

由于解决难民问题涉及人员、物资、资金、就业、卫生、教育等诸多方面，难民署便积极地与其他国际组织机构进行协调与合作。联合国框架内的粮农组织、卫生组织、儿童基金会、教科文组织、世界银行、劳工组织、农业发展基金会等机构常常参与由难民署牵头的救助保护计划。除此之外，联合国难民署还同其他重要的国际组织进行密切合作，如国际红十字会。该组织主要是帮助和救济陷于灾难、战争和冲突中的难民。此外还有众多的非政府组织，其工作主要是向难民提供帮助，如提供食品、住所、饮用水、卫生设备和医疗等。如“无国界医生组织”的宗旨是超越国界和不受官方的限制和约束，直接向最需要帮助的人们提供紧急医疗救护。

在救助难民的实践中，除了国际组织外，主权国家还扮演了积极的角色。首先，许多主权国家的政府加入了难民救助保护的国际法律体系，承担了解决难民问题的国际义务。其次，处于战乱地区周边的发展中国家为应对大规模难民潮发挥了重要作用。再次，许多国家还为难民署的难民救助工作捐助了大量资金，这些资金占了难民署所获捐助的绝大多数。联合

① 张明明：《当代国际政治热点问题研究》，中国城市出版社2002年版，第300页。

国难民事务高级专员公署 2010 年 12 月 7 日宣布，各国政府承诺 2011 年向该组织捐助 5.765 亿美元。

作为《1951 年关于难民地位的公约》及其议定书的缔约国，面对日趋严重的世界难民问题，中国政府一直认真履行相关国际义务，并发挥了突出的作用。

1982 年 9 月，中国正式签署了《联合国保障难民权利公约》，中国参与国际难民救助工作的范围不断扩大。中国政府一贯支持联合国难民署的工作，与联合国难民署始终保持着良好合作关系，双方在能力建设、难民立法、应急反应合作等方面进行了卓有成效的合作。1983 年，中国向 20 多个非洲国家派出了数百名农业专家和技术人员，承担了 30 多个粮食和农业方面的经济技术合作项目。1984 年 6 月，中国决定为多灾国家提供 1 万吨救济粮。同年 7 月，在联合国第二次援助非洲难民国际会议上，中国政府主动认捐了 100 万美元。自 1987 年以来，中国连续多年向联合国难民署的一般性援助项目认捐 25 万美元，并多次就解决泰柬边境印支难民等问题向联合国难民署特别项目捐款。

对 20 世纪 70 年代后期以来进入中国境内的印支难民（其中大部分是越南难民），中国政府一视同仁，不予歧视。为了安置印支难民，中国政府专门成立安置难民办公室，各省区也都设立了相应的安置难民机构。截至 1990 年底，中国在广东、广西、云南、福建、江西等地的国营农场共接收安置过 28.8 万名印支难民，仅云南省一地就安置了 4.5 万名。中国从全国各地调入了粮食、衣物、交通工具和药品，以保证难民的基本生活。对于难民中的教师、医务和工程技术等专业人员，进行对口安置，以发挥其专长。中国难民救助机构实施了中国特色难民就业模式——华侨农场，用来解决难民问题的基本生活问题。大多数农场还建设了许多便利设施，如学校、幼儿园、社区医务所等，以解决难民的后顾之忧。另外，中国政府尊重部分在华印支难民返回家园的意愿，圆满地遣返了一部分愿意回归的难民。[①]

当前，全球难民形势严峻复杂。战争和冲突仍然是难民产生的主要原因，自然灾害也导致不断产生新的流离失所者。此外，国际经济形势低迷、粮食和能源危机、人道工作安全环境恶化等因素，使难民和流离失所者处境更为艰难。在此情况下，中国作为一个负责任的大国，始终以难民问题解决为己任，主张国际社会加大对难民问题的关注，努力推动采取综合性措施加以解决，标本兼治。国际社会应通过联合国等多边机构，帮助各国实现和平、稳定与发展，消除难民产生的根源。难民问题是全球性问题，国际社会应本着“国际团结、责任分担”的原则，合作促进难民问题的持久解决。发展中国家承担了大量的难民保护责任，发达国家及联合国机构应向其提供更多资金和技术援助。在重大自然灾害面前，国际社会应本着大爱无疆的精神，提高抗灾、救灾和灾后重建的能力和水平，让流离失所者早日重返家园。

四、当前国际移民问题的基本特点

（一）国际移民数量保持较大规模，分布呈现不均衡状态

近年来，随着经济全球化的深入发展，国际移民数量以年均2%的速度持续增长。据联合国人口署统计，国际移民在1970年只有8200万人，2000年迅速增至1.75亿。1980年至2000年，发达国家接纳的移民人数从4800万剧增至1.1亿，发展中国家接纳的移民人数也从5200万增至6500万。进入新世纪后，国际移民数量继续保持上涨趋势。据国际移民组织统计，2010年国际移民人口已达到2.14亿，约占全球人口总数的3.1%，平均每33个人中就有一个移民，大致相当于世界第五大国巴西的人口规模，而且这支队伍还在快速扩大。正如联合国2006年发布的《国际迁徙与发展》报告中所指出的，“人类已经进入第二个迁徙时代。”

在全球移民的过程中，迁入的国家和地区是相对集中的，呈现不均衡

① 郭会杰：《当代国际难民问题研究》，中共辽宁省委党校硕士论文，2008年。

的分布状态。2000 年，28 个国家接受了全球 75 %的移民。全球移民的60 %是迁往发达国家。从国际移民组织最新公布的数据来看，国际移民分布不均衡的趋势更加明显。在欧洲，2000 年定居欧洲的移民达到了 3280 万人。1995 年至 2001 年间，大约有 100 万移民获得了德国国籍。法国在 1990 年之后的 11 年间给予 140 万外国人法国国籍。2001 年，劳工移民在欧洲 16 个主要目的国的劳动力市场中至少占到了 5 %的份额。2010 年，欧洲移民人口已达到 6980 万，成为当前全球移民聚集最多的地区。2009 年，欧盟增加的人口中，超过 60 %来自于移民。

在北美，美国、加拿大是接收移民数量位居世界前列的国家。两国持续保持永久性移民政策，这使得北美地区成为国际移民的主要聚集区。2000 年，美国移民人数为 3500 万，全球每 5 个移民中就有 1 个移民美国。2010 年则增长到 42800 万，居世界第一位。2000 年，加拿大移民人数为 580 万。2010 年则增长到 720 万，居世界第六位。长期以来，美国、加拿大的外来移民中，很大一部分是为了家庭团聚。这种移民在两国外来移民中所占的比例分别达到了 70 %和 60 %。另外，从 20 世纪 90 年代开始，两国的技术人才移民不断增加，这种趋势在未来可能还会继续发展。

大洋州是移民人口比例最高的地区，澳大利亚和新西兰是全球移民的主要目的国。2000 年，澳大利亚外来移民人口为 470 万，新西兰为 60 万。2010 年，两国的外来移民人口达到了 600 万。尽管涨幅不大，但主要集中于投资移民和技术移民等群体，外来移民素质较高。

2010 年全球移民人口分布情况（单位：百万）

地区	移民人数	人口比例
欧洲	69.8	9.5 %
亚洲	61.3	1.5 %
北美	50.0	14.2 %
非洲	19.3	1.9 %
拉美	7.5	1.3 %
澳洲	6.0	16.8 %

（数据来源：国际移民组织网站：http：//www. iom. int）

2010 年全球移民国家排名（单位：百万）

排名	国家	移民人数
1	美国	42.8
2	俄罗斯	12.3
3	德国	10.8
4	沙特	7.3
5	加拿大	7.2
6	法国	6.7
7	英国	6.5
8	西班牙	6.4
9	印度	5.4
10	土耳其	5.3

（数据来源：国际移民组织网站：http：//www.iom.int）

（二）非法移民问题日益严重

近年来，全球性非法移民问题日趋严重，它已经与艾滋病、毒品贩卖、国际恐怖主义并列，成为挑战国际社会的四大难题之一。所谓非法移民主要是指那些通过各种非法手段逾越国界或持合法证件入境但逾期不归并且企图永久居留他国的外籍人。① 由此可见，非法移民主要分为两类，一是合法进入、非法居留，即持有短期签证合法进入，但逾期不归者；二是非法进入、非法居留，即经“蛇头”安排进入的非法入境者。在多数情况下，移民、“蛇头”、接应人、地下工厂等多个环节构成较为完整的“偷渡链”，这些“偷渡链”组成庞大的国际犯罪网。

全球范围内非法移民问题扩大的原因是复杂的，其主要原因是由于国际经济发展不平衡造成。随着全球化的深入发展，发达国家与发展中国家的发展差距已经出现了两极分化的趋势，富者愈富，贫者愈贫。发达国家具有强大的竞争力，民众生活比较优裕。发展中国家则处于十分被动的地

① 梁茂信：《美国移民政策研究》，东北师范大学出版社 1996 年版，第 347 页。

位，在艰难中发展，不少国家陷入极度贫困。这种经济发展的不平衡为非法移民的扩大提供了内在动力。长期以来，非法移民绝大部分是从不发达地区或发展中国家向经济状况好的地区或发达国家流动。随着高新技术的快速发展和进步，分化出了资金密集型的高技术产业和需要大量廉价劳工的劳动力密集型产业，由于发达国家建立了较为完善的国家福利制度，对廉价劳动力需求一直很大，给外国非法移民提供了生存的基本条件，进一步助长了非法移民的滋生与蔓延。①

据不完全统计，目前全世界非法移民人数超过3000万，而且仍在以每年300万人的高速增长，约占全球移民总数的15%。世界头号非法移民迁入国美国，1990至1999年间，非法移民的数量以年均35万的速度增长。2000年，美国境内非法移民人数已经达到700万，占当年全美人口的2.5%。2004年，又猛增至1030万，年均增长速度达到了50万左右。西欧也是非法移民的一个主要目的地。近年来，国际犯罪集团每年都向欧洲运送非法移民约40万人。为了免遭拘捕或者驱逐，他们入境之后往往申请难民资格，欧盟各国政府需要处理的避难申请数不胜数。欧洲的非法移民超过500万，约占其移民总数的10%左右。近年来，澳大利亚的非法移民也明显增多。2002年查处的非法劳工为3233名，2003年达到3405名。这些非法劳工大多从事制造业、农业、建筑业和色情业等。截至2004年，根据澳大利亚官方数据显示，澳大利亚境内非法移民人口约为5.1万人。②

（三）国际移民问题对国际社会的影响

国际移民问题对国际社会的影响是双重的。一方面，在全球化的大潮下，合法的国际移民流动有助于人才、技术和资金在更为自由和广阔的范围内进行配置，对于推动各国经济、社会发展和文化交流发挥了重要作用。对于输出国而言，通过侨汇可以增加本国的外汇收入，缓解劳动力市

① 李慎明、王逸舟主编：《全球政治与安全报告（2006）》，社会科学文献出版社2006年版，第203页。

② 李少军：《当代全球问题》，浙江人民出版社2006年版，第237页。

场的就业压力，有些移民利用获得的资金、技术回到原籍国进行投资，也有助于原籍国的经济发展和技术创新。对于输入国而言，有助于促进国民经济发展，拉动国内消费需求，弥补劳动力市场的结构性缺陷。据不完全统计，全球移民每年为其生活工作的国家和地区创造的产值超过了2万亿美元。2007年，移民及其家庭为美国各级政府所缴纳的税收高达1980亿美元，平均到每个移民家庭，其税收贡献比他们同期从各级政府得到的收益要高8万美元。2008年，移民为英国财政做出的贡献约为25亿英镑，相当于收入所得税基础税率的1%。另外，大多数移民工人从事的是所在国居民不愿意干的工作，这类工作或者不受社会尊重，或者报酬低，或者劳动条件恶劣。还有些工作需要较高的技能和专业知识，当地居民中缺乏胜任者，多由外来移民中的高级人才承担。这有效地弥补了输入过劳动力市场的结构性缺陷。

另一方面，移民大量涌入改变了输入国的民族、种族结构，对主权国家的国家安全产生深刻影响。首先，由于移民问题涉及到输出国和输入国的不同利益，特别是非法移民问题往往掺杂了复杂的政治因素，对国际关系的挑战更为严峻。国家间由于国际移民问题造成的外交摩擦时有发生，甚至导致军事冲突。其次，大规模移民削弱了国家对领土和人口的控制能力，使得国家主权面临愈加严峻的挑战。移民特别是非法移民经常被当作政治运动的工具，不断激化他们与当地居民的种族、宗派冲突。第三，跨国有组织犯罪利用移民牟取暴利，威胁社会稳定。移民特别是非法移民带来严重的全球走私与买卖人口等问题，不法分子每年通过拐卖人口获得的收入高达100亿美元。不仅非法移民本人在非法穿越边界时面临被“蛇头”抛弃和遭到其他意外伤害的危险，而且给当地社会带来很多不良后果，容易激发当地公众的仇外情绪，继而影响政府的移民和庇护政策。第四，国际恐怖主义分子通常利用合法或非法移民的方式入境，然后再伺机制造破坏性恐怖事件。“9·11”事件中，19名劫机犯中就有3名是以学生签证进入美国。另外，非法移民屡禁不止，还可能与腐败、有组织犯罪等问题交织在一起，成为破坏社会稳定的因素。例如，在美国与墨西哥边境，非法移民问题就与走私贩毒有着千丝万缕的联系。

五、国际社会解决移民问题的主张与努力

对于日趋复杂的移民问题特别是令人头痛的非法移民问题，国际社会一直都在积极地寻求和实施各种解决方案。在这个过程中，联合国等国际组织以及世界各国都作出了巨大的努力。

在国际移民问题上，联合国一直都以保护国际移民者人权、保护弱势群体权力为宗旨。1948 年，联合国通过《世界人权宣言》，特别规定“人人有权离开任何国家，包括其本国在内，并有权返回他的国家。”1966 年，联合国通过《经济、社会、文化权利国际公约》和《公民权利和政治权利国际公约》，规定条约所规定的权利适用于包括移民在内的所有人。1990 年，联合国又专门通过了针对国际移民工人权利的《保护所有移徙工人及其家庭成员权利国际公约》。公约明确规定：“缔约国依照关于人权的各项国际文书，承担尊重并确保所有在其境内或受其管辖的移徙工人及其家庭成员，享有本公约所规定的权利。”在保护弱势群体方面，由于国际移民往往处于社会最底层，生存发展能力不强，特别是其中的妇女、儿童、老人会遇到更多的困难。对此，联合国先后制定通过了《消除一切形式种族歧视国际公约》、《消除对妇女一切形式歧视公约》、《儿童权利宣言》、《儿童权利公约》、《残疾者权利宣言》、《联合国保护被剥夺自由少年规则》等国际条约，并设立了专门机构负责监督各国，以改善这些弱势群体的人权状况，维护他们的权利。在解决非法移民问题方面，联合国也做出了积极的努力。2000 年，联合国大会正式通过《打击跨国有组织犯罪公约》以及《防止、取缔和惩处人员贩运特别是妇女和儿童贩运议定书》和《打击陆路、海空偷运移民议定书》两个议定书。议定书的签署和生效在各国处理非法移民问题上发挥越来越重要的规范与协调作用。《联合国打击跨国有组织犯罪公约关于预防、禁止和惩治贩运人口特别是妇女和儿童行为的补充议定书》（简称《人口贩运议定书》）于 2000 年 11 月 15 日由第 55 届联合国大会通过，并于 2003 年 12 月 25 日生效。截至 2009 年 10 月 22 日，

已经有132个国家和欧洲共同体批准或者加入了《补充议定书》。《联合国打击跨国有组织犯罪公约关于打击陆海空偷运移民的补充议定书》（简称《偷运移民议定书》）于2004年生效（时有112个国家签署议定书）。

与此同时，世界各国也加强了对移民的管理。从具体做法来看，主要包括与主要移民来源国签订劳工双边协议，进行协同管理；实行移民准入条件和配额限制，根据国内劳动市场需求及时进行调整；强化入境的安全制度建设，实行不同形式的登记制度；执行更为严格的移民政策，增加对移民相关事务的人力和资金投入，加大边境检查的力度，严厉打击偷渡和人口贩卖活动，同时对境内已发现的非法移民进行遣返或者驱逐，以减少境内非法移民的数量等。[①] 如2001年以来，西班牙实施了规范和协调移民输入问题的“全面计划”，并先后与8个移民来源国签订了劳工双边协议，针对输出国对工人的招聘、关于临时工人的特殊规定、在流入国的劳动条件和权利的保证、家庭团聚的可能性以及劳工返回等方面进行了规定，加强对国际移民的协同管理。近年来，一些西方发达国家也相继提高了移民门槛，开始抑制移民流入。2008年，英国针对非欧盟国家移民实行“记点积分”制度，限制非技术类人员进入英国。2010年，澳大利亚也再次调整移民政策，宣布由技术职业清单取代紧缺职业名单和关键职业名单，限制从事低技术含量职业的移民进入澳大利亚。“9·11”事件后，为了配合反恐和维护本土安全的需要，美国实行了更为严格的移民管理制度和非法移民遣返制度。美国政府实行了严格的国家安全出入境登记制度，建立出入境人员的电子追踪系统，不断加强出入境安全检查。2004年，美国调整非法移民遣送程序，加快对非法移民的遣送进程。该程序规定，来自墨西哥和加拿大以外国家的非法移民，如果在距离边境160公里以内的范围被捕，在8日内就将被遣送回原籍国。奥巴马政府上台后，重点打击非法移民，查处涉嫌聘用非法劳工的企业和偷渡犯罪团伙。根据美国《外交政策》杂志副主编乔舒华·基汀的分析，截止2011年10月，奥巴马政府驱逐了约

① 高祖贵、姚琨：《国际移民问题概况、影响及管理》，载《国际资料信息》2007年第8期。

120 万人，创历史之最。而小布什执政 8 年，驱逐人数约为 150 万。

近年来，中国作为一个负责任的大国，高度重视联合国等国际组织的积极作用，不断加强与世界各国的国际合作，促进正常移民流动，为世界的繁荣与稳定作出了积极的贡献。面对日趋复杂的移民问题，中国政府始终坚持四项主张：一是在观念上应认同移民对发展的促进作用。各国政府要以更加开放、友善、公正、积极的态度看待移民问题，不要肆意夸大移民的负面影响，更不能戴有色眼镜看待某些移民族群。二是在政策上应促进移民正常、有序流动。各国政府要正确对待少数非法移民与合法移民的关系，在最大限度遏制非法移民活动的同时，努力促进移民正常、有序流动，鼓励合法移民为目的国和来源国的经济发展作出贡献。三是在行动上应切实保护移民合法权益。目的国应与来源国加强协调，从移民的实际需要出发，维护其合法权益，促使移民融入当地社会，为目的国经济发展作出更大贡献。四是在国际上应加强合作与对话。发达国家及相关国际和地区组织应提供必要的资金和技术援助，帮助发展中国家加强能力建设。针对移民可能产生的人才流失问题，移民目的国和来源国也应加强合作。

作者简介

（按写作顺序）

导言《世界格局的变动与中国的和平发展》：宫力

宫力博士，中央党校国际战略研究所所长、教授、博士生导师，国家社会科学基金学科评审组专家，中国国际关系学会副会长，中华美国学会副会长，1998年获政府特殊津贴。出版个人专著有《毛泽东与美国：毛泽东对美政策思想的轨迹》、《邓小平与美国》等。发表论文有《改革开放与中国外交》等200余篇。主持完成国家社会科学基金项目《新中国成立后毛泽东对美政策思想的历史发展》、《邓小平对美政策思想研究》，国家软科学项目《软实力与中国和平发展道路》，中央党校与美国哈佛大学费正清东亚研究中心合作项目《中美关系正常化进程再探讨》（任中方主持人），以及马克思主义理论和建设工程教育部重点教材《当代中国外交》（任首席专家）。

第一章《朝核问题困境与东北亚安全变局》，第四章《印巴争端与南亚地区形势》：秦治来

秦治来，男，法学博士，教授，现供职于中共中央党校国际战略研究所，任世界思潮研究室副主任、硕士生导师，中共中央编译局博士后研究人员。出版《探寻国际关系研究的历史学传统》等专著3部、译著1部，合作主编著作1部，发表论文百余篇，撰写研究报告若干篇。主持中国博士后科学基金、中国马克思主义研究基金等省部级课题若干项，参与国家

课题 6 项。赴 10 多个国家和地区进行学术访问。研究方向为国际关系理论、中国外交、国际传媒。

第二章《钓鱼岛问题与中日东海争端》：陶莎莎

陶莎莎，女，河南省驻马店人。中共中央党校 2008 级国际政治专业博士生。现工作于郑州市委党校。主要研究方向：大国关系与中国外交，同时，对中国海权、中国海外利益等相关问题进行了长期关注。

第三章《南海问题的历史演变与变化趋势》：郑泽民

郑泽民，中国南海研究院，博士，副研究员。2004 年毕业于中共中央党校国际战略研究所，获法学博士学位，现就职于中国南海研究院，从事南海问题研究，发表有关南海问题专业论文和时评数十篇，著有《南海问题中的大国因素》（世界知识出版社）。

第五章《中东问题与中东大变局》：高祖贵

高祖贵，中共中央党校国际战略研究所研究员、博士、博导，主要从事国际战略与安全、中国国家安全战略、中国对外战略、美国与伊斯兰世界关系、中东问题等方面的研究，参与过有关中国和平发展道路、国家形象、国家软实力、中国对外传播战略等重大课题的研究工作，著有多部著作，包括《国际战略与安全形势评估》、《世界经济霸权：1500－1990》、《美国与伊斯兰世界》、《全球变局：美国与伊拉克》、《冷战后美国的中东政策》，等等，经常在《国际问题研究》和《现代国际关系》等重要学术刊物，以及《求是》、《人民日报》、《中国日报》等中央和国家级报刊上发表文章，经常在中央电视台、中国国际广播电台、凤凰卫视等重要媒体接受访谈。

第六章《后危机时代的国际金融格局》：刘东

刘东，经济学博士后，研究员。1990－1994 年山东师范大学就读本科，政治学专业，获法学学士学位。1994－1997年华东师范大学（上海）就读硕士研究生，金融学专业，获经济学硕士学位。1997－2000年中共中央党校（北京）就读博士研究生，经济学专业，获经济学博士学位。2000－2002年南开大学（天津）经济学院博士后流动站，经济学专业。1999－2002年任中央党校校领导秘书，2001年开始担任中央党校办公厅秘书处副处长。2003年开始在中国银行借调，其中2005－2008年担任中银国际证券有限责任公司董事会秘书。2008年开始在中央党校国际战略研究所任职，现为世界经济室副主任。主要从事西方经济学、国际政治经济学、国际金融的教学工作，在中央党校省部班、地厅班，以及研究生班开设课程。著有《从生产劳动到虚拟资本》、《虚拟资本与投资银行》等著作。

第七章《复杂多元的国际核不扩散进程》，第十三章《跨国界的难民与移民问题》：孙东方

孙东方，山东潍坊人，法学博士，助理研究员，博士毕业于中国人民大学，现为清华大学台湾研究所博士后，马克思主义理论研究与建设工程第二批重点项目“当代中国外交”专家组成员。近年来，本人一直致力于国际战略、非传统安全等领域的研究与教学，现主持、参与完成省部级科研项目6项，在《世界经济与政治》、《国际关系学院学报》等刊物发表论文20余篇，并向有关部门提交内部报告7篇。

第八章《国际政治视野中的能源安全问题》：张仕荣

张仕荣，男，1974年1月生，内蒙古赤峰人，法学博士，中共中央党校国际战略研究所国家关系与台港澳研究室助理研究员、副主任，主要研究方向为台湾问题和国家能源安全。2008年从清华大学人文学院博士后出站。近年来，出版了专著一部——《21世纪初中美日安全关系中的台湾问题》、合著一部。参编论文集和教材多部。在《当代亚太》、《美国研究》、《中国党政干部论坛》、《理论前沿》等国内中文学术期刊上发表二十多篇文章。主持国家级课题一项（“基于自组织理论构建台湾海峡两岸和平发

展框架”)、中国博士后科学基金一项，同时参与多项国家和省部级课题。

第九章《世界“向东看”与中国模式的国际影响》：罗建波

罗建波，中共中央党校国际战略研究所副研究员，中国外交研究室副主任，北京大学法学博士。研究领域涉及中非关系、中国对外援助、软实力与国家形象研究等。已出版著作三部：《通向非洲复兴之路：非盟与非洲一体化研究》、《非洲一体化与中非关系》、《中非发展合作：理论、战略与政策》（合著）。在《世界经济与政治》、《外交评论》、《现代国际关系》、《当代亚太》、《西亚非洲》、《人民日报》、Review of International Studies（Cambridge University Press）等国内外刊物上发表学术论文百余篇。曾主持国家社科基金项目“非盟与非洲国家发展问题研究”，主持多项中国马克思主义研究基金会课题，完成多项中央和部委委托课题。曾于2006年在美国耶鲁大学做访问学者，近年来多次赴国外发表学术演讲或参加学术研讨会。

第十章《当代世界民族宗教问题》：赵磊、刘刚

赵磊，法学博士，清华大学公共管理学院博士后。现为中共中央党校国际战略研究所副教授、台港澳与国际关系研究室副主任、中央党校亚太研究中心秘书长、北京外国问题研究会特邀研究员。被评为“清华大学优秀博士后”、“中央党校十大杰出青年”。先后主持国家社会科学基金、中国博士后科学基金、中国马克思主义研究基金等多个国家级科研项目，现主持国家社会科学基金一般项目——《国际视野中的民族冲突与管理》。多次赴加拿大、英国、比利时、瑞士、科索沃、台湾等国家和地区访学交流。在国内外学术刊物上发表文章70余篇，出版专著3本，如《领导干部必备的三大思维能力：战略思维、创新思维、辩证思维》、《中华人民共和国对联合国外交行为的演进》。

刘刚，中共中央党校国际战略研究所2010级硕士研究生，专业为外交学。

第十一章《全球化时代的恐怖主义及其治理》：张明明

张明明，中央党校国际战略研究所国际政治研究室主任，教授，博士生导师。主要从事当代国际政治与中国外交等问题的研究与教学，主要研究成果有专著《国际政治热点问题研究》、合著《中国周边国际环境》、主编《当代国际政治概论》、译著《民族主义》等。

第十二章《全球变暖问题与气候外交“升温”》：周绍雪

周绍雪，吉林省长春市人，获中共中央党校法学博士学位、副研究员。现任职于中共中央党校国际战略研究所中国外交室，主要研究方向为国际关系理论、大国关系、中国外交等。著有《女性主义国际关系理论研究》，曾撰写有关女性主义国际关系理论、气候外交、中美关系等方面的论文十几篇。

后 记

当今世界正处在大发展大变革大调整时期。变革时代的当今世界是什么？有人认为，它是（扁）平的或者大国的；也有人认为，它是被折腾过的或者令人不高兴的；不胜枚举。中共中央党校国际战略学者倾心打造的《世界新变局》一书，正是时下探寻世界变局之道的诸多努力中的一种有益尝试。

世界潮流，浩浩荡荡，顺之者昌，逆之者亡。当前，世界多极化不可逆转，经济全球化深入发展，科技进步日新月异，国与国相互依存日益紧密。同时，世界和平与发展面临诸多难题和挑战。局部冲突和热点问题此起彼伏，国际经济环境中不确定不稳定因素有所增多，传统安全威胁和非传统安全威胁相互交织。进入21世纪的第二个十年，孙中山先生倡导的“内审中国之情势，外察世界之潮流”的做法对正在崛起的中国的重要性不言而喻。这就要求中国应勇于成为逐波踏浪的弄潮儿，而不能退缩。

当代中国正站在一个新的历史起点上。中国同世界的关系发生了历史性变化，中国的前途命运日益紧密地同世界的前途命运联系在一起。与世界“同呼吸，共命运”，中华民族伟大复兴之路必然变得越来越宽广。改变自己是中国力量的主要来源，也是中国影响世界的主要方式。这就要求中国站在统筹国内国际大局的高度审视中国和世界的发展问题。

崛起的中国需要一流的大国民心态和风范。无容置疑，越来越多的中国民众开始用宽广的眼界观察世界，朝着“风范大国民”的标准大踏步迈进。也要看到，“挡在中国与世界之间的这堵墙太厚重了……今天中国有耐心等待世界认识中国”。这就要求中国民众学会自觉拆除横亘在中国与外部世界之间的心中之墙。

中共中央党校国际战略研究所承担本书的撰写工作，并邀请个别校外专家参加。作者（按写作顺序）是：导言：宫力；第一章：秦治来；第二章：陶莎莎；第三章：郑泽民；第四章：秦治来；第五章：高祖贵；第六章：刘东；第七章：孙东方；第八章：张仕荣；第九章：罗建波；第十章：赵磊、刘刚；第十一章：张明明；第十二章：周绍雪；第十三章：孙东方。宫力、秦治来负责总体设计和统稿工作。

感谢每一位作者付出的辛勤工作。在繁忙的教学科研工作中，各位作者均能按时高质量地完成所承担的写作任务，是这本凝聚集体智慧的著作顺利出版的重要保证。感谢当代世界出版社为本书出版提供的大力帮助，特别感谢责任编辑李国振、贾丽红细致而高效的工作。

衷心希望《世界新变局》一书对于广大读者了解当前世界大势提供一些帮助，也希望学术同行不吝赐教。

宫力　秦治来

2012 年 2 月于中共中央党校